L'espoir des Bergeron

Catalogage avant publication de Bibliothèque et Archives nationales
du Québec et Bibliothèque et Archives Canada

Tremblay, Michèle B. (Bergeron), 1953-
L'espoir des Bergeron
Sommaire : t. 1. Un bel avenir.
ISBN 978-2-89585-793-8 (vol. 1)
I. Tremblay, Michèle B. (Michèle Bergeron), 1953- . Bel avenir   II. Titre.
PS8639.R453E86 2016   C843'.6   C2015-942429-1
PS9639.R453E86 2016

Les Éditeurs réunis bénéficient du soutien financier de la SODEC
et du Programme de crédit d'impôt du gouvernement du Québec.

Nous remercions le Conseil des Arts du Canada
de l'aide accordée à notre programme de publication.

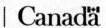

Édition :
LES ÉDITEURS RÉUNIS
lesediteursreunis.com

Distribution au Canada :
PROLOGUE
prologue.ca

Distribution en Europe :
DILISCO
dilisco-diffusion-distribution.fr

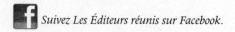

Suivez Les Éditeurs réunis sur Facebook.

Imprimé au Canada

Dépôt légal : 2016
Bibliothèque et Archives nationales du Québec
Bibliothèque nationale du Canada
Bibliothèque nationale de France

MICHÈLE B. TREMBLAY

L'espoir des Bergeron

1. Un bel avenir

LES ÉDITEURS RÉUNIS

Ma mère a failli ne jamais voir le jour. Je ne serais donc pas née, ni mon fils, ni mes petits-enfants. En fait, ma famille entière n'existerait pas, frères, sœur, oncles, cousins, cousines, neveux et nièces. C'est ainsi qu'on peut penser que le destin signifie vraiment quelque chose et que, lorsqu'il se déploie, les événements surgissent, se bousculent, s'amplifient pour que ce qui ne doit jamais arriver n'arrive jamais afin que ce qui doit nécessairement survenir puisse réellement survenir.

Chapitre 1

18 janvier 1923, Chicoutimi, Québec

— Ti-Louis ! Lève-toi !

En bas de l'escalier, Georges Bergeron tend l'oreille. Pas un son. Il monte une dizaine de marches et lance d'une voix forte :

— Ti-Louis ! Mon garçon ! Y est cinq heures et demie ! C'est le temps de te lever.

— OK papa, je me lève, répond Louis, tout heureux de sortir enfin de son lit.

Réveillé depuis deux heures, il a amplement eu le temps de repenser à tout ce qui s'en vient pour lui. Tout se bousculait dans sa tête. Le voyage en train ce matin même avec la famille jusqu'à La Malbaie, son grand mariage dans deux jours avec la fille cadette de l'architecte Warren, le voyage de noces à Montréal et aux États-Unis, la première rencontre avec la belle Angéline, le premier baiser, les fréquentations, la grande demande, en boucle, dans l'ordre et dans le désordre, toute la nuit.

— Enfin, on passe à l'action ! s'exclame-t-il en revêtant un épais chandail de laine par-dessus son pyjama, ainsi que de grosses pantoufles de mouton.

Il faut dire que c'est froid au deuxième étage, surtout quand janvier fait descendre le thermomètre à moins trente degrés Fahrenheit comme cette nuit. La grosse fournaise centrale a beau alors fonctionner au maximum de sa capacité, elle peine à chauffer les huit chambres à coucher de cette grande maison qu'il habite encore avec ses parents et sa sœur cadette. Surtout sa nouvelle chambre, éloignée des autres, qu'a fait construire son père juste pour lui et sa femme, un genre de rallonge de vingt-cinq pieds de long bâtie au-dessus des magasins du rez-de-chaussée. *On installera une petite fournaise à notre retour*, se dit-il en pensant à sa fiancée qui n'appréciera sûrement pas de geler ainsi jusqu'au printemps. Déjà que l'idée de rester avec ses beaux-parents n'allait pas de soi au départ pour elle, *il ne faudrait pas qu'elle prenne la maison en grippe*, se dit-il en se dirigeant vers la salle de toilette à l'étage.

Pendant ce temps, dans la cuisine, Georges dépose du petit bois dans le poêle avec quelques feuilles de papier journal en boule. Il gratte ensuite une allumette qu'il jette à l'intérieur avant de refermer le rond à moitié.

— Ah! Ça va faire du bien un peu de chaleur! s'exclame-t-il en se frottant les mains au-dessus du poêle.

Depuis le matin, il se sent presque aussi excité que son fils. Ce n'est pas lui qui se marie après-demain, mais c'est tout comme. Son Ti-Louis! Il faut dire qu'à vingt-huit ans, ce n'est pas trop tôt. Lui, au même âge, il était déjà père de cinq enfants et en voie de devenir indépendant de fortune. Il redresse la tête, se rappelant ses exploits: l'achat de vastes terrains en plein centre-ville de Chicoutimi, juste à côté de l'hôtel de ville, la construction de plusieurs maisons à revenus. L'acquisition d'un autre grand terrain donnant sur la rue Racine au coin de l'avenue Morin et la construction d'une grosse maison de trois étages toute en briques, avec une épicerie et plusieurs magasins au rez-de-chaussée. Et c'est sans compter tout le reste ! Des terres en surplomb de Bagotville qui lui sont restées du temps où il y possédait une fromagerie, des terrains et des maisons à Québec près de la Grande Allée, quelques reprises de banque. Ça vaut de l'argent ça, là ! À quarante ans, se souvient-il, il ne lui restait plus qu'à encaisser.

Georges soulève le rond du poêle et y ajoute une belle bûche d'érable bien sèche. Il sent les flammes lui lécher les bras :

— Bon ben, le feu est ben pris astheure.

Il sourit en lui-même en repensant à Ti-Louis, à qui il ne peut s'empêcher de se comparer. Tout a toujours été si facile pour lui. Une vraie jeunesse de riche ! Le cours classique, les cours d'anglais, les beaux vêtements, les voyages ici et là, quelques folies de jeunesse, l'insouciance. *Faut croire que l'mariage va y donner c'qui y manque*, se dit-il.

— Emma ! Où ce que t'es ? fait-il en se dirigeant vers la table.

La voix de sa femme lui parvient du fond de leur chambre à coucher, à l'autre bout de la longue cuisine :

— Je finis les bagages pis j'arrive.

— OK. Prends ton temps ! J'vas fumer une pipe en t'attendant.

Il s'assoit et sort sa blague à tabac et sa pipe de sa poche. Lentement, il bourre le fourneau avec son pouce, prend son briquet et l'allume en aspirant deux ou trois bonnes bouffées.

À soixante-quatre ans, il ne fait pas son âge. Plutôt bel homme, le teint assez foncé, grand, encore droit et vigoureux, il dégage un dynamisme contagieux qui l'a favorisé plus d'une fois dans ses affaires. *Quand je pense qu'y vont revenir toué deux vivre icitte avec nous autres*, se dit-il une fois encore, *c'est quasiment trop beau pour être vrai.* Il sourit. Son Ti-Louis, avec sa femme, dans sa maison… Il reste là un moment à fumer, satisfait. *Mais ça va t'être le temps que j'y en donne plus à faire si je veux qu'y prenne la relève*, se dit-il, *collecter les loyers, payer les taxes, faire les comptes au jour le jour. J'serai pas toujours là.*

— Pis papa, comment tu trouves ça, marier ton garçon? lance Louis avec bonne humeur en entrant dans la cuisine.

Mince et élancé, Louis paraît plus grand qu'il ne l'est. Il porte ses cheveux presque noirs lissés vers l'arrière, laissant ainsi son large front dégagé. Ses traits sont bien dessinés. Nez aquilin assez fort, mâchoire large et carrée avec une belle fossette au milieu du menton, grands yeux bruns légèrement cachés derrière de petites lunettes, il possède un charme certain dû en partie à son expression joyeuse et communicative. Taquin, il s'assoit à table devant son père:

— Hen papa? Comment tu trouves ça, marier ton garçon?

— Ben t'es pas le premier, t'sais ben, rétorque-t-il, la pipe entre les dents. Bon-yenne Ti-Louis! J'en ai neuf enfants pis ça fait sept que je marie, tu devrais le savoir. Tu comprends ben qu'j'ai l'habitude, depuis quasiment vingt ans que ça dure, ces histoires de mariage-là.

— Oui, mais là c'est pas pareil! C'est mon mariage à moi.

Il se met à rire, excité, avant d'ajouter :

— Où ce qu'y est maman ? demande-t-il.

— Dans chambre avec Tetitte. Y finissent les bagages.

— Bon ben, j'vas aller voir en avant comment ce qu'y fait dehors.

Louis se lève et se rend d'un pas décidé à l'avant de la maison. Deux pauvres lampadaires éclairent faiblement la rue. *Pas moyen de voir grand-chose, y fait encore noir comme chez le diable,* se dit-il en s'éloignant de la fenêtre. En tout cas, au moins, il ne neige pas. Il pense au long voyage qui les attend, en train pour la journée, et encore toute la soirée.

— C'est toute une aventure que j'vas vivre, moi, là ! déclare-t-il, fier de son coup, en revenant dans la cuisine. Me marier, comme ça, en plein hiver à Malbaie.

— Ça s'est pas vu souvent, ça c'est çartain, lui répond son père en déposant sa pipe éteinte sur la table.

— Oui mais papa, imagine comme c'est extraordinaire ! s'exclame Louis, les yeux brillants.

— C'pas à cause, mon garçon, rétorque son père en pensant au trouble de se rendre jusque-là en famille en plein mois de janvier. Pour être pas ordinaire, ton affaire, c'est pas ordinaire pantoute.

* * *

Juste à côté dans la chambre, Emma s'active. À soixante-sept ans bien sonnés, mère de neuf grands enfants et de nombreux petits-enfants, elle fait montre encore de beaucoup d'énergie. Bien que ses traits se soient épaissis et que ses cheveux aient blanchi avec les années, il émane toujours d'elle un peu de cette grande beauté qu'elle possédait dans sa jeunesse. Fille d'un cultivateur du rang Saint-Thomas, à Chicoutimi, elle avait alors une grâce peu commune. Forme du visage carrée, front haut et large, bouche et nez parfaits, menton arrondi et cou délicat, c'étaient surtout ses yeux verts en amande qui accrochaient les regards et qui les retiennent encore aujourd'hui. Sa fille Alma, que tout le monde appelle Tetitte, est à ses côtés. Elle est la dernière fille de la famille : de là lui vient son surnom. Tetitte est une jeune femme qui, sans être jolie, possède tout de même certains attraits. Elle a hérité du nez busqué des Bergeron, mais son beau front large et ses grands yeux bruns rayonnent de bonté. Levées toutes les deux pratiquement en pleine nuit, Tetitte et sa mère terminent tout juste les bagages.

Faut rien oublier, se répète Emma en pliant avec soin les tenues pour la noce : sa jolie robe en organdi d'un beau beige rosé, son collier de perles, ses bas, ses souliers chics achetés chez Lessard en haut de la côte, son étole de fourrure, l'habit de son Ti-Louis, fait sur mesure par un tailleur de Québec, ses souliers, chaussettes, mouchoir, cravate, chapeau, le beau costume de laine bleu de Tetitte, très chic, qu'elle s'est tricoté elle-même, l'habit presque neuf de Georges, sans oublier tous les accessoires et les vêtements moins chics de tous les jours, des bas et des souliers plus confortables pour tout le monde, des vestes de laine et des châles pour le soir, des chapeaux pour toutes les occasions, des foulards.

— Ah ! Ça finit pus ! s'exclame-t-elle à voix haute.

— On en apporte toujours trop, hen maman! T'arrives avec des valises pleines de linge, pis en fin de compte tu passes quasiment toute le voyage avec la même robe su'l dos!

— Ça c'est vrai! approuve sa mère. Mais c'est que tu veux qu'on fasse? Faut tout prévoir! Pis l'hiver aussi, c't'affaire! Ça prend encore plus de toute… Je me demande ben pourquoi y ont pas attendu au printemps, bourrasse-t-elle.

— Mais maman, toute a été faite dans l'ordre! Les fiançailles, la publication des bans dans les deux paroisses.

— Ben oui, ben oui, j'sais tout ça. Ce que je veux dire, c'est que c'est ben du trouble un mariage à Pointe-au-Pic en plein hiver. Je me demande juste ce qu'y ont pensé… Peut-être ben qu'y ont pas pensé pantoute en fin de compte, marmonne-t-elle.

— Ça va être ben mieux quand ça va être mon mariage à moi, hen maman! Au mois d'août, icitte même à cathédrale, dans notre paroisse à nous autres.

Tetitte regarde sa mère, cherchant son approbation.

— C'est sûr que l'été, c'est plus facile, plus plaisant… Mais ça sera pas si plaisant que ça quand tu vas t'en aller le soir même pour rester à Montréal avec ton mari.

Emma soupire. Elle se sent triste tout à coup. Ah! Elle a bien vu trois de ses cinq garçons partir au loin – deux en sont revenus, que Dieu en soit béni jusqu'à la fin des temps – mais une fille, sa petite dernière à part ça, on dirait que c'est pire de la voir quitter la place. Et puis, on dirait qu'elle ne peut s'empêcher de repenser aux cinq beaux enfants qu'elle a perdus, deux petites filles quasiment en même temps en 1891, puis trois autres quelques années plus tard sur une période rapprochée encore une fois. Elle hausse les épaules. *C'est qu'tu veux qu'on fasse ? Un malheur ne vient jamais seul… Nos enfants nous sont prêtés, disent les curés pour nous consoler. Mais ça empêche pas la peine. Ça l'empêche pas pantoute. Même après vingt-sept ans !*

Voyant sa mère si affligée tout à coup, Tetitte tente de la réconforter :

— À cause maman que t'es triste de même ? Chus là, là ! Pis j'vas revenir tellement souvent qu'tu vas venir ben tannée d'me voir.

D'un rire nerveux elle enlace sa mère, qui se force un peu à sourire. Chassant d'un mouvement de tête ses idées noires :

— Bon ben envoye d'abord ! commande Emma. On finit les bagages pis on s'en va se mettre au déjeuner. Ça presse.

Après bien des efforts, elles réussissent enfin à tout entasser dans le grand coffre en n'oubliant pas de préparer une valise à part pour le voyage de noces de Louis.

— On arrive ! crie-t-elle à son mari.

En entrant dans la cuisine, elle se dirige immédiatement vers la glacière :

— Bon ben, c'est que vous diriez de ça si je vous faisais une omelette à matin ?

Sans attendre la réponse, elle sort des œufs et une pinte de lait de la glacière.

— Tetitte ! Viens m'aider à faire le café !

Celle-ci accourt aussitôt pour aider sa mère. Louis se lève lui aussi, par habitude. Il adore faire rôtir des tranches de pain sur le poêle.

— Non, non, pas toi Ti-Louis, pas à matin. Tu vas te marier, faut que tu fasses attention.

— Ben là maman, je me casserai pas un bras en faisant cuire des *toasts*, ironise-t-il.

— Bon OK d'abord, tu peux faire les *toasts*, mais fais ben attention de te brûler par exemple. Tu vois-tu ça, toi, fier comme t'es, te marier avec un pansement su'a main !

Ils se mettent à rire. Ils sont bien ensemble tous les quatre. Emma ne peut s'empêcher de penser que la prochaine fois, il y aura Angéline avec eux. *Ce sera différent, c'est certain !* Elle fait le service et s'installe à la table. Chacun se met à manger avec appétit.

— C'est bon ton omelette, maman. Tu vas-tu m'en faire encore quand j'vas être marié ?

Louis regarde sa mère avec affection.

— Ah ! Ti-Louis ! dit-elle en lui tapotant doucement le bras. T'sais ben que j'vas être encore ta mère. Pis on dirait que t'oublies qu'on va vivre encore ensemble dans même maison comme astheure.

Emma s'arrête un moment de manger et regarde son fils :

— Ben, la vie va quand même changer un p'tit brin c'est sûr, concède-t-elle. Va falloir que ta femme aille sa place icitte dans. C'est important, hen Georges ?

— C'est sûr! acquiesce ce dernier. Mais y a pas de quoi s'énarver quand même! Toute ça, ça va se faire tranquillement pas vite.

Il regarde par terre quelques secondes.

— J'vas te dire moi, ton père, ce qui est le plus important, reprend Georges avec assurance en relevant la tête. Ta mère c'est ta mère, pis ta femme c'est ta femme. Si t'oublies pas ça, toute va ben aller.

Tetitte, qui s'en va sur ses vingt-six ans, se sent à l'avance protectrice envers sa future belle-sœur de seulement dix-huit ans:

— Moi, chus tellement contente qu'a s'en vienne vivre icitte! s'exclame-t-elle. A va t'être comme ma petite sœur. Pis jusqu'à temps que je me marie, j'vas l'aider pour qu'a soit ben avec toi pis avec toutes nous autres.

Elle soupire avant d'ajouter:

— J'ai juste trois grandes sœurs, pis sont parties depuis tellement longtemps de la maison…

Emma se lève, inquiète tout à coup. C'est bien beau tout cela, mais aura-t-elle encore sa place, elle, la mère, dans sa propre maison? Elle ramasse les assiettes.

— Bon bon, c't'assez là, la parlotte à matin, faudrait surtout pas manquer le train. J'vas faire la vaisselle. Vous autres, allez vous préparer! Ça presse!

Georges est vite debout lui aussi.

— Inquiète-toi pas, ma femme ! Tu me connais, j'ai averti le gars qu'on serait là à bonne heure. Au pire, on est du monde important, y vont nous attendre.

— Peut-être ben important, mais oublie pas que la ponctualité est la politesse des rois, déclare-t-elle en rinçant son poêlon.

Elle se tourne vers son mari.

— J'y pense là, ça va ben nous prendre deux machines pour se rendre à gare. Peut-être ben trois. Marie-Louise pis Aimé partent aussi à matin. Y comptent su nous autres pour passer les prendre. Y a Edgar aussi qui embarque à matin. Y vient tout seul, Bertha est encore enceinte, pis a peur d'être malade dans le train. A dit qu'y faut ben que quéqu'un garde les enfants. Bonté divine ! Pour moi, ça va nous prendre trois machines.

— Arrête de t'énarver d'même ma femme, tu m'étourdis. T'sais ben que j'ai toute arrangé. Y a un taxi qui va aller les prendre. Avec nous autres, deux machines, ça va être en masse. Quelle heure qu'y est, là ?

— Quasiment six heures et demie.

— Bon ben, c'est dans une demi-heure à peu près qu'y vont arriver. J'vas rappeler, en cas…

Il se dirige vers le téléphone et prend l'acoustique.

— Allô ! hurle-t-il à l'opératrice. Passez-moi le stand de taxi. Ouais ouais, j'attends. Allô ! hurle-t-il à nouveau. C'est Georges Bergeron qui parle…

Il écoute quelques secondes.

— Ouais, deux machines, c'est sûr que ça va prendre au moins ça. OK, tout est ben beau de même. On va vous attendre…

Il raccroche.

— J'avais déjà toute arrangé, comme je vous le disais tantôt, pavoise-t-il. Pis on est chanceux, à part de ça. Comme y dit le gars du taxi, y fait beau à matin. Pas de neige, pas de tempête, pas de vent. On aura pas de misère avec le train.

Chapitre 2

À la gare, c'est le branle-bas de combat. Emma, déjà assise dans un wagon, observe par la fenêtre l'agitation au dehors. Georges est sur le *spot*. Les bras en l'air, il marche d'un bord à l'autre, donnant des ordres, surveillant les valises, accueillant les gens. *Un vrai chef*, se dit-elle sans réelle surprise, habituée à l'assurance de son mari. Louis est là, à ses côtés. *Tout chic! Un vrai monsieur de la haute!* songe-t-elle. *Quand on pense qu'y va se marier avec une Warren de Pointe-au-Pic!*, s'étonne-t-elle encore. *On rit pas! C't'un vrai grand mariage qu'y va faire là.* Elle se surprend à sourire en le regardant, droit comme un I avec son épais manteau d'alpaga et son écharpe blanche, ses petites lunettes sur le nez et son chapeau de castor sur la tête. *Il a quasiment l'air d'un prince russe*, se dit-elle. En fermant les yeux, elle le revoit quand il était petit. Son Ti-Louis! Son tout-petit! Celui qu'elle avait réussi à mettre au monde et à sauver après la mort de tellement d'autres enfants. Il avait été sa consolation, sa rémission, son apaisement. Un bon garçon, affectueux, drôle, qui aimait l'étude et qui ne les avait jamais déçus. À part peut-être pour le gaspillage, consent-elle à penser comme à regret, un vrai panier percé... Mais elle se reprend aussitôt. *C'est son père aussi qui le gâte trop. Entouècas, à vingt-huit ans, c'est vraiment le temps qu'y se marie!* conclut-elle en elle-même. Elle ressent alors une légère pointe d'anxiété, ou est-ce de la jalousie? Ils en ont parlé tantôt au déjeuner, d'Angéline et de tout ça, mais elle ne peut s'empêcher de se demander comment cela va se passer à leur retour… Elle ne la connaît pas beaucoup. *Tout à coup qu'on s'entend pas ?* s'inquiète-t-elle. *Tout à coup qu'est pas fine avec Ti-Louis ? Comment j'vas faire pour pas m'en mêler ?* Emma secoue la tête… À quoi bon se poser toutes ces questions ? Angéline a l'air d'une bonne fille. *Gâtée sûrement, grosse famille de riches, du monde instruit, des servantes, pis toute, pis toute. Mais bon… A va t'être la femme à Ti-Louis, comme dit papa, pis moi j'vas rester sa mère. Va rien que falloir que j'oublie pas ça, pis toute va ben aller !*

Elle se tourne et aperçoit sa fille Marie-Louise et son mari, Aimé Savard, qui viennent d'arriver. *Un petit bonjour ben sec. Pas un mot de plus ! Est pas jasante le matin, celle-là,* se dit Emma. C'est la quatrième de la famille, sa seconde fille, peut-être sa moins chanceuse à la loterie de la vie. Mariée avec un petit fonctionnaire sans éclat, elle n'a même pas pu avoir d'enfants. *Pauvre Tite-Vise !* s'émeut-elle chaque fois qu'elle pense à ça. Son cœur de mère lui dit que, même si elle n'en parle jamais, c'est sûr que ça doit lui faire de la peine. Comment faire autrement ? Emma ne peut s'empêcher de comparer son sort avec celui de sa fille aînée Alida, juste seize mois de plus, mais avec une vie si différente. Mariée à un médecin, Thomas Duperré, elle vit dans une grosse maison au bout de la rue Price, à l'embouchure de la rivière Chicoutimi. Thomas n'est pas aussi riche que s'il travaillait dans les beaux quartiers de la ville, mais quand les autorités de l'hôpital lui ont demandé de s'installer dans le quartier du Bassin, il s'est senti appelé par cette clientèle de la Pulperie, plus de mille hommes et leur famille, en devinant bien qu'il ne serait pas toujours payé au juste prix. C'est un bon docteur, Emma le sait, elle l'a vu souvent se dévouer. C'est un homme bon aussi, avec sa femme et ses six enfants, très bientôt sept. Alida ne sera pas au mariage de Ti-Louis, son filleul pourtant, en raison justement de sa grossesse presque à terme. Emma regarde à nouveau sa deuxième fille, Marie-Louise, qui parle depuis quelques minutes avec Aimé, qui la porte sur la main et semble être né dans le seul et unique but de la servir! *Dans le fond, Tite-Vise est peut-être plus heureuse qu'on pense,* se dit-elle finalement.

— Maman! T'es ben dans lune donc!

Edgar est devant elle, en train d'enlever son manteau.

— Ah ben salut mon garçon! T'as pas eu trop de misère à laisser Bertha pis les enfants?

Edgar repense au moment où il a franchi la porte, alors que sa femme est restée derrière lui dans la cuisine. Les enfants étaient tranquilles. Tout avait l'air de bien aller.

— Ètait de bonne humeur! répond-il. A m'a dit qu'a allait en profiter pour se reposer un peu.

Il lève les yeux en l'air.

— J'sais pas trop comment a va faire ça tu-seule, mais entouècas…

— A devait dire ça pour rire, voyons donc!

— Tu penses? réplique-t-il sans trop comprendre l'allusion.

Il indique la place libre en face de Marie-Louise et de son mari.

— Je peux?

— Ben sûr, mon frère!

Aussi sérieux l'un que l'autre, ils s'installent dans un silence convenu. Edgar sort un livre en anglais. Depuis son séjour en Nouvelle-Écosse, à dix-neuf ans, sa vie se passe essentiellement dans cette langue avec sa femme Bertha qui ne dit jamais un mot de français, ni avec lui ni avec les enfants. Le jour où elle a accepté de le suivre, de son Halifax natal jusqu'à Chicoutimi, elle a décrété qu'elle ne l'apprendrait jamais de sa vie. «*Never! Never! Never!*» avait-elle tranché. Rapidement, Edgar s'était aperçu que rien ni personne ne pourrait la faire changer d'avis, et il n'avait pas eu d'autre choix que de s'y habituer, au grand dam de ses parents qui la trouvaient vraiment entêtée. De deux ans l'aîné de Louis, beau garçon un peu lunatique, Edgar n'a jamais vraiment voulu étudier. Il vivote d'un emploi à l'autre depuis son retour de la Nouvelle-Écosse, déjà père de cinq enfants, bientôt six. L'air toujours débordé, il compte principalement sur son père pour le faire vivre, lui et sa famille, et aucun de ses frères ne peut lui en tenir rigueur. Ne profitent-ils pas tous plus ou moins des largesses de leur père, chacun à leur façon? Arthur avec sa grosse maison de trois étages et sa boutique de forge, Pitou avec son bloc de quatre logements à Kénogami reçu l'an passé en cadeau de noces, Pit avec ses longues études de médecine à Québec et aux États-Unis, et c'est sans parler de Louis qui n'a jamais travaillé et qui fait la grosse vie encore à vingt-huit ans, à même les revenus de son père.

* * *

Un grand brouhaha survient brusquement sur le quai. Une automobile vient d'arriver et tout le monde semble en alerte.

Un employé s'élance pour ouvrir les portières. Georges et Louis marchent vers la voiture. Emma sait bien qui va en sortir, mais c'est tout un cérémonial quand même.

— Voilà Héléna et Jean Grenon! ne peut-elle s'empêcher de claironner fièrement à l'entourage.

Emma fait un signe de la main à sa fille et son mari pour les saluer, mais cela reste sans réponse. *Les vitres sont un peu givrées, y m'ont pas vue*, se dit-elle en continuant tout de même à les observer. Ils semblent bien occupés. Après avoir donné ses ordres au chauffeur et à l'employé du train, puis échanger quelques mots avec Georges et Louis, le couple suivi de ses enfants se dirigent d'un pas assuré vers le wagon de tête. *Celle-là, c'est ma plus gâtée!* songe Emma en se rappelant le mariage princier de sa fille avec cet ambitieux et talentueux ingénieur civil. Un très bel homme, d'ailleurs. Surtout, un homme important à Chicoutimi. Et pas seulement ici, pour être précis, mais également au lac Saint-Jean, jusqu'à Chibougamau même. C'est lui qui a conçu le tracé de la voie ferrée qui relie Chicoutimi et Québec, les infrastructures du port en eau profonde et de la voie ferrée de Port-Alfred. Il est aussi ingénieur-conseil pour la Compagnie de Pulpe de Chicoutimi, et il a ouvert son propre bureau de génie civil, ce qui lui permet d'obtenir presque tous les contrats régionaux des villes et des gouvernements. Il a de quoi être fier, c'est certain. Héléna et lui demeurent à Rivière-du-Moulin, à deux pas de Chicoutimi, dans une belle grande maison, avec tourelles, vastes galeries et tout le décorum, située juste devant le Saguenay avec les monts Valin à l'horizon. Ils ont six enfants et font partie de la haute.

Au premier coup de sifflet, Georges et Louis arrivent à grands pas, ragaillardis par le froid du dehors, moins vingt-huit degrés Fahrenheit sur le quai.

— Y fait frette, mais y fait soleil. C'est ça qui compte! déclare Georges en commençant à enlever son manteau. Bon-yenne que j'ai chaud. J'me meurs!

— J'comprends donc! T'as pas arrêté une minute depuis à matin, lui répond sa femme.

— Bon ben là, c'est fini! Astheure, je me repose, fait-il en s'assoyant à côté d'elle.

Après s'être débarrassé de ses vêtements chauds, Louis prend place en face de lui :

— Héléna pis Jean te font dire bonjour, lance-t-il à sa mère en essuyant ses lunettes pleines de buée. Y font dire qu'on va se revoir rendus là-bas, ajoute-t-il en prenant ses aises, soulagé.

— Attention, tu vas me faire échapper une maille! s'exclame Tetitte qui, jusque-là, avait pu tricoter, concentrée, ce qui semble être une nappe au crochet. Depuis des mois, elle se passionne pour la préparation de son trousseau.

— Excuse-moi! dit Louis, en ramenant son coude vers lui. J'ai pas faite exprès.

— C'est pas grave! dit-elle en se penchant vers son sac pour y remettre avec précaution son ouvrage. Je continuerai tantôt!

Après quelques minutes, le convoi se met en branle.

— Enfin on part! C'est pas trop tôt! On en a pour la journée! lance Louis, exprimant ainsi à haute voix ce que tout le monde pense.

Après quelques phrases de convenance, chacun cherche à s'installer le plus confortablement possible, tentant tant bien que mal de se détendre et de se reposer malgré le bruit et le roulement saccadé des wagons. Tous se sont levés aux aurores et ils se sentent déjà l'esprit engourdi. Après quelques ajustements, une mitaine placée sous les coudes, un foulard roulé sous la tête, un manteau remis sur les épaules, une valise installée par terre pour y déposer les pieds, plusieurs passagers s'assoupissent lentement.

Profitant du silence qui s'installe autour de lui, Louis ferme les yeux. Bientôt, le joli visage de sa bien-aimée lui apparaît, ses grands yeux bleus si calmes, si lumineux, son teint resplendissant de santé, ses joues dont la rondeur encore quelque peu enfantine l'émeuvent et, surtout, son sourire particulier, à la fois ouvert et généreux, mais toujours un peu énigmatique. Une belle chaleur vibre dans son cœur. Ému, il ouvre les yeux et regarde autour de lui. Le wagon est à moitié plein seulement. Pas surprenant! Au milieu du mois de janvier, un jeudi matin, ce sont surtout quelques hommes seuls qui vont à Québec, voire plus loin à Montréal, pour le travail. Le voyage est long et éreintant, et il faut vraiment avoir des obligations pour s'y résoudre. Mais comment faire autrement en hiver? Il y a bien le petit parc de la Galette qui relie Grande-Baie à Saint-Urbain dans Charlevoix, mais c'est toute une aventure. On le traverse encore en *buggy* avec un attelage de chevaux, sinon, en voiture, mais alors avec une vraie bonne automobile.

Faudrait ben que j'en profite pour dormir un peu moi aussi, se dit-il en se calant confortablement dans son siège. Mais il ne peut s'empêcher de penser encore à sa fiancée, à ce premier moment où il l'a connue lors du mariage de son ami William Tremblay avec Charlotte Warren. En tant que jeune sœur de la mariée, Angéline y était demoiselle d'honneur. Louis s'était retrouvé assis près d'elle au souper. Ils avaient parlé longuement, ri beaucoup et dansé à quelques reprises au cours de la soirée. Il l'avait revue un mois plus tard à Chicoutimi alors qu'elle était en promenade chez sa sœur. Un soir, en rougissant un peu, elle lui avait confié, à mi-mots, qu'elle espérait bien le revoir. Dès lors, tout était devenu possible. Des fréquentations assidues malgré la distance, des fiançailles l'été passé et le mariage dès cet hiver. Par réflexe, Louis tâte ses poches. Oui, elle est bien là, la petite boîte contenant le jonc tout serti de diamants, le plus beau dans le magasin, le plus cher, le plus original. Après-demain, il passera cette alliance au doigt d'Angéline et elle sera enfin sa femme. Il ne peut s'empê-cher de s'enorgueillir en l'imaginant tendre sa main à tous les invités, le poignet un peu cassé, les doigts légèrement écartés, faisant scintiller et admirer ses diamants encore et encore. Mon Dieu qu'il va donc être fier !

Louis regarde défiler le paysage quelques secondes, repen-sant aux circonstances qui les ont conduits à ce mariage en plein hiver. *Ne l'avait-il pas un peu trop pressée ?* s'inquiète-t-il. Elle avait d'abord choisi le printemps suivant, mais il avait insisté pour devancer, trop peut-être, lui faisant miroiter l'originalité d'un mariage en hiver, le voyage de noces à Montréal et aux États-Unis, jusqu'à ce que finalement elle dise oui. Ensemble, ils se construiraient un bel avenir. L'avait-il forcée ? Peut-être un peu au départ, mais il se souvient de leur excitation aux

Fêtes juste à penser au fait que le grand jour approchait. Apaisé, Louis finit par s'assoupir lentement aux côtés des membres de sa famille.

* * *

En arrivant près de Chambord au lac Saint-Jean, un coup de sifflet strident se fait brusquement entendre. Aussitôt, le train s'arrête bruyamment. Un homme entre en coup de vent dans le wagon.

— On a besoin d'aide pour pelleter, crie-t-il avant de ressortir aussitôt.

À peine sortis de leur sommeil, Georges, Louis et Edgar se regardent, résignés. Pour donner l'exemple, Georges se lève et enfile son manteau.

— Faut y aller les garçons!

Les trois s'emmitouflent de leur mieux et se dirigent vers la sortie.

— Sois prudent! lance Emma à son mari avant de les voir disparaître. Oublie pas que t'es pas jeune! Pis toi aussi Ti-Louis! Fais attention de t'estropier! Oublie pas que tu te maries.

D'abord aveuglés par l'éclatant soleil du midi qui fait scintiller la blancheur des champs tout autour, les trois hommes marchent avec peine vers l'avant du convoi, de la neige par moments jusqu'aux genoux. À la hauteur de la locomotive, ils aperçoivent juste devant eux un énorme banc de neige, visiblement formé par les rafales de vent de la nuit passée, qui coupe la voie ferrée en deux. Des employés et quelques passagers sont déjà au travail. L'un d'eux leur tend des pelles. Aussitôt, Edgar et Louis se mettent à travailler avec vigueur. Orgueilleux, Georges ne laisse pas sa place.

— J'ai touché le rail! crie Louis au bout d'un moment, impressionné d'être le premier à atteindre le but. Batinse qu'y fait chaud, ajoute-t-il en s'accotant quelques secondes sur le manche de sa pelle.

— Pas mal chaud, ouais…, répond Edgar qui sent la sueur couler sous son manteau.

Georges encourage ses deux fils :

— Ça achève, fait-il en donnant quelques bons coups de pelle pour ne pas être en reste. Moi si, je l'ai touché, hurle-t-il aussitôt.

Les employés arrivent près d'eux.

— Bon ben, vous pouvez retourner à vos places astheure. Nous autres, on va finir la *job*, pis le train va repartir aussitôt. Marci ben les gars !

Les trois hommes reviennent vers leur wagon en même temps que quelques autres passagers qui reprennent leur place.

— Envoye, maman! Astheure, sors le lunch! ordonne Georges en déposant ses vêtements humides sur un siège vacant. On est affamés.

Emma sort un gros sac de victuailles. Un pain de fesse, un gros morceau de fromage cheddar, de la tête fromagée et des cretons bien enveloppés dans du papier journal avec un

morceau de glace en dessous, des carottes coupées en bâton-
nets, de belles pommes rouges de l'automne parfaitement
conservées et deux pintes de cidre. Avec un grand couteau,
Emma coupe le pain et distribue des tranches. L'atmosphère
est au joyeux pique-nique.

— Eh que le fromage est bon! Tiède de même, c'est là qu'y
est le meilleur! s'exclame Louis en s'enfilant un gros morceau
de cheddar sur un bout de pain. On a de quoi être fier de nos
fromageries dans région. Quand je pense qu'on a même créé
une Bourse locale, à Chicoutimi, juste pour contrôler le prix
des fromages. C'est quand même rare!

— Oui mais icitte, on est comme un pays dans le pays, lui
répond son père. Un royaume, qu'y disent! C'est pour ça que
le roi d'Angleterre fait venir son cheddar de par chez nous.
C'est le meilleur!

Edgar, Marie-Louise et Aimé se sont joints à eux, ajoutant
leurs denrées aux autres, des tranches de jambon, de la salade
de patates, des petits scones au gruau cuisinés la veille et de
la bière. Georges a sorti son dix onces de gin et il s'en envoie
quelques gorgées derrière la cravate tout en mangeant.

— Une chance qu'on peut prendre un p'tit coup dans
vie! Me semble que ça te remonte le canayen ben drette!
s'exclame Georges en remettant son flacon dans sa poche.

— Oui, mais on sait pas trop ce qui va se passer avec les
élections dans quinze jours, déclare Louis, sérieux tout à coup.
Si les conservateurs sont élus le 5 février prochain, y vont
fermer les commissions des liqueurs tu-suite le lendemain.

Y l'ont dit dans le journal! Si y est élu premier ministre, Arthur Sauvé va mettre le cadenas là-dedans. C'est d'ailleurs l'enjeu principal des élections, qu'y disent.

Il fait une pause pour prendre une bouchée avant de poursuivre de plus belle :

— On dirait qu'y nous en veut d'être contre la prohibition! C'est vrai qu'au Québec, on est les seuls dans toute l'Amérique du Nord à avoir faite pis gagné un référendum là-dessus. Quand je pense qu'on vient juste de les ouvrir ces commissions-là, ça fait même pas deux ans, pis là, batinse, y voudraient les fermer! Maudits branleux de conservateurs! Y comprennent rien pantoute!

— Inquiète-toi pas, Ti-Louis! lance Edgar. C'est Taschereau qui va être réélu. Pis avec les libéraux au pouvoir, les commissions des liqueurs y vont rester ouvertes.

— C'est ça que je pense aussi, mais on sait jamais…

Se sentant interpellée par la discussion, Marie-Louise décide d'intervenir :

— En tout cas, moi je pense que c'est peut-être ben beau d'être la seule place où la boisson est pas prohibée, mais oubliez pas qu'on est aussi la seule place dans toute le Canada où les femmes ont pas le droit de voter.

— Ben là! riposte son père, vous votez au fédéral, c'est que vous voulez de plus astheure, les femmes?

Sérieux, il regarde sa fille de haut :

— J'vas te le dire, moi, ce que je pense du vote des femmes… Une niaiserie !

Fier de son effet, il enchaîne :

— C'est vrai ! Vous autres, les femmes, c'est que vous connaissez en politique ? raille-t-il.

— En tout cas, répond Marie-Louise sans se laisser démonter, j'en connais assez pour te dire que c'est eux autres, ces maudits conservateurs-là comme vous dites, qui ont donné le droit de vote aux femmes au Canada. Ça fait que, peut-être ben que si y'étaient élus icitte au provincial, y feraient la même chose. Je veux ben croire qu'y fermeraient vos commissions des liqueurs, mais y s'occuperaient au moins de nous faire voter.

— Tu mélanges toute, là, Marie-Louise, intervient Louis. C'est pas les mêmes conservateurs au fédéral, pis au provincial. C'est pas le même parti, pas le même niveau de gouvernement.

— Peut-être ben, mais c'est mon idée quand même, répond-elle, entêtée. Y a pas juste la boisson d'important su'a terre. Surtout qu'un ivrogne dans une famille, ça fait souvent ben des dégâts, la pauvreté, la maladie, la négligence, les abus, faut pas l'oublier.

— Oui, mais on parle pas de se paqueter la fraise à longueur de semaine, rétorque Louis. On parle de pouvoir acheter légalement de la boisson sans craindre de se faire arrêter. Tu peux pas dire que c'est pas correct.

— Ben oui, c'est sûr que c'est correct, concède-t-elle, mais faire toute une élection là-dessus, je trouve que ça fait pas ben ben sérieux. Y a tellement d'autres problèmes à régler, me semble.

— C'est vrai, admet Louis. Mais faut les régler un par un. Comme là, Taschereau, y promet la construction d'un barrage au Portage-des-Roches à Laterrière. Y promet aussi la construction d'une voie ferrée qui va faire tout le tour du lac.

Louis les regarde, un peu exalté.

— Pensez-y! Ça va être extraordinaire pour le développement régional!

— Pis ça va t'être tout un contrat pour le gendre! ajoute Georges du tac au tac.

Il jette un coup d'œil à sa fille Marie-Louise. *Elle a des arguments, la petite fameuse et elle est pas bête!* Dans le fond, c'est un peu à cause de lui tout ça. Depuis des années, tous les soirs après le souper, il se rend chez elle pour qu'elle lui lise une page ou deux du journal de la semaine. Pour sa plus grande honte – peu de personnes le savent, car il l'a toujours caché – il ne sait ni lire ni écrire. Ce qui ne l'a pas empêché de faire de l'argent. Mais ça, c'est une autre histoire… Non! Malgré ses succès en affaires, ne pas savoir lire a été toute sa vie une grande blessure à son amour-propre. Son aîné, Pit, l'a aidé et il l'aide encore pour les contrats et bien d'autres choses, et ce, même s'il vit depuis des années à Manchester, aux États-Unis. Mais pour être honnête, c'est grâce à sa fille Marie-Louise qu'il sait tout ce qui se passe ici et dans le monde. *Ah! Y a la radio ben sûr, mais y a rien de mieux que de se faire lire le journal en parsonne!* convient-il en lui-même. Il la regarde et se sent moqueur tout à coup. Il aime tant l'agacer, celle-là. Peut-être parce qu'elle prend toujours tout tellement au sérieux.

— Pis Tite-Vise! Te rappelles-tu quand t'es t'allée voir Pit aux États pis qu'y t'ont arrêtée aux douanes en pensant que t'étais une espionne? lance-t-il d'un air taquin.

— Ah! Papa! Pas encore c't'histoire-là! s'objecte Marie-Louise, prise au dépourvu.

— T'étais tellement crêtée, tellement collet monté, qu'y ont cru que t'étais une espionne française.

Georges se frappe la cuisse avec la main, éclatant de rire comme si c'était la première fois qu'il la contait.

Marie-Louise, vexée, le coupe:

— Y se sont vite aperçus que j'étais canadienne, pis que je venais juste voir mon frère, rétorque-t-elle.

— Oui, oui, j'sais ben, déclare Georges en riant toujours. Mais quand même, tu devrais en rire astheure, c'est trop drôle.

Elle esquisse un petit sourire de circonstance, surtout pour en finir avec cette histoire que son père ne peut s'empêcher de lui rappeler chaque fois qu'il en a l'occasion. En réalité, dans son souvenir, il n'y avait rien de drôle là-dedans. Les gars de la douane l'avaient arrêtée devant tout le monde. Ils l'avaient amenée dans une pièce à part et l'avaient interrogée, une question après l'autre – qui êtes-vous? d'où venez-vous? que transportez-vous? –, la dévisageant, l'intimidant, la traitant pratiquement de menteuse après chacune de ses réponses. Ils l'avaient même fouillée en la tâtonnant un peu partout. Une vraie humiliation! Heureusement, à sa demande, ils avaient fini par téléphoner à son frère Pit qui l'avait aussitôt défendue. En tant que médecin spécialiste et notable de la ville, c'est sur un ton poli, mais très affirmé qu'il leur avait dit sa façon de penser. Ils l'avaient relâchée tout de suite, avec leurs plates excuses. En partant, elle les avait regardés avec l'air le plus hautain qu'elle avait pu se donner puis, à bout de nerfs, elle était allée se réfugier aux toilettes pour se refaire un visage. C'est là qu'elle n'avait pu s'empêcher de pleurer. Ça faisait huit ans de ça. C'était pendant la guerre, en 1915. Elle avait trente ans, était mariée alors depuis déjà neuf ans… Peut-être bien que c'est vrai, comme dit son père, qu'elle devrait en revenir et en rire! Mais cela lui fait encore quelque chose chaque fois qu'il le lui rappelle… Elle croise le regard de sa mère, qui lui fait un petit clin d'œil affectueux :

— Bon ben, c'est-tu fini c't'histoire simple-là! lance-t-elle.

Elle donne un coup de coude à son mari :

— Veux-tu ben laisser Marie-Louise tranquille, toi là!

— Ben oui, ben oui. Ah! Si on peut pus rire…

Emma sort un sac de papier dans lequel elle a rangé une douzaine de grosses galettes à la mélasse.

— Qui c'est qui veut une galette?

Tout le monde tend la main.

— Bon ben, on mange ça pis on se ramasse, décide-t-elle. Après, que diriez-vous d'une partie de cartes?

Louis, Edgar, le père et la mère s'installent bientôt ensemble pour jouer au whist. Tetitte déménage à la place d'Edgar de l'autre côté de l'allée en face de sa sœur qui, la tête appuyée sur l'épaule de son mari, semble se reposer un peu, les yeux fermés. Tetitte sort son tricot et se met à penser à son fiancé, Jos Lafontaine, un voyageur de commerce qu'elle a connu dans les magasins de son père en bas de chez eux. Un jeune veuf de Montréal, avec qui elle s'est retrouvée fiancée l'été passé, sans trop savoir comment tout cela s'était déroulé tellement tout avait coulé de source. Comme elle le fait depuis des mois, elle se met à répéter intérieurement son futur nom : Alma Lafontaine. *Comme c'est beau*, se dit-elle encore une fois, comme c'est élégant et doux à l'oreille. Elle le prononce encore une fois lentement. Alma Lafontaine. Pareil à celui qui a écrit les fables sauf que lui, il l'écrivait en deux mots La Fontaine. Comme le parc La Fontaine près duquel elle va bientôt demeurer. *À Montréal, je vas me faire appeler Alma*, décide-t-elle. *Pas Tetitte. Alma. Alma Lafontaine*, se répète-t-elle avec bonheur en tricotant machinalement une maille après l'autre, la tête ailleurs.

Des voix fortes la tirent subitement de sa rêverie. Son frère Edgar hurle :

— Maudits tricheurs !

— Comment ça ? se défend Louis, moqueur.

— Crisse, Ti-Louis ! Fais pas ton innocent ! Tantôt, j'ai mis du carreau pis t'as coupé avec l'atout en cœur. Chus pas fou ! Pis là, astheure qu'on achève la partie, tu nous sors ta dame de carreau pour essayer de faire un lever.

— C'est vrai, lance Emma, offusquée. Toi pis ton père, vous êtes tout le temps en train de tricher. C'est pas jouable avec vous autres, fait-elle en lançant le reste de ses cartes sur la table.

Georges s'offusque à son tour :

— On sait ben, vous autres, deux p'tites natures. Sitôt que vous perdez, vous arrêtez la partie en nous accusant de tricher.

— Envoye Ti-Louis ! Montre-nous-les tes levers, crie Edgar en tendant la main vers les petits tas de cartes bien empilés sur la table. Surtout celui avec mon roi de carreau que tu m'as coupé en cœur.

— Eille toi-là ! Tu viendras pas farfouiller dans mes cartes, fait l'accusé en passant rapidement la main sur ses levers pour les mêler.

— T'avoue hen ! T'avoue ! crie Edgar. Ben moi j'joue pus ! Tetitte, crisse, redonne-moi ma place, pis ça presse ! Chus pus capable de leu voir la face, à lui pis papa.

— Pauvre Edgar ! fait le père d'un ton espiègle. Pauvre p'tit gars qui fait pitié ! renchérit-il en imitant l'air supplicié de son fils.

Emma regarde son mari, découragée :

— Quand je pense que tu triches encore à ton âge !

— On n'a pas triché, hen Ti-Louis ! C'est parce que vous savez pas jouer que vous dites ça !

Il rigole en secouant la tête.

— Je te parle pus, décrète Emma qui sort une pomme de son sac à victuailles et la croque à belles dents. Pis demande-moi-z'en pas une ! T'en auras pas.

Le silence revient subitement dans le wagon. En regardant dehors, Ti-Louis constate qu'ils sont presque rendus à Québec. Ils devraient être bons pour prendre le train pour La Malbaie tantôt.

Chapitre 3

À la gare de Québec, rue Saint-Paul dans la Basse-Ville, tout un défi les attend. La différence est grande avec la gare de Chicoutimi, tout petite et fraîchement bâtie. Ici, le bâtiment est vaste, et on peut quasiment se perdre dans la foule formée de dizaines de passagers qui circulent sur le quai, certains qui attendent pour partir et d'autres qui viennent chercher ceux qui arrivent. Ils ont peu de temps devant eux pour voir à ce que leurs bagages soient transférés d'un train à l'autre. Heureusement, des employés sont là pour s'occuper de tout. Pour se rassurer, Georges surveille leur travail :

— Regarde donc ça qui c'est qui débarque du train avec Héléna pis son mari ? lance-t-il à Louis qui vient vers lui.

— Ça m'a l'air de Gustave Delisle, notre prochain député libéral.

— Faut qu'y soigne ses relations le gendre, c'est ben sûr. Viens avec moi, Ti-Louis, on va aller les saluer !

Ils marchent tous les deux vers le petit groupe. Héléna leur apparaît dans toute sa beauté. Favorisée par la nature, elle a hérité des traits réguliers de sa mère et du port de tête altier de son père. Très bien maquillée, chic et distinguée, manteau de vison, écharpe de cachemire, chapeau, sac à main et bottes assortis ne font qu'ajouter à son charme. Une vraie dame! Son mari et les quatre enfants venus avec eux sont au diapason. La voilà qui sourit en voyant son père venir vers eux :

— Papa! Louis! Venez que je vous présente M. Delisle.

Suivent les salutations d'usage. Tout le monde se félicite pour la température clémente et le voyage qui s'est malgré tout bien passé. Pendant qu'Aimé et Edgar restent derrière à fumer, Emma, Marie-Louise et Tetitte s'avancent pour saluer les enfants.

— Bonjour, grand-maman! Bonjour, ma tante Marie-Louise! Bonjour, ma tante Tetitte!

Les quatre enfants courent vers les trois femmes et se laissent embrasser avec effusion. Héléna se dirige aussitôt vers elles. Elle embrasse sa mère et ses sœurs.

— Pas trop fatiguée, maman?

— Non non, ça va. Pour le moment. Mais avec ce qui s'en vient tantôt, j'sais pas dans quel état on va arriver à soir.

Elle rit un peu.

— Jean et moi, nous allons coucher à Québec en fin de compte, annonce Héléna dans une langue très châtiée faisant honneur à son rang. Jean va en profiter pour régler des affaires avec le gouvernement demain avant-midi. Moi et les enfants, nous allons visiter un peu. Nous reprendrons le train pour La Malbaie en début d'après-midi seulement.

— Ç'a ben du bon sens! De toute façon, le mariage est juste samedi matin.

Les phares d'un taxi apparaissent soudain dans la pénombre du soir qui tombe. La voiture s'immobilise devant les hommes. Le futur député s'y engouffre aussitôt avec sa petite valise d'affaires après avoir salué une dernière fois à la ronde.

— Ça va nous faire un bon député, affirme Jean Grenon. On a besoin d'un homme comme lui dans Chicoutimi, au courant de toute, pour faire avancer les projets de la région.

— Je pense ben, acquiesce Georges. Y était ben correct quand y était échevin à ville. Je vois pas pourquoi ça nous ferait pas un bon député.

— Un ministre, peut-être ben? avance Louis.

— Un ministre? Ça serait ben surprenant, le beau-frère. Des ministres dans la région, je pense qu'on a jamais vu ça, hen le beau-père? Non non! Un bon député intelligent, démêlé, qui sait tirer les bonnes ficelles, c'est tout ce que ça nous prend.

Une deuxième voiture de taxi arrive à toute vitesse. Rompant la conversation d'un signe de la main, Jean Grenon y monte et s'installe sur le siège avant. Héléna fait monter ses enfants un à un sur la banquette arrière.

— On se voit demain à l'hôtel! lance-t-elle en prenant le plus jeune sur ses genoux. Nous devrions être là vers quatre heures, fait-elle avant que le chauffeur referme la portière.

— Bon ben, à demain là!

Quelques minutes plus tard, c'est le rembarquement pour notre petit groupe de passagers. Déjà fourbu, tout le monde s'installe naturellement aux mêmes places que dans l'autre train. Un peu hébété, chacun se réfugie rapidement dans ses pensées. Ils en ont pour quelques heures encore. Avec la nuit noire de janvier déjà tombée, il leur est presque impossible de voir le merveilleux paysage défiler autour d'eux. Le fleuve d'un côté et, par moments, de l'autre, un mur immense de rochers escarpés, ou alors des montagnes, des forêts, la chute Montmorency, Sainte-Anne-de-Beaupré et plusieurs autres villages. Avec la noirceur et la fatigue grandissante, ils ne font qu'entrevoir les gares, même là où le train s'arrête.

* * *

Après des heures de transport dans des conditions peu confortables, nos voyageurs voient enfin apparaître au loin la fin de leurs tourments.

— Des lumières! crie Louis, excité. La gare de Pointe-au-Pic! On va enfin pouvoir descendre du train!

Réveillés en sursaut, Georges et Emma s'empressent de se redresser sur leur siège. Ils sont fourbus, exténués, mais contents d'être au bout de leur peine. Tout ce qu'ils souhaitent, c'est de pouvoir se rendre à leur hôtel au plus vite. Après avoir freiné pendant de longues minutes dans un bruit assourdissant de rails et de roues qui s'entrechoquent, le convoi s'immobilise finalement après un dernier hurlement de métal.

— Bonté divine! C'est quasiment la fin du monde! s'exclame Emma qui peine à se lever.

— Tiens maman, prends mon bras! dit Louis en s'avançant vers elle. Ça va mieux aller! Toi aussi papa! Envoye, prends mon bras, fais pas ton orgueilleux!

— J'vas t'en faire, moi, des orgueilleux!

Piqué au vif, Georges se lève d'un bond:

— Tu sauras mon gars que le jour où j'aurai besoin d'aide pour me lever est pas encore arrivé.

— Batinse, papa! T'sais ben que je faisais ça pour rire, répond Louis, moqueur.

— Bon bon bon! coupe Emma en essayant de remettre son manteau, c'est pas le temps de faire des farces plates à soir. Tetitte! Aide-moi donc à ramasser mes affaires!

— Oui oui, maman.

Malgré l'obscurité qui règne dans le wagon, nos sept voyageurs réussissent tant bien que mal à retrouver vêtements, sacs et autres petits bagages à main déposés autour d'eux. Péniblement, ils marchent à la queue leu leu vers la sortie. Dehors une surprise les attend.

— William! C'est que tu fais là? demande Louis, étonné de voir son ami et futur beau-frère sur le quai. T'étais pas supposé arriver seulement demain?

— On est montés finalement après-midi par le petit parc, Charlotte pis moi. Fallait qu'on vienne…

Très sérieux, William les regarde quelques secondes sans parler.

— C'est qui se passe? demande Ti-Louis, soudainement alarmé par l'air désolé de son ami.

— Allons un peu plus loin, fait celui-ci. On bloque le passage aux gens qui veulent descendre du train.

Le petit groupe s'éloigne rapidement de quelques pas.

— Tu vas-tu me dire ce qui se passe, William ?

— C'est Angéline.

— Quoi ! Angéline ! C'est qui est arrivé ?

— Calme-toi, Ti-Louis ! lance Emma en s'approchant de son fils. Ça donne rien de t'énarver de même.

— Chus pas énarvé, batinse, je veux juste savoir ce qui se passe.

Il se tourne vers son ami.

— Envoye, William ! Dis-moi-lé donc ce qui se passe !

— Angéline est malade, lâche-t-il en secouant la tête, navré. Est tombée malade cet avant-midi.

— Malade, malade… Une grippe ? C'est pas ben grave ça.

— Ben on sait pas trop encore ce qu'a l'a. Ça lui a pris comme un coup de fouet avant dîner. Est au lit depuis ce temps-là.

— Ben voyons donc ! A peut pas être malade. On se marie samedi.

Louis s'arrête un instant, puis se met à rire.

— Vous voulez me faire une farce… Hen ! C'est ça ? Mon p'tit maudit ! Ç'a failli pogner, t'sais.

Il continue de rire, nerveux.

— T'es docteur, pis tu saurais pas ce qu'a l'a ! Voyons donc ! raille-t-il.

William le regarde, très sérieux :

— Non, non, Ti-Louis. C'est pas des blagues. Angéline est au lit, pis est malade pour vrai.

Les épaules de Louis s'affaissent :

— Ben voyons donc ! Ça se peut pas ! répète-t-il, déconcerté. Mais c'est qu'a l'a ?

— Comme je te dis, on sait pas trop encore. Ç'a commencé par un gros mal de tête, une grosse fièvre, pis des éruptions cutanées.

— C'est-tu grave ?

William hausse les épaules, l'air impuissant, tandis qu'Emma ne peut s'empêcher de s'en mêler.

— Tu vas voir, mon Ti-Louis, a doit avoir rien de grave. Est probablement nerveuse un peu à cause du mariage. C'est toute.

Elle lui tapote le bras doucement.

— C'est normal d'être malade à veille de se marier. On en connaît ben manque des femmes qui ont pris le lit avant de se marier. Hen Marie-Louise, qu'on en connaît !

— C'est sûr qu'on en connaît en masse, acquiesce Marie-Louise, venant au secours de sa mère. Y a Rose-Emma, tu sais, la fille de ma tante Cédulie qui a pris le lit la veille de ses noces, pis Georgiana, la fille de Mme Bouchard, qui reste pas loin de chez nous, elle aussi…

Emma la coupe dans son élan :

— Tu vois, c'est sûrement pas si grave.

— Ben oui! approuve Georges. Pis fais-toi-z'en pas trop, mon garçon! Tu vas voir que le mariage va y redonner ben vite des forces, ajoute-t-il, gaillard.

— Peut-être ben, concède William, mais pour astheure, j'suis venu chercher Ti-Louis pour l'amener avec moi chez nos beaux-parents.

— Pis mes valises? Pis l'hôtel? fait ce dernier.

— Laisse faire ça, lâche son père. On va s'occuper de toute. Va voir ta fiancée, pis inquiète-toi pas de rien.

Les deux jeunes hommes montent dans la voiture de William dont le moteur tourne encore. Ils s'engagent prudemment sur la route. Louis est sous le choc. Passer de manière aussi subite d'une belle excitation à autant d'inquiétude lui a donné mal à l'estomac. C'est comme si une barre dure lui traversait à présent la poitrine par en dedans.

— Ça peut pas être ben grave, hen? demande-t-il.

— On va faire tout ce qu'y faut pour la guérir, lui répond son ami avec sérieux. Le docteur Lavoie est venu plus de bonne heure à soir, pour essayer de faire baisser la fièvre. Y est venu aussi pour la belle-mère, qui est dans tous ses états, pis pour Charlotte aussi. Oublie pas qu'est enceinte de presque six mois. Le voyagement cet après-midi, ça l'a ben fatiguée. Pis moi, ben, je fais tout ce que je peux depuis qu'on est arrivés.

— Je comprends oui, je comprends tout ça, murmure Louis tout bas.

Le silence s'installe dans l'automobile. Louis se sent fébrile. Il fixe la route devant lui et, malgré l'appréhension, il ne peut s'empêcher d'admirer la beauté fascinante de la neige blanche qui étincelle comme des milliers d'étoiles sous la lumière des phares. Tout autour, c'est l'obscurité. Il entend le bruit des pneus qui crissent sur la neige. Il se surprend à prier. *Mon Dieu! Faites qu'a soit pas malade! Mon Dieu! Faites qu'a soit pas malade!* Près de lui, au volant, William n'en mène pas large non plus. Depuis ce midi, il se sent comme dans un labyrinthe dont on aurait effacé la sortie. Il voudrait bien pouvoir rassurer davantage son vieil ami, mais en tant que médecin, il lui est de plus en plus difficile de rester optimiste. Raideur dans la nuque, fièvre, maux de tête épouvantables. Des symptômes qui font penser à la méningite. Que faire alors? Il préfère ne pas penser plus loin pour le moment. Il y a des cas qui guérissent, d'autres qui sont fatals. Comment les distinguer? Au début, comme ça, on ne sait pas trop. Il faut espérer.

Ils arrivent enfin à la maison familiale. Toutes les lumières du grand salon sont allumées. Louis voit des ombres bouger derrière les fenêtres dont on a visiblement oublié, dans l'énervement, de fermer les rideaux. Il a l'impression d'être dans un mauvais rêve. Il va se réveiller. En ouvrant la porte, ses beaux-parents vont l'accueillir, l'embrasser, lui offrir un verre… Angéline sera là, souriante, heureuse, en santé.

* * *

Plus tard, à l'hôtel, Emma referme la porte de la chambre derrière elle :

— Enfin rendue! s'exclame-t-elle. Quelle journée, ma foi du bon Dieu! Quelle journée!

Elle enlève ses bottes et dépose son manteau sur un crochet dans l'entrée, s'avance vers le lit et s'y assoit pesamment.

— J'en peux pus, lâche-t-elle en soupirant très fort.

— Veux-tu ben me dire c'est que t'as faite pendant toute ce temps-là ? lui demande Georges qui fume la pipe bien tranquillement, assis en caleçon dans l'un des deux fauteuils près de la fenêtre.

— Fallait ben que je dise bonne nuit à tout le monde, répond-elle. On a parlé surtout de ça, t'sais ben, le mariage, la maladie d'Angéline… C'est qui va arriver, bonté divine ? On le sait pas !

Elle se masse les genoux tout en parlant :

— Pis après ça, je pouvais toujours ben pas laisser la valise à Ti-Louis juste de même dans le milieu de sa chambre. Fallait ben que je l'ouvre pis que je sorte son linge pour pas qui soit trop froissé demain. J'ai défaite ses couvertures aussi pour que les draps aillent le temps de réchauffer un peu. J'ai mis son pyjama pis sa robe de chambre su'l bord de son lit, pis j'ai placé ses pantoufles devant.

Elle fait une pause et ajoute :

— Pour quand y va revenir à soir, pauv'tit gars ! Pour pas qu'y soye trop malheureux…

— Bon ben là, repose-toi un peu, ma femme ! Faut que tu soyes en forme demain ! Ça se peut qu'on fasse une grosse journée avec c'te bon-yenne d'affaire-là.

— Oui oui, c'est sûr. Mais va ben falloir que je défasse aussi nos valises avant de me reposer, si je veux pas que notre linge ressemble à de la guenille fripée demain matin.

Elle se lève du lit.

— Ah! J'ai mal partout, se lamente-t-elle en se tenant le bas du dos. Bon, d'abord trouver ma jaquette, pis ton pyjama. Sortir ma robe, ton costume, ta chemise, pis toute pis toute…

Elle continue de travailler un moment en silence en sortant les vêtements des valises un à un, les repassant soigneusement avec ses mains au fur et à mesure, puis les plaçant sur des cintres. Elle dépose les souliers par terre dans le garde-robe, met les accessoires dans les tiroirs. Subitement, elle s'exclame:

— Mon Dieu Seigneur! Georges! J'ai comme un mauvais pressentiment, dit-elle en s'assoyant sur le bord du lit. T'à coup que…

— Arrête-moi ça tu-suite, Emma! Tant qu'on sait rien, faut attendre.

Il la rejoint sur le bord du lit et met son bras autour de son cou.

— T'es fatiguée là! C'est pas le temps de penser à des affaires de même.

— C'est sûr, c'est sûr. T'as raison. C'est peut-être pas grave pantoute! La varicelle quiens! Ça se peut ça, qu'a l'aille attrapé la varicelle. Pis c'est pas ça qui l'empêcherait de se marier samedi.

— Ben oui, c'est sûr. Toute va s'arranger, tu vas voir.

Le cœur inquiet malgré tout pour la suite des choses, mais bien décidée à ne plus se laisser aller à penser à n'importe quoi, elle se penche machinalement pour ramasser le veston de Georges, celui qu'il portait aujourd'hui dans le train. Elle sent quelque chose de lourd dans l'une des poches.

— C'est que t'as là dans ta poche ? demande-t-elle en extirpant une jolie petite boîte à bijou cartonnée. C'est-tu toi qui as gardé le jonc à Ti-Louis, coudonc ?

Georges la regarde, surpris :

— Ah ben ! J'avais oublié ça, dit-il en souriant d'un air entendu. Non non, c'est pas le jonc à Ti-Louis.

— C'est quoi d'abord ?

— Ouvre-la ! Tu verras ben !

Tout étonnée, Emma soulève le couvercle de la boîte et y découvre une bague en or sertie d'une pierre ronde d'un beau jaune ocre.

— Est ben belle !

— Bon anniversaire de mariage, ma femme !

— Ben voyons donc ! C'est ben vrai ! C't'aujourd'hui ! Le 18 janvier, dit-elle avec un petit sourire. J'y ai pensé toute la semaine, pis là, à matin, avec le voyage, je l'ai complètement oublié…

— Moi si, je l'avais oublié aujourd'hui, t'sais ben. Mais je l'avais pas oublié c'te semaine par exemple. Eille ! Ça fait quarante-deux ans qu'on est mariés toi pis moi.

Emma le regarde, attendrie. Quel bon mari elle a ! Après toutes ces années, il pense encore à lui faire des cadeaux.

— T'aurais pas dû, dit-elle. Un gros cadeau de même. C'est quand même pas nous autres qui se marient!

— Justement! répond Georges. C'tait ça l'idée! Ti-Louis se marie quasiment à même date que nous autres. Faque je me sus dit qu'on allait faire comme si on se remariait nous autres aussi en même temps qu'eux autres.

Il la regarde, joyeux. Émue, elle se penche vers lui :

— T'es donc fin, ç'a pas de bon sens…

Elle reste là un moment, la tête appuyée sur son épaule avec la petite boîte dans les mains. Lentement, elle sort la bague de la boîte et se la passe au doigt.

— Est belle, hen! fait Georges. Une topaze, c'est ça que le bijoutier m'a dit. Y dit que c'est pour le monde qui sont nés au mois de novembre, comme toi.

— C'est ben que trop extravagant!

— Non non! Tu le mérites.

— Ben j'sais pas. Y me semble que j'en fais pas plus qu'une autre.

— Oui, mais t'es ma femme, pis ça c'est pas pareil, dit-il en la serrant contre lui un peu plus fort. Tu te souviens-tu de c'te journée-là? En pleine semaine, un mardi, j'cré ben. C'était pas comme astheure, des mariages juste le samedi. Non, non, on pouvait se marier toué jours de la semaine si on voulait.

— Si je m'en souviens? Y faisait tempête à mort.

Ils rient tous les deux à ce souvenir qu'ils se sont déjà raconté des dizaines de fois.

— Dans le rang Saint-Thomas, on voyait pas à un pied en avant de nous autres. Une vraie folie ! Une chance qu'on se mariait pas trop loin, à cathédrale. Tout le monde avait réussi à se rendre pareil, en passant par la rue du Séminaire qu'y était comme une longue glissoire jusqu'à rue Racine. Pis tu te rappelles-tu la belle réception après ? Mon père pis ma mère avaient dansé, pis les tiens aussi. C'tait pas compliqué dans ce temps-là.

— J'ai jamais regretté. Pis toi ?

— Viens-tu fou ? Moi ça, regretter ? Quelle autre sorte de vie tu penses que j'aurais eue ? J'ai jamais pensé à ça.

Elle sourit et le regarde, un peu taquine :

— Comment tu penses que j'aurais eu le temps d'y penser ? J'ai mis quatorze enfants au monde. Pis toi, t'as pas arrêté une menute non plus de travailler.

Ils se taisent un moment, bien tranquilles ensemble tous les deux, puis Georges rompt le silence, comme à regret :

— Bon ben, j'vas reprendre la bague, pis j'vas te la redonner samedi pendant le mariage à Ti-Louis.

Elle soupire très fort :

— Penses-tu que ça va s'arranger ? demande-t-elle. Le Dr William, y avait pas trop l'air encouragé… Y me semble que ça avait l'air sérieux.

— On va savoir ça demain. Pas avant. Pour le moment, on devrait se coucher.

— Oui! Pis je vas prier un peu.

Elle se lève et commence à se déshabiller:

— Je prie pas assez aussi, se reproche-t-elle. Le bon Dieu, on dirait qu'on pense à lui juste quand ça va mal. Pour moi, c'est pour ça qui nous envoye des affaires plates par la tête. Pour qu'on pense plus à lui.

— Peut-être ben… J'sais pas trop. Mais si tu penses que ça peut te faire du bien de prier, prie. J'cré ben que ça peut pas faire de tort. Mais moi ce que je pense, c'est que quand une affaire est pour arriver, on dirait que ça peut pas faire autrement qu'arriver.

* * *

Plus tard ce soir-là, Louis marche d'un bon pas sur le chemin qui longe le fleuve. Encore éberlué par la tournure des événements, il se sent presque soulagé de se retrouver seul un moment. Il est fatigué et inquiet. Il vient de passer quelques heures chez ses beaux-parents à attendre une amélioration qui n'est pas venue. À n'en pas douter, les choses sont sérieuses. *Espérons que la nuit fasse tomber la fièvre*, se sont-ils tous répété tout à l'heure au moment de son départ. Il avait été décidé que Mme Warren allait rester aux côtés de sa fille une bonne partie de la nuit, secondée par son fils, Richard, et son beau-fils, le Dr William. Il aurait bien voulu rester lui aussi, mais il semblait plus avisé d'aller se reposer. M. Warren allait aussi essayer de dormir un peu et ils prendraient alors tous les deux la relève demain matin en compagnie du Dr Lavoie.

Charlotte était montée déjà depuis un moment lorsqu'il était finalement parti. Vu l'heure tardive et l'état de fatigue de tout le monde, il s'était dit que le mieux était de rentrer à l'hôtel à pied. Il avait dû insister. Il ne voulait déranger personne, et le grand air ne pourrait que lui faire du bien.

Depuis, il marche en silence dans le froid vif de la nuit. L'hôtel n'est plus très loin. Tout au plus cinq cents pieds encore à franchir. Il avance, un pas devant l'autre, sans trop penser. Tout est blanc autour de lui, la neige sur le chemin est bien tapée, la marche est facile. Il entend le vent dans les branches des arbres dénudés qui bordent la route d'un côté. De l'autre, c'est le fleuve gelé et le bruit des croûtes de glace qui bougent et se soulèvent avec la marée montante. Très basse à l'horizon, la lune toute blanche est à son dernier croissant. Il s'arrête un moment, saisi par l'étrange beauté qui l'entoure. Les yeux levés vers le ciel, il y découvre une voûte d'encre scintillant d'une multitude d'étoiles. Comment tout cela peut-il être aussi beau alors que son âme est si inquiète ? «Mon Dieu! Mon Dieu!» se plaint-il en un long soupir. Mais comme ni la terre ni le ciel ne semblent vouloir lui répondre, il relève son écharpe sur son nez, rabat son chapeau sur ses oreilles, met ses mains dans les poches de son manteau et reprend sa marche. La poudrerie soufflant du fleuve le fouette et le réveille un peu. *Pas trop. Pas tout de suite. À quoi bon!* Toute cette fièvre dans la maison de ses beaux-parents. Toute cette angoisse palpable. Et lui! À un jour près d'entrer officiellement dans la famille, mais pas encore vraiment dedans. Et tout le reste de sa famille à lui qui s'en vient demain pour assister à la noce. Que va-t-il donc arriver ?

Personne n'a l'air de le savoir, se dit-il en se rappelant les quelques minutes passées tantôt auprès d'Angéline, debout, assez loin du lit, pour éviter une possible contagion, lui a expliqué le Dr Lavoie. Elle gisait là, dans la pénombre, un peu recroquevillée sur elle-même, paisible, immobile, comme si elle s'était momentanément absentée de son corps. Le médecin a dit que c'était un bon signe, cette tranquillité. Il a voulu le croire. Mais, en même temps, le corps enflammé de sa fiancée irradiait une si intense chaleur, c'était comme si son sang bouillait. «Angéline! a-t-il chuchoté. C'est moi. C'est Louis. Chus là.» Aucune réaction. L'avait-elle seulement entendu? Il a quitté la chambre à reculons se sentant exclu de sa vie, l'esprit assailli par le doute, le cœur envahi par toutes sortes d'émotions. Était-ce de sa faute tout ça, cette maladie soudaine à deux jours du mariage?

Alors qu'il marche dans la splendeur glaciale de l'hiver, il ne peut s'empêcher de se reposer la question. *Pourquoi ai-je choisi cette date? Pourquoi ce moment précis? Pourquoi pas au printemps, comme elle le souhaitait…* «Ah! J'aurais donc dû l'écouter!» s'exclame-t-il tout haut. Étonné par le son de sa propre voix, il sursaute, effrayé, et s'arrête un moment pour retrouver son calme. Le silence règne autour de lui. Est-ce déjà l'hôtel devant lui? Sûrement. Il ne voit pas très bien. Ses lunettes se remplissent de buée à chaque expiration à cause de son foulard sur son visage. Il lève la tête, dégage son nez et respire un bon coup. Bon! C'est bien là! La Maison F.X. Warren, un petit hôtel d'une quarantaine de chambres que son futur beau-père a fait exceptionnellement ouvrir en plein hiver et mis à leur disposition, pour lui et sa famille, à l'occasion du mariage de sa fille Angéline. Une douzaine de chambres, juste pour eux, avec personnel et cuisine ouverte jusqu'à dimanche. Quelle générosité ! Quel sens de l'hospitalité !

Le voilà rendu devant la grande galerie qui orne l'hôtel sur toute sa façade. «Enfin arrivé !», s'exclame-t-il. Il monte les marches de l'escalier à grandes enjambées et c'est comme si le courage lui revenait en même temps. *Toute va s'arranger*, se dit-il devant la porte d'entrée. Demain, la fièvre sera tombée. Un peu rasséréné, il ouvre la porte, secoue ses bottes dans le vestibule et pénètre enfin dans l'hôtel. Son frère Edgar est assis sur une chaise dans le petit salon sur la droite. Quelques bûches brûlent dans la cheminée. Il semble s'éveiller au bruit de ses pas.

— Bon, Ti-Louis, te v'là ! Je t'attendais, fait-il en se levant et en s'étirant, faisant ainsi tomber le livre qui était sur ses genoux.

Louis s'avance rapidement vers le foyer allumé en enlevant son manteau et tout le reste de ses vêtements d'extérieur qu'il jette sur un fauteuil.

— Ah ! Ça fait du bien ! Je te dis que c'est pas chaud dehors !

Il étend les bras et place ses mains bien ouvertes le plus près possible du feu.

— Pis, comment ça s'est passé là-bas ?

— Pas pire, pas pire.

Louis n'a pas l'intention de parler de sa soirée avec son frère. Que pourrait-il lui dire de toute façon ? Il ne sait rien.

— Monte te coucher ! J'vas rester icitte que'ques menutes pour me réchauffer avant de monter.

— Non, non. J'vas t'attendre. En haut, y fait noir comme chez le diâble. Tu seras pas capable de trouver ta chambre.

Edgar se dirige vers la porte d'entrée qu'il verrouille pour la nuit et revient s'asseoir quelques instants près de son frère.

— Pitou est arrivé plus de bonne heure que nous autres. Lui pis Jeanne étaient icitte quand on est arrivés.

— Ç'avait ben été, leur montée ?

— Pas de problème. Paraît que le petit parc était ben beau. Entouècas, y se trouvaient ben chanceux d'avoir profité de c'te belle occasion-là. Eille ! Avec son *boss* de Price Brothers, on rit pas. Y est même venu les reconduire à porte en fin de compte. Tu comprends, y était ben content d'avoir eu de la compagnie pour faire la route.

Toujours debout près du feu, Louis commence à se réchauffer.

— C'est qu'on fait avec le feu ?

— Faut juste ben fermer les portes du foyer. Y va s'éteindre tu-seul, tranquillement pas vite.

Louis se dirige vers l'escalier. Edgar le suit avec la lampe à huile. Ils montent ensemble et marchent jusqu'au bout du corridor.

— Tiens ! dit-il en lui tendant sa clé. C'est ta chambre. T'es juste à côté de papa pis maman. Ben bonne nuit là !

— Toi si, bonne nuit. À demain !

Chapitre 4

Toute la nuit, entre deux rêves et quelques heures d'un sommeil agité, Louis n'a cessé de récapituler l'arrivée à la gare, la soirée chez les Warren, l'état de santé de sa fiancée, le mariage le surlendemain. Ce n'est qu'au matin que, finalement, il s'est endormi pour de bon. À son réveil, voyant la lumière passer par les rideaux mal fermés la veille, il constate tout de suite que l'avant-midi est déjà pas mal avancé.

— Batinse. J'vas être en retard chez les Warren !

Il se lève aussitôt. *Aujourd'hui, ça peut juste aller mieux,* pense-t-il en s'assoyant sur le bord du lit pour mettre ses pantoufles. Il revêt sa robe de chambre et s'empresse d'ouvrir complètement les rideaux. La vue sur la rive et le fleuve gelé lui apparaît imposante, grandiose, majestueuse. Il regarde autour de lui, la chambre est belle, luxueuse, confortable. À l'extérieur comme à l'intérieur, tout est clair et lumineux. Il se sent rassuré. *Toute va s'arranger,* se dit-il avec conviction en sortant dans le corridor pour aller faire sa toilette à la salle de bain de l'étage. Il se rase, se lave, se brosse les dents, se peigne. Il en avait bien besoin après la longue journée d'hier. Il se sent mieux. Lorsqu'il ressort, sa mère est là, qui attend derrière la porte.

— Pis ? demande-t-elle en le voyant apparaître. Comment ça s'est passé hier au soir ? Angéline va-tu mieux ? Pis toi, t'as-tu ben dormi ?

Louis ne peut s'empêcher de sourire devant l'empressement de sa mère :

— Wô, là, maman ! Donne-moi le temps de répondre.

— Ben envoye ! Réponds ! lance-t-elle du tac au tac.

— Ben, j'tais pas mal inquiet pour Angéline quand je me suis couché hier au soir, mais là, à matin, on dirait que chus encouragé. J'sais pas pourquoi mais je sens qu'a va mieux. Je la vois depuis tantôt dans ma tête, est toute belle, toute revenue.

— Tant mieux, mon p'tit gars. Tant mieux. J'ai ben prié pour vous autres.

Elle s'avance pour entrer à son tour dans la salle de bain, hésite, se retourne à nouveau :

— Pis là ? C'est que tu fais ? Tu déjeunes-tu icitte ?

— Pas le temps. Faut que je retourne là-bas. Y m'attendent. J'vas manger là, j'cré ben.

Emma le regarde, pleine de commisération. Louis se sent touché.

— Inquiète-toi pas, là, maman ! lui dit-il en s'approchant pour lui donner un baiser sur la joue. J'vas vous donner des nouvelles plus tard.

— Oublie pas que tout le monde arrive aujourd'hui, ajoute-t-elle. Y a Pit et Éva qui sont supposés arriver icitte vers trois heures c't après-midi, pis Héléna pis Jean qui arrivent aussi par le train.

— Ça va dépendre de ce qui va se passer là-bas, mais j'vas tout faire pour venir voir le monde.

— On va t'attendre.

Vite comme un taon, il se rend à sa chambre, s'habille chaudement et en ressort aussitôt, prêt à refaire à pied le chemin jusqu'à la maison de sa fiancée. De toute façon, c'est trop compliqué de téléphoner pour un taxi et la route se fait sans difficulté. Une fois dehors, il s'aperçoit rapidement que le vent s'est renforcé depuis la veille. Quelques bourrasques bien senties lui donnent l'heure juste sur le climat hivernal au bord du fleuve. Ensoleillé encore ce matin, mais un froid rempli d'humidité qui glace les os! Surtout en avant-midi comme ça. Brrr!

* * *

À son arrivée chez les Warren, Louis a les joues rougies par le froid. Charlotte vient immédiatement à sa rencontre, les larmes aux yeux:

— Louis! lance-t-elle, incapable d'en dire davantage. Elle le serre quelques secondes contre elle.

Charles Warren, le père d'Angéline, se tient debout près de Charlotte. Un peu plus calme que celle-ci, il salue Louis, lui serrant la main cordialement:

— Ah! Louis! Êtes-vous bien installés, toi et tes parents?

— Très bien. On est vraiment confortables. C'est vraiment généreux de votre part. Mais Angéline? Comment ça s'est passé, c'te nuit?

— Pas vraiment bien, lui répond M. Warren, la bouche serrée. Je pense qu'Angéline va pas bien du tout.

— Ben voyons donc ! J'tais sûr qu'a allait mieux à matin.

Louis se sent désorienté. Il regarde tour à tour sa belle-sœur et son beau-père pour y trouver un peu d'espoir, mais n'y voit au contraire que désolation et tristesse. Subitement, il a terriblement chaud. Il a marché vite et son corps est tout en transpiration. La tête lui tourne.

— Faudrait que j'enlève mon manteau, fait-il en commençant à se déshabiller.

Il s'assoit sur un banc dans l'entrée pour enlever ses bottes. Il bouge lentement, cherchant sa respiration le temps de reprendre un peu ses esprits. Charlotte l'attend. Il se relève péniblement. Elle marche devant lui alors qu'ils s'avancent tous les deux vers le grand salon où des membres de la famille sont rassemblés. Il salue poliment un oncle, une tante, une cousine proche dont Angéline lui a souvent parlé. *Que font ces gens en bas alors qu'Angéline est en haut ?* Toute seule peut-être. Impossible pour lui de s'asseoir.

— Je voudrais aller voir Angéline, dit-il en s'approchant de Charlotte.

— T'es sûr ? Est pas mieux qu'hier t'sais. Pire même…

— Je veux la voir encore, insiste-t-il, le regard inflexible.

— Bon, ben, c'est correct d'abord ! J'vas monter avec toi.

Charlotte fait un geste à son père pour lui signifier leur intention. Celui-ci les regarde, navré, et acquiesce d'un hochement de tête. C'est l'un derrière l'autre et en silence qu'ils se dirigent ensuite vers l'escalier. Louis monte les marches lentement. Suivant sa guide, la mort dans l'âme, il se laisse conduire vers la chambre de sa fiancée. Derrière la porte, il ne voit au départ pas grand-chose. Les rideaux sont fermés et il y fait noir comme en pleine nuit.

— Angéline peut plus endurer aucune lumière, explique Charlotte d'une voix tremblotante et en plaçant son index droit devant sa bouche. Aucun bruit non plus.

Louis fait signe qu'il comprend. Il s'avance posément vers le lit et distingue peu à peu dans la pénombre la forme d'un être humain recroquevillé, les jambes repliées et la tête renversée vers l'arrière. *Pour sûr qu'est rempirée*, se dit-il, en état de choc. Le Dr Lavoie est près d'elle. Il semble être en train de prendre son pouls.

— J'vas rester icitte avec le docteur, confie aussitôt Louis à Charlotte.

Il s'avance de quelques pas et s'adresse au médecin :

— C'est que je peux faire pour vous aider ? demande-t-il en chuchotant presque. Voulez-vous que j'aille chercher une débarbouillette pis un bol d'eau froide pour faire baisser la fièvre ? Un sac de glace ?

Le docteur fait signe que non.

— Faut faire quequ'chose, voyons donc ! fait Louis à voix basse. On peut toujours ben pas la laisser comme ça, ajoute-t-il. Faudrait au moins y replacer ses oreillers. Vous voyez ben que sa tête est toute croche.

Louis se sent de plus en plus affolé. Il regarde le docteur, puis Charlotte, puis à nouveau le docteur :

— C'est qu'a l'a batinse ? questionne-t-il en essayant de ne pas élever la voix. Comment ça se fait que vous arrivez pas à la guérir ?

Il les regarde tour à tour, effaré, puis abaisse ses yeux sur la silhouette déformée de sa fiancée. Il garde le silence quelques secondes avant de murmurer :

— Comment ce qu'on va faire pour se marier demain matin…

Charlotte s'approche de lui :

— Je le sais pas, Louis. Je le sais pas, dit-elle avant de sortir de la chambre en pleurs.

Les yeux pleins de larmes, Louis se tourne vers le médecin :

— A va-tu guérir ? lui demande-t-il directement.

Un long silence s'installe. Mal à l'aise, le docteur ouvre sa petite valise et la referme machinalement.

— Euh ! Ben, en fait… Euh ! Je le sais pas. En fait… Faudrait un miracle, finit-il par répondre.

Louis se sent tout à coup essoufflé, comme s'il venait de recevoir un coup de poing dans l'estomac.

— Quoi ? J'ai pas ben compris. C'est que vous avez dit là ?

— Monsieur Bergeron, votre fiancée a la méningite. On sait pas comment c'est arrivé.

Le docteur lève les bras en signe d'impuissance. Il regarde Louis avec consternation.

— Des fois on peut soigner la méningite, mais des fois on peut pas. Des fois, ça va trop vite. Comme là. C'est allé trop vite. On peut rien faire.

Louis entend ces derniers mots résonner dans sa tête comme en écho : *On peut rien faire… rien faire… rien faire…* Il regarde le docteur, atterré. Lentement, ses yeux se déplacent vers Angéline. Pendant de longues minutes, il reste là, silencieux, dans le plus triste abattement, tel un condamné qui espérerait encore, au-delà de toute logique, la clémence du bourreau. Comme si elle percevait ce regard chargé de chagrin posé sur elle et qu'elle voulait en quelque sorte y répondre, Angéline commence à s'agiter, prise d'une convulsion qui lui jette la tête encore plus vers l'arrière, faisant contracter ses bras, ses jambes, et jaillir de sa bouche un salmigondis de sons et de mots dépourvus de sens. Louis s'avance vers elle et tente de lui saisir une main :

— Chus là. C'est Louis. Chus là… Mon ange…

— Faites attention à la contagion, monsieur Bergeron. Ça peut être dangereux…

Rapidement, le docteur tente tant bien que mal d'immobiliser et d'apaiser la malade. Des pas se font entendre dans le passage. C'est Richard, le frère d'Angéline, qui vient les rejoindre. William est juste derrière lui. Émus tous les deux, ils se placent de chaque côté de Louis.

— Tu devrais pas rester là, mon ami, murmure William en l'entourant affectueusement de son bras.

— Oui mais… Pauv'tite! Qu'est-ce qui va y arriver…

— Pense pas à ça! C'est inutile. Astheure, tu devrais descendre avec Richard. Moi, je vais rester avec elle pis le Dr Lavoie. On va faire tout ce qu'on peut…

Louis n'a pas la force de s'obstiner. Les paroles de son ami sont comme des ordres auxquels il se sent en quelque sorte soulagé d'obéir. Après un dernier regard résigné sur sa fiancée, il quitte la chambre derrière Richard qui le ramène docilement en bas dans la cuisine où ils se retrouvent seuls tous les deux.

— As-tu faim? propose Richard qui, sans attendre la réponse, met du pain sur la table. Attends une minute! Ça sent bon. Je pense que Solange a fait de la soupe pour à midi. Je pense qu'est prête.

Il soulève le couvercle de la casserole, remue un peu avec la louche. Il fouille ensuite dans la glacière.

— Tiens, v'là du beurre pis des tranches de rôti de porc. On va manger un peu. Ça va nous faire du bien. Je viens de me lever, pis j'ai rien mangé depuis hier au soir.

— J'ai pas mangé moi non plus, mais j'ai pas faim. Je pense que j'vas attendre un peu avant de manger.

Louis sent des tiraillements dans son ventre, et des élancements, des crampes, des nœuds dans son estomac.

— Comme tu veux. Moi non plus j'ai pas ben faim, mais j'vas me forcer. La journée va être longue.

— Ouais, c'pas à cause… Faudrait peut-être ben que je me force un p'tit brin à manger moi si.

Richard sort deux bols à soupe qu'il remplit à moitié avant de les mettre sur la table devant Louis et lui. En silence, il apporte deux assiettes à pain, deux couverts, salière et poivrière. Ils se sentent à l'aise, ainsi, sans parler. Depuis le temps que Louis fréquente la famille Warren, Richard et lui sont devenus de bons amis. Après la fin de ses études en médecine dentaire à l'Université Laval, celui-ci projette d'ailleurs d'installer son bureau à Chicoutimi, sur la rue Racine, pas loin de chez Charlotte et William, et juste à côté de chez Angéline et Louis. À l'idée que cela ne se réalisera peut-être jamais, Louis secoue la tête en soupirant. Au même instant, Charlotte entre dans la cuisine.

— Ah vous êtes là! dit-elle, réconfortée de les trouver ensemble. J'vas faire du thé, ajoute-t-elle en mettant de l'eau à bouillir.

Louis les regarde tous les deux sans savoir quoi dire. Il se sent si désemparé. *Que va-t-il arriver si Angéline meurt?* Depuis qu'il a quitté la chambre, il ne cesse de se poser cette question. Pour lui, pour son avenir, pour ce beau grand mariage dont il espérait tant. Que va-t-il arriver? Il se sent stupéfait, incrédule. Et de voir ces deux personnes devant lui, qu'il considérait depuis quelque temps déjà comme un frère et une sœur, s'occuper de lui, s'inquiéter de son bien-être, lui servir à boire et à manger lui rend les choses encore plus difficiles à envisager. Non seulement il semble qu'il va perdre celle qui devait devenir sa femme, Angéline, mais il va aussi perdre en même temps cette belle-famille chaleureuse avec qui il s'entend si bien, où il est devenu au fil du temps quelqu'un sur qui on peut compter, un gendre, un beau-frère, celui avec qui la famille devait continuer à se perpétuer.

— Tiens ! Bois une bonne tasse de thé, Louis ! Ça va te faire du bien !

Charlotte verse une tasse à son frère, une autre pour elle-même puis s'assoit avec eux. Elle prend une tranche de pain qu'elle beurre et la porte à sa bouche.

— Faut que je mange un peu, dit-elle comme pour s'excuser, je me sens toute étourdie.

— C'est parce que t'es enceinte, explique son frère qui se lève pour lui servir un bol de soupe. Tiens, prends du rôti de porc aussi. Faut que tu manges.

Pendant quelques minutes, chacun grignote un peu en silence. L'atmosphère est lourde, chargée d'interrogations que personne ne se résout pour le moment à exprimer à voix haute. Pour se réchauffer, Louis met ses mains autour de sa tasse de thé. Autant il a eu chaud tantôt en arrivant, autant maintenant il frissonne. Il repense aux mains d'Angéline qu'il a effleurées tantôt. Elles étaient glaciales. *Pauv'tite !* se dit-il une fois encore.

— Il faut espérer, murmure Charlotte, émue. Il faut espérer.

— Tu penses ? demande Louis en levant les yeux sur elle.

— On n'a pas le choix, renchérit Richard. Faut espérer.

— Le médecin tantôt… Y avait l'air de dire que ça prendrait un miracle pour qu'a s'en sorte.

— Justement. Faut prier. Ça existe, des miracles.

Sur ces derniers mots, Mme Warren entre dans la cuisine, très énervée.

— La visite est partie, lance-t-elle. Enfin… Bon! Vous êtes seuls? Où est Solange?

— Elle termine les chambres, je pense, dit Charlotte en regardant sa mère. Viens t'asseoir avec nous autres, maman! Viens manger un petit peu. La soupe est bonne.

— Je vais attendre de manger tantôt avec votre père, répond-elle. Mais mangez, vous autres! Dérangez-vous pas pour moi.

Elle reste là, debout près du poêle, immobile. Sans réfléchir, elle s'empare d'une guenille qui était à sécher dans le bas de l'évier. Elle la mouille, la tord et se met à frotter vigoureusement les portes d'armoire comme si elle venait de découvrir enfin une façon de faire face à sa souffrance. «C'est quasiment encrassé», marmonne-t-elle en saupoudrant son linge de poudre à récurer et en frottant avec encore plus d'énergie. Soudainement, elle se tourne vers eux:

— Voulez-vous ben me dire ce qu'on a faite au bon Dieu pour qu'y nous arrive une affaire de même?

Elle leur fait face, appuyée au dossier d'une chaise:

— Ma petite fille malade comme ça. Pis toi, mon Louis, dit-elle en reniflant. Pis vous autres, ajoute-t-elle en regardant ses deux enfants. Qu'est-ce qui nous arrive, mon doux Seigneur? Qu'est-ce qui nous arrive? demande-t-elle, la voix cassée, en s'effondrant sur une chaise.

— Ah maman !

Charlotte se lève et s'approche d'elle, pleine de sollicitude.

— Faut espérer encore, maman ! Faut espérer !

— Oui, fait Richard. Faut prier pis espérer.

Chapitre 5

Depuis le départ de Louis cet avant-midi, Emma n'a pas eu de nouvelles. Surmontant de son mieux ses inquiétudes, elle se sent quand même à l'aise avec les siens dans ce petit hôtel accueillant qu'est la Maison F.X. Warren, qui est habituellement fermée pendant l'hiver.

Depuis des dizaines d'années, La Malbaie fait en effet son plein de riches touristes anglophones, autant américains que canadiens, essentiellement pendant l'été. Ceux-ci arrivent surtout par bateau au quai de Pointe-au-Pic où leurs tenues extravagantes, shorts et robes de soleil, choquent cette population de fervents catholiques pour qui la modestie est le fondement incontournable de l'existence pour quiconque mérite de vivre. Depuis quelques années, certains touristes arrivent en automobile avec chauffeur. D'autres voyagent par train en provenance de l'Ontario, de Toronto ou d'Ottawa, en passant par Montréal et Québec.

Plusieurs d'entre eux – industriels, riches marchands, banquiers, financiers ou héritiers fortunés – se sont fait construire au fil des ans de cossues villas saisonnières toutes plus grandes, plus belles et impressionnantes les unes que les autres. Le premier ministre Taschereau est l'un des rares Canadiens français à y posséder une grande demeure estivale, de style manoir, toute en bardeaux de cèdre sise sur la rue des Falaises, tout près du manoir Richelieu. Luxueuse, elle comprend sept chambres et presque autant de salles de bain, trois grandes pièces à vivre avec foyer, une salle à manger pouvant confortablement accueillir une quinzaine de personnes et une immense cuisine entourée de comptoirs et d'armoires où trône une grande table carrée. À demi dissimulé derrière un énorme poêle à bois, un escalier en colimaçon donne accès à deux chambres de bonnes et à une salle de bain. Dehors, une imposante galerie surplombe deux ou trois plateaux de terrain gazonné qui font du fleuve et du paysage au loin en contrebas un tableau vivant à regarder, à contempler, à admirer. Cette villa d'été est un modèle unique en son genre, tout comme la Maison Beaubien, la Maison Donohue et de nombreuses autres conçues par le père d'Angéline, Charles Warren, architecte renommé qui, en plus de bâtir des résidences d'exception aux détails architecturaux originaux, a la réputation de les mettre en valeur dans des sites aux panoramas époustouflants comme ceux de Charlevoix.

Construite tout près de la rive du fleuve, la Maison F.X. Warren ne possède pas ce caractère extraordinaire des villas d'été. C'est plutôt une solide maison de bois de trois étages, de style canadien, avec toit mansardé, bien isolée et chauffée, qui peut offrir gîte et couverts, sur quatre saisons au besoin. La famille Bergeron se sent privilégiée de profiter de cet endroit. Malgré tout… Car sans savoir précisément ce qui se passe en ce moment chez les Warren, ils se sentent tous plus ou moins anxieux pour la suite des choses. La situation était quand même assez alarmante hier soir et ce n'est pas avec les quelques mots encourageants de Louis, basés au fond sur des impressions plutôt que sur la réalité, qu'Emma a pu se sentir réconfortée et rassurer son monde.

Vers midi, ils ont tous pris un excellent dîner autour d'une longue table de réfectoire. Depuis ce temps, l'après-midi s'étire à n'en plus finir. Emma et Georges en ont profité pour faire une courte sieste, Marie-Louise et Aimé également. Certains ont joué aux cartes pour passer le temps. Assis tout près du foyer, Edgar a lu presque tout l'après-midi pendant que Tetitte, silencieuse à ses côtés, tricotait tout à son aise en laissant voguer son imagination.

Vers trois heures, tout le monde est de retour en bas, dans le hall, prêt à accueillir le reste de la famille invitée au mariage. C'est d'abord Pit qui arrive, avec sa femme Éva et leurs deux petites filles, Lucille et Yvonne. Quelle joie pour Emma de revoir son aîné exilé aux États-Unis depuis plus de quinze ans! Même s'il vient presque chaque année les voir à Chicoutimi, c'est tout autant de bonheur pour Georges de le voir arriver. Chaque fois, c'est comme si le bon Dieu en personne surgissait devant eux! Faut croire! Non seulement il est leur premier-né, ce qui lui accorde *de facto* une très grande considération et quelques privilèges, mais de plus il a réussi au-delà de tout ce qu'ils avaient pu espérer de lui ce fameux jour de septembre où, à six ans, ils l'avaient vu partir pour sa première journée d'école, déjà fier et déterminé, avec son beau petit costume et ses souliers neufs. Personne n'aurait pu deviner alors que Pit poursuivrait son éducation jusqu'au niveau pratiquement le plus élevé offert à l'université, une spécialisation en médecine. Une douce vengeance pour Georges qui n'avait jamais pu aller à l'école. Comment aurait-il pu? Il était le fils de Thiburce, un fils de fermier né aux Éboulements qui avait eu l'audace de se porter acquéreur de la ferme expérimentale de Price Brothers à Petit-Saguenay en 1856. Né trois ans plus tard, Georges n'avait eu d'autre choix, tout comme ses frères et sœurs nés avant et après lui, que de mettre l'épaule à la roue pour faire fructifier leur bien si chèrement acquis. Georges s'enorgueillissait maintenant de penser que les choses s'étaient passées autrement pour ses enfants pour qui rien n'avait jamais été trop beau, trop loin, trop cher pour lui.

— Maman! fait Pit en la prenant dans ses bras. Ah que chus donc content de te voir, ajoute-t-il, ému. Toi aussi papa! dit-il en se tournant vers son père en un mouvement affectueux. Que chus donc content! Vous avez pas changé pantoute!

— Toi non plus, t'as pas changé! lance Emma en se tournant aussi vers sa bru Éva pour l'embrasser. Et les deux petites?

Elle s'approche de ses petites-filles:

— Bonté divine que vous avez grandi en deux ans! Mais vous êtes donc ben rendues belles! dit-elle en les serrant contre elle.

Tetitte, Edgar, Marie-Louise, Pitou, les beaux-frères, les belles-sœurs, tous s'approchent des quatre arrivants pour échanger embrassades et effusions dans une joyeuse cacophonie ressemblant de très près, neige et froid inclus, à un second jour de l'An. Pitou est particulièrement content de revoir son grand frère chez qui il est demeuré quelques années.

— Ti-Louis est pas là? demande enfin Pit, qui se sent pressé de féliciter son filleul.

— Y est chez les Warren, répond Emma, qui devient très sérieuse tout à coup. Y est supposé venir nous voir tantôt.

— T'as l'air drôle quand tu dis ça…

— Ben… En fait… On sait pas trop ce qui se passe là-bas.

Emma lui raconte brièvement le fil des événements depuis la veille au soir. Pas assez de détails pour Pit qui, habitué de prendre rapidement les choses en main, tant dans son travail qu'à la maison, voudrait bien en savoir plus. C'est son caractère, son tempérament. Un chef. N'a-t-il pas été chef du service médical de l'armée américaine en Italie, puis à Paris, un héros de guerre décoré ? Selon lui, n'importe quel problème possède automatiquement sa solution. Il suffit de très bien comprendre le problème, de le cerner, puis de le régler. Ce qui se fait souvent très facilement. Il faut dire que Pit n'a jamais connu de très gros problèmes dans la vie. De belle apparence, cheveux bruns bien fournis malgré ses quarante-et-un ans, visage carré, front large, regard à la fois bienveillant et ferme, de belle corpulence, il a toute sa vie joui de beaucoup de chance. Tout ce qu'il a voulu, il l'a obtenu, tout ce qu'il a entrepris, il l'a réussi. Avec la bénédiction de son entourage, autant personnel que professionnel. Et toute leur admiration.

— Bon ben, on va attendre qu'y revienne, finit-il par dire. On n'a pas le choix.

Sans que personne n'ait eu le temps de répondre à cela, du bruit se fait entendre sur la galerie. Entrent alors Héléna et sa famille, qui viennent d'arriver de Québec par le train.

— Ah ! Enfin arrivés, doux Jésus ! s'exclame celle-ci, visiblement fourbue.

Jean et les enfants pénètrent derrière elle dans le petit hôtel, chacun portant valises et sacs de voyage selon leur capacité.

— En tout cas, c'est toute une épopée de prendre le train en hiver! ajoute-t-elle. Deux jours de suite à part de ça. C'est ben simple! J'en peux plus.

— C'est peut-être ben fatigant, mais on est chanceux en maudit de les avoir, les trains, rétorque son mari en faisant un clin d'œil complice à son beau-père.

— J'te cré, mon gendre, répond celui-ci en lui rendant son clin d'œil.

Aussitôt, les six nouveaux arrivants abandonnent leurs bagages sur le bord de la porte pour se laisser embrasser et souhaiter la bienvenue.

— Arthur était pas dans le train? demande Emma, bien qu'elle connaisse déjà la réponse à sa question.

— On l'a pas vu, répond Jean.

— Y me l'avait dit qu'y était pas sûr de pouvoir venir, avance Emma sans laisser voir sa déception.

En réalité, elle connaît son deuxième fils. Très timide, un peu sauvage, il déteste pour mourir les mariages et les grosses réunions. De plus, comme forgeron, il a toujours beaucoup de travail. Elle aurait été bien étonnée de le voir arriver.

— J'ai du nouveau, lance Héléna tout à coup.

— Quoi donc? demande sa mère, curieuse.

— Ah! J'ai téléphoné à Chicoutimi ce matin et...

Emma la coupe :

— Alida a eu son bébé.

— C'est ça, confirme-t-elle. Une fille. J'ai parlé avec Thomas. Ça s'est passé ce matin de bonne heure. Ils vont l'appeler Madeleine.

— Ah! le beau nom, fait Tetitte, se montrant intéressée par la nouvelle.

— Oui! Un vrai beau nom.

Après quelques minutes de conversation, tout le monde retourne tranquillement à son affaire pendant que les deux petites familles montent leurs bagages à leur chambre. Les nouveaux arrivants souhaitent vider les valises et défroisser les vêtements au plus vite. La cuisinière leur a dit tout à l'heure qu'elle pourrait leur faire chauffer des fers sur le poêle à bois pour repasser au besoin. Un grand mariage, cela exige des toilettes extraordinaires, et autant Héléna qu'Éva ont apporté tout ce qu'il faut dans leurs bagages pour que chacun soit à la hauteur de l'événement.

* * *

Pendant ce temps, la journée est bien longue pour Louis et les Warren. Depuis le midi, ils se remplacent à tour de rôle au chevet d'Angéline, passant le reste du temps le cœur brisé à espérer un miracle. Vers quatre heures, constatant que personne au monde ne pouvait plus rien faire pour sa fille, M. Warren, accompagné de son gendre William, retrouve tout le monde au salon.

— Il est temps de faire venir le prêtre, annonce-t-il d'une voix brisée.

Un grand silence accueille cette nouvelle. Même si chacun a pu voir Angéline devenir cette créature mourante à peine reconnaissable qui gît dans l'obscurité de sa chambre depuis la veille, personne ne s'attend à cette sentence de mort qu'est l'extrême-onction. Mme Warren la première.

— C'est trop vite, Charles, supplie-t-elle en retenant ses sanglots. Faut espérer encore! Notre petite fille…

— Je suis désolé, Cécile, répond-il en regardant sa femme, navré.

— Je pense qu'il faut être réaliste, avance prudemment William, qui parle avec l'assurance d'un médecin. Angéline est maintenant dans le coma. Ses reins ne fonctionnent plus. Ses signes vitaux sont de plus en plus faibles. On peut pus rien faire.

— C'est pour ça, reprend Charles Warren, la voix très basse, qu'on a pensé lui faire donner les derniers sacrements. Croyez bien…

Il s'arrête un instant, étranglé par l'émotion, puis reprend :

— Croyez bien que c'est vraiment la dernière affaire que j'aurais voulu faire pour ma chère fille, dit-il en baissant les yeux. Mais on dirait bien que c'est la seule chose que je peux encore faire pour elle.

Charlotte s'est approchée de sa mère pour la réconforter :

— Appelez le prêtre! C'est correct, dit-elle en amenant sa mère avec elle vers le canapé. Viens, maman. Assoyons-nous un peu.

Aussitôt assises, elles ne peuvent s'empêcher de se jeter dans les bras l'une de l'autre en pleurant. Richard s'approche d'elles et tente maladroitement de les consoler. Il s'assoit alors sans dire un mot, se sentant bouleversé autant qu'elles par le grand malheur qui tombe sur leur famille.

Debout au milieu du salon, Louis est tout à l'envers. Son cœur frappe durement dans sa poitrine. Il a chaud, il a froid. Accablé, il se retire un peu à l'écart près du piano et se laisse choir dans un fauteuil. Aucune pensée cohérente ne lui vient. C'est comme si son cerveau s'était soudainement déconnecté de sa volonté. Il fixe le plancher, désorienté. Richard se lève et vient vers lui.

— Reste pas là tout seul, Louis! Viens nous trouver. Viens!

— Oui oui, j'arrive, dit-il en se dirigeant comme un automate vers le petit groupe.

Quelques minutes plus tard arrive le curé Tremblay de la paroisse Sacré-Cœur-de-Jésus de Pointe-au-Pic dont le presbytère est tout près. Personne ne pourrait deviner qu'une certaine inimitié existe entre le prêtre catholique et l'architecte Warren qui a osé – selon le curé Tremblay, le mot est faible – concevoir les plans d'une église de religion anglicane pour les touristes anglophones de Cap-à-l'Aigle. Un véritable affront, à ses yeux, de même qu'à ceux de l'évêque de Baie-Saint-Paul et pour tous les catholiques de la place! Mais le service aux ouailles est primordial pour un prêtre et c'est dans cet état d'esprit qu'il s'est empressé de répondre à l'appel. S'il a bien compris la demande, il doit donner l'extrême-onction à cette toute jeune fille de dix-huit ans dont il devait bénir le mariage demain matin. Même si Jésus a dit: «Je viendrai comme un voleur» et qu'il est bien placé en tant que prêtre pour savoir que la mort fait partie intrinsèque de la vie – et qu'elle peut survenir vraiment n'importe quand –, il ne peut s'empêcher de se sentir attristé devant la tournure imprévisible des événements. Avec une attitude recueillie, il prononce d'abord quelques mots de sincère sympathie à la famille qui s'est levée à son arrivée.

— Où est la malade? demande-t-il aussitôt, désireux de se rendre auprès d'elle dans les plus brefs délais.

— En haut dans sa chambre, répond le père en se dirigeant vers l'escalier.

Le curé le suit et commence à monter les marches, suivi de Charlotte et William qui soutiennent la maman effondrée et de Richard et Louis qui ferment la marche.

Dans la chambre, Angéline gît, inconsciente, le corps encore un peu de travers, ses longs cheveux encadrant son visage quelque peu apaisé. Elle semble déjà parvenue au seuil de la porte qui mène au ciel. Le curé constate immédiatement qu'elle ne pourra pas communier. Après avoir murmuré quelques mots à voix basse, il impose lentement ses mains au-dessus de l'agonisante en invoquant la venue de l'Esprit saint sur elle. À l'aide d'une huile spécialement bénite par l'évêque de Baie-Saint-Paul, il oint le front et les mains d'Angéline en récitant la formule sacrée.

— Par cette onction sainte, que le Seigneur en sa grande bonté te pardonne tout ce que tu as pu faire de mal, par la vue, par l'odorat, par le toucher. Que le Seigneur te réconforte par la grâce de l'Esprit saint. Ainsi, t'ayant libérée de tous péchés, qu'il te sauve et te relève.

Le curé Tremblay bénit une dernière fois l'agonisante, puis se tourne vers la famille rassemblée autour du lit et les bénit à leur tour. Même si le chagrin est à son comble dans la petite pièce sombre, une étrange sensation de calme surnaturel se met à imprégner l'atmosphère de la chambre. C'est comme si soudainement émanait d'Angéline quelque chose d'imperceptible, comme si l'Esprit saint descendu sur elle s'était frayé un chemin jusqu'à l'âme des personnes présentes pour les aider à mieux se résigner à la mort inéluctable de cet être cher. Mais peut-il y avoir plus grande tristesse que de voir mourir son enfant, sa sœur, sa fiancée, fauchée en pleine jeunesse, au moment même de prendre son envol ? Graduellement, ils ressortent de la chambre, tout aussi accablés, et retournent en bas dans le salon.

— Il faudrait annuler la réception de demain, fait remarquer Mme Warren. Le dîner, la salle…

Incapable de poursuivre, elle court se réfugier dans sa chambre au rez-de-chaussée. M. Warren se dépêche d'en finir avec le curé Tremblay, échangeant quelques politesses avec lui jusqu'à ce qu'il quitte la maison. Sans un regard pour personne, il s'empresse ensuite d'aller retrouver sa femme.

— Ma famille est à l'hôtel, avance Louis d'une voix faible. Je leur avais dit que je passerais dans l'après-midi.

— Oui, certain. Va voir ta famille ! lui dit Richard.

— J'sais pas trop… J'ai pas ben ben le goût.

— Oui, oui. Viens ! J'vas aller te reconduire.

Les deux hommes se dirigent vers le garde-robe de l'entrée, s'habillent rapidement et sortent aussitôt. Restée seule avec son mari, Charlotte se sent tout à coup extrêmement fatiguée.

— Je pense que j'vais m'étendre un peu ici, déclare-t-elle en se laissant tomber sur le divan.

— C'est une bonne idée ça, répond William, plein de sollicitude. Attends ! J'vais te chercher une couverture et un oreiller.

Il court et revient aussitôt.

— Tiens ! dit-il en l'aidant à s'installer. Tu seras bien ici avec le feu qui brûle dans le foyer.

Il se lève, remet une bûche et attise un peu les flammes.

— Ça va te réchauffer.

Il se rassoit quelques secondes auprès d'elle. Il se penche et l'embrasse doucement.

— Essaie de dormir un peu, ma chérie ! Il faut être forte. Pour tes parents. Pour le bébé aussi.

Il met une main sur son ventre et l'embrasse à nouveau. Elle place sa main sur la sienne.

— On dirait que ça se peut pas qu'Angéline meure. Ça me rentre pas dans la tête.

William lui caresse doucement le ventre :

— C'est vrai que c'est difficile.

— J'arrête pas de penser que notre p'tit bébé connaîtra jamais sa tante, ajoute-t-elle les yeux remplis de larmes.

— Pense pas à ça, ma chérie ! Repose-toi ! T'en as bien besoin.

Il la serre contre lui un moment.

— Si c'est une fille, je veux qu'on l'appelle Angéline, dit-elle après quelques secondes.

— Oui, oui. Angéline. On va l'appeler comme ça, promis. Pour qu'on n'oublie jamais ta sœur.

Il se lève, replace la couverture.

— Pour le moment, essaye de dormir un peu, la soirée va être longue et les jours qui viennent aussi. Moi, je vais retourner la veiller jusqu'à ce que tu te réveilles.

* * *

Arrivé devant l'hôtel, Richard demande à Louis :

— Veux-tu que je débarque un peu avec toi ?

— Non, non. T'es mieux là-bas, des fois que…

Louis s'arrête, incapable de poursuivre :

— Penses-tu que c'est vraiment vrai qu'a va mourir ? On dirait que j'arrive pas à y croire.

— Moi non plus, répond Richard en écho, gardant les yeux fixés devant lui.

— C'est comme un cauchemar, ajoute Louis à voix basse. Des fois je me dis que je vas me réveiller pis que ça sera pas vrai.

— Moi aussi, je me dis ça, murmure Richard en secouant la tête, incrédule. C'est tellement surprenant… On dirait que ça se peut pas.

Ils restent ainsi tous les deux quelques minutes, silencieux, réconfortés de se comprendre sans parler. Au bout d'un moment, Louis ouvre la portière de la voiture :

— Faut ben que je les avertisse pour demain, dit-il comme pour se justifier. Après j'vas revenir pour veiller avec vous autres.

— OK, répond Richard. On va t'attendre.

Louis descend de la voiture, referme la portière et regarde son ami repartir sur la route. Lentement, il se retourne et pose des yeux hésitants sur la porte en haut de l'escalier. Comment va-t-il faire pour entrer et parler aux membres de sa famille venus jusqu'ici pour se réjouir avec lui à l'occasion de son mariage ? *Quoi leur dire ?* se demande-t-il. Dans le fond, il aurait le goût de s'enfuir. Il partirait à la course n'importe où, très très loin, pour oublier à tout jamais cette tragédie qui lui tombe dessus. Il se sent floué, trahi, abandonné. Écarté du bonheur. Depuis près d'un an et demi, il avance pas à pas vers ce fameux grand mariage et voilà que plus rien ne subsiste. Tout s'est effondré. Quand bien même il voudrait se forger une façade, entrer et faire comme si de rien n'était ! Impossible. Dire qu'encore ce matin, il était plein d'espoir ! Il se sent ridicule. *A devait pas m'aimer pour vrai*, se dit-il, misérable, *sinon, pourquoi ce qu'a se serait sauvée de même la veille de notre mariage ?*

Il aurait envie de se mettre à pleurer. Ou à crier. Mais à quoi bon essayer d'expliquer l'inexplicable ? La fatalité a frappé. Il ne se mariera pas demain. Loin s'en faut ! Il assistera même à des funérailles… Le cœur gros, il se décide enfin à monter les marches. Il sait qu'il va faire de la peine à sa mère, que son père sera très déçu, que tous les autres aussi seront désappointés, choqués, peinés. Tant de dérangement pour absolument rien. Ah ! Pourquoi faut-il que des choses comme celles-là arrivent ?

C'est dans ces tristes dispositions qu'il pénètre enfin dans l'hôtel. Il ne voit d'abord personne. L'entrée, la réception, le hall sont déserts. Cela lui donne le temps d'enlever son manteau, ses bottes et de se mettre un peu à l'aise. De loin, lui parvient un grand brouhaha. Sûrement de la salle à manger. L'horloge grand-père indique six heures trente. Le repas doit être terminé. Il rassemble son courage et avance vers le lieu où tout le monde semble réuni. C'est sa mère qui l'aperçoit la première.

— Ti-Louis ! s'écrie-t-elle. Te v'là enfin !

Devant l'expression inquiète de son fils, elle devine que les choses ne se sont peut-être pas arrangées au mieux pour Angéline. Elle repousse sa chaise et va le rejoindre.

— Maman ! dit-il avant de se jeter dans ses bras.

— Pauvre ti-gars ! murmure-t-elle en lui tapotant le dos. C'est qu'y est arrivé, bonté divine ?

Louis se ressaisit un peu. Tous les membres de la famille se sont tus. Pit se lève et vient vers lui.

— Salut, mon frère ! fait-il en lui donnant une poignée de main qui se transforme vite en accolade.

Même scénario avec son père qui le prend ensuite par le bras :

— Viens nous trouver, mon garçon ! Viens nous raconter ça !

— On t'avait gardé une place, ajoute sa mère.

Ils reviennent tous les quatre vers la table principale où Louis s'assoit. Edgar, Aimé, Marie-Louise et les enfants sont assis à une seconde table derrière la première. Ils se taisent eux aussi afin d'entendre ce que Louis a à dire.

— Chus venu pour vous avertir…, dit-il en hésitant. Ben j'sais pas trop comment vous dire ça…

Il secoue la tête de gauche à droite, les lèvres serrées, puis se décide enfin à parler :

— Y en aura pas de mariage demain. Angéline est en train de mourir.

— Comment ça, sainte-patate, en train de mourir ? Quessé qu'a l'a ? questionne Pit.

— Méningite, répond Louis, laconique.

— Ah !

Pit connaît la virulence expéditive de cette maladie. Il sait bien que, souvent, on ne peut qu'assister à la dégradation rapide de l'état du patient. Il se sent plein de sympathie pour son petit frère, son filleul de surcroît.

— Pauvre toi! dit-il. Pauvre elle!

— Ouais…

Louis hausse les épaules en signe d'impuissance:

— Entouècas, la cérémonie de demain est annulée, c'est sûr. Pis après ben… J'sais pas trop. Est pas morte encore… Le prêtre est venu mais… Peut-être que finalement a va guérir…

Il les regarde à tour de rôle avec une lueur d'espoir dans les yeux:

— Faut que je retourne là-bas. Faut que j'aille la voir, dit-il en repoussant sa chaise et en se levant, énervé. J'tais juste venu vous prévenir pour demain. Astheure, faut que je retourne là-bas.

— J'y vas avec toi, décide Pit aussitôt.

Tout le monde le regarde comme un sauveur.

— Ben oui, ajoute Emma. T'es docteur. Peut-être ben que tu vas pouvoir faire queq'chose.

— J'sais pas trop, dit Louis. C'est vrai que tu connais William, mais j'sais pas trop, la famille…

— Envoye, Ti-Louis! ordonne Pit. Pas de niaisage! On y va!

Les deux hommes marchent vers l'entrée et commencent à s'habiller. Tous les autres les ont suivis. Les enfants posent des questions. Tetitte et Marie-Louise, qui les ont pris sous leurs ailes pendant le souper, ne savent pas trop quoi leur répondre. Héléna et son mari semblent très soucieux. Jean Grenon connaît bien Charles Warren. Ils ont si bien réussi dans leurs domaines respectifs. Et avec ce mariage, il croyait que les deux familles seraient dorénavant unies en quelque sorte. Quelle déception !

Se tenant près l'un de l'autre, Emma et Georges regardent partir leur Ti-Louis, le cœur serré d'inquiétude. Ils tremblent pour ce fils gâté qui n'a jamais connu d'épreuves jusqu'ici. Comment va-t-il réagir… Ils observent leur plus vieux. Ils ont confiance en lui. S'il y en a un qui peut faire quelque chose pour aider Angéline, c'est lui.

Sitôt arrivé chez les Warren, après que les salutations eurent été faites dans le plus grand respect, William invite Pit à monter avec lui auprès de sa belle-sœur. Selon lui et le Dr Lavoie, il n'y a vraiment plus rien à faire, mais qui sait si un autre docteur – qui travaille aux États-Unis depuis des années – ne saura pas apporter le petit quelque chose qui pourrait aider à guérir la malade. Il n'a pas eu le temps de se demander si c'était une bonne chose de donner encore un peu d'espoir à la famille restée en bas… Un dernier sursaut peut-être… Tant qu'il y a de la vie, n'a-t-on pas le devoir d'espérer ?

Une fois dans la chambre, Pit se penche vers la malade avec toute son attention de médecin. Rapidement, il ne peut que constater le pouls très faible d'Angéline et le réflexe pupillaire quasi inexistant. Il observe la nuque et remarque son état d'extrême rigidité, ainsi que les jambes repliées et figées. Puis, il constate la température glaciale des mains et des pieds.

— Vomissements, fièvre, maux de tête, confusion, éruptions cutanées ?

— Oui, depuis le début.

— Et le coma?

— Depuis ce midi.

Pit émet un léger soupir. Lentement, il hoche la tête, impuissant.

— C'est effectivement une méningite foudroyante. Y a pus rien à faire. A va mourir d'ici que'ques heures. C'est même presque miraculeux qu'a soye encore en vie.

— C'est ça qu'on pensait, répond William sans orgueil. Ça valait quand même la peine que tu l'examines. Des fois que…

De retour au salon, Pit et William ne peuvent malheureusement que confirmer le diagnostic déjà établi. Si l'espoir avait pu se frayer un fugace chemin dans le cœur des proches, il est dorénavant bel et bien éteint. Avec fatalisme, la famille se résigne à nouveau à veiller Angéline jusqu'à son dernier soupir.

Tout au long de la soirée, la garde se poursuit, alors que Pit retourne avec les siens, se promettant d'aider son frère, dès le lendemain, le mieux possible.

* * *

Un peu passé minuit, toute la famille est autour du lit de la malade. Quelques chandelles déposées sur la commode éclairent faiblement la pièce. Juste assez. Pas besoin de trop voir ce que l'on souhaiterait n'avoir jamais vu. Angéline respire bruyamment. C'est comme un petit moteur qui gronde dans la pénombre. Ses yeux sont fermés. Rien ne bouge outre sa poitrine qui se soulève et s'affaisse lourdement lorsqu'elle inspire et expire de plus en plus difficilement. Soudainement, elle ouvre les yeux, soulève légèrement la tête, et fixe un point en avant, ses parents, sa sœur, Louis. Elle ouvre alors la bouche avant de retomber inerte sur son oreiller. Tout le monde est saisi. Les secondes s'égrènent une à une dans le plus grand des silences. Plus aucun souffle. Plus aucun mouvement. Plus aucun bruit. La vie a définitivement quitté Angéline.

— Ma pauvre p'tite fille! ne peut s'empêcher de dire sa mère, en éclatant en sanglots.

Son mari la prend par la taille, incapable de se retenir de pleurer lui aussi.

— C'est fini! fait-il en la serrant encore plus fort. Viens! dit-il en l'entraînant lentement hors de la chambre.

Charlotte, Richard et William sanglotent eux aussi, s'accordant enfin le droit de laisser libre cours à leur chagrin. Charlotte se penche pour replacer la couverture sur les jambes de sa sœur, mais Richard et William la retiennent:

— Attention à la contagion! Pour le bébé. On sait jamais.

Ils s'éloignent un peu du lit tous les trois et restent là, un moment, unis dans leur douleur. Resté seul au pied du lit, Louis semble hébété. Charlotte, Richard et William le rejoignent. «Pauv'tite! dit-il à voix basse. Pauv'tite Angéline!» murmure-t-il encore avant de quitter la chambre avec eux. *Je t'oublierai jamais,* lui promet-il intérieurement après un dernier regard.

Tous les quatre se retrouvent en bas, au salon. Ils y rejoignent les parents, accablés de chagrin.

— Maman! s'exclame Charlotte en s'approchant de sa mère. Papa! ajoute-t-elle en les enlaçant tous les deux. Aussitôt, Richard les rejoint tous les trois.

Resté derrière, Louis tente tant bien que mal de se ressaisir. Il regarde cette belle-famille aimée qui aurait dû devenir la sienne et à laquelle il manquera dorénavant toujours un morceau. Et lui… que deviendra-t-il?

Chapitre 6

6 février 1923

Emma vient de se réveiller. À sa grande surprise, Georges est déjà levé. Il doit être plus tard que d'habitude, songe-t-elle en s'assoyant dans son lit. Aussitôt, elle sent sa tête tourner. *Bon, encore des étourdissements,* constate-t-elle en s'immobilisant, la tête droite, pour attendre que ça passe. Depuis leur retour de La Malbaie, c'est comme si par moments elle manquait d'équilibre, surtout le matin ou lorsqu'elle change trop vite de position. *C'est rien,* se répète-t-elle chaque fois. Il est vrai que c'est moins pire depuis quelques jours. Et puis, à quoi cela servirait-il d'inquiéter tout le monde avec ça ? Elle bouge doucement la tête. *Bon, ça va mieux.* Elle pose lentement ses pieds au sol. « Brrr ! Y fait frette à matin ! » s'exclame-t-elle en enfilant ses pantoufles par-dessus de grosses chaussettes de laine que Tetitte lui a tricotées et avec lesquelles elle a passé la nuit. Elle se lève et s'emmitoufle en vitesse dans sa robe de chambre en épaisse flanelle. *Je pense qu'y a jamais fait si frette dans maison !* se dit-elle en se rendant aux toilettes. Elle se sent plus reposée qu'au cours des derniers jours. Au moins, cette nuit, elle a bien dormi. C'est déjà ça ! Sa meilleure nuit depuis leur retour à la maison. Pour Georges aussi, espère-t-elle.

Difficile en effet, pour lui comme pour elle, de ne pas subir le contrecoup des derniers événements. Cela fait maintenant deux semaines que les funérailles d'Angéline ont eu lieu dans la petite église du Sacré-Cœur-de-Jésus de Pointe-au-Pic, mais, malgré les bons mots du curé Tremblay et ses exhortations à croire que la morte était maintenant plus vivante que jamais – déjà entourée de tous les membres de sa famille décédés et de tous les anges du paradis, en quelque sorte mariée comme cela aurait dû l'être, mais à Jésus Lui-même –, il n'en demeurait pas moins que, dans la triste réalité des choses, rien n'était plus vrai et plus définitif que son absence. Même s'il ne s'agissait pas de sa fille, Emma s'était sentie ce jour-là, dans l'église, au côté de son fils en deuil, envahie par un immense sentiment de désolation envers les parents éprouvés. Cette perte irréparable ! Ce chagrin qui tord les tripes ! Ce vide qui se creuse dans le cœur ! Elle savait ce qu'ils ressentaient. Mais elle était tout aussi envahie par son propre sentiment d'abandon. Son Ti-Louis allait partir lui aussi.

Sans trop savoir comment la décision avait été prise au cours des journées qui avaient entouré le décès et les funérailles, son fils s'était mis en tête d'aller vivre aux États-Unis, chez son frère et parrain Pit. Était-ce lui qui en avait eu l'idée ou n'était-ce pas plutôt Pit qui, toujours soucieux de régler les problèmes vite et bien, avait décidé de prendre les choses en main ? Peu importe ! En quelques jours, Ti-Louis s'était convaincu que la seule solution possible se trouvait ailleurs qu'à Chicoutimi. Il voulait refaire sa vie, et cela se passerait à Manchester et pas ailleurs. Comment Emma aurait-elle pu ne pas s'incliner devant cette volonté qui semblait lui donner un nouveau courage ? Pit le soutiendrait, l'épaulerait, l'aiderait à se bâtir un nouvel avenir. Georges n'était pas content, il avait exprimé son désaccord, mais à quoi bon ? À son âge, Ti-Louis était libre. Maintenant, encore plus qu'auparavant.

C'est ainsi que le mercredi matin, lendemain des funérailles, Emma et Georges se sont retrouvés dans le train qui les ramenait à la maison, le cœur triste et désenchanté, avec Marie-Louise, Aimé et Tetitte, les seuls membres de la famille qui étaient restés avec eux jusque-là.

Pauvre Ti-Louis ! Emma se souvient encore de son désarroi devant le corps d'Angéline exposé dans le salon des Warren. Au début, à l'hôtel, il avait craint de la trouver vêtue de sa robe de mariée dans sa tombe. Mais non ! Avec raison, ses parents avaient plutôt décidé de lui mettre sa jolie robe rouge portée aux Fêtes alors qu'elle était encore avec eux, vivante et joyeuse. Autour de son cou, elle portait un collier de perles et dans ses mains, un chapelet de nacre ivoire. Juste de la voir ainsi, arrachée à la vie en plein essor, faisait monter les larmes aux yeux. À la fin, Emma avait vu son fils sortir discrètement le jonc qu'il lui destinait et se l'enfiler à son propre auriculaire. Était-ce par fidélité ou par désespoir ? Comment savoir ?

C'est de cette façon qu'après un voyage de retour éreintant, Emma et Georges s'étaient retrouvés tout seuls avec Tetitte dans la grande maison de la rue Racine, leurs espoirs de relève brisés, et une longue rallonge à la maison en trop.

— Ça fait-tu longtemps que t'es levé ? demande Emma à son mari en entrant dans la cuisine ce matin-là.

— Non non, fait celui-ci, assis à la table en train de fumer sa pipe.

Emma constate avec joie que le poêle à bois chauffe au maximum :

— On est ben dans cuisine, y fait chaud! dit-elle en mettant de l'eau à bouillir pour le café.

Elle sort le beurre, le lait, le pain, le fromage, les cretons et met tout cela sur la table:

— Je fais pas d'œufs à matin. On va juste manger des *toasts*. C'est ben en masse!

Elle coupe des tranches de pain, les met à griller sur le poêle, verse deux tasses de café qu'elle pose sur la table, puis retourne près du poêle pour surveiller les *toasts*.

— Es-tu content du résultat des élections d'hier?

Il dépose sa pipe dans le cendrier et prend une gorgée de café:

— Delisle est rentré. Jean Grenon était ben content. Une chance qu'on a les télégrammes pour savoir ce qui se passe les soirs d'élection. Je te dis que ça brassait au bureau de Delisle. Entouècas, les libéraux sont majoritaires. Au moins soixante comtés.

Emma beurre deux *toasts* et les offre à son mari. Celui-ci prend une bouchée de pain sur laquelle il a préalablement étendu des cretons, puis il poursuit son idée:

— On a su itou que les conservateurs avaient remporté vingt comtés! Quasiment juste à Montréal, peux-tu crère ça? Sont-tu virés fous dans grande ville? On dirait qui sont pas contents d'avoir des commissions des liqueurs. Ou ben... J'sais pas trop... Faut dire que ça fait huit mandats de file que les libéraux gagnent!

Il hésite, puis hausse les épaules :

— Dans le fond, un p'tit brin d'opposition, ça peut pas faire de tort çartain. En autant que Montréal commence pas à se mettre contre les campagnes, soupire-t-il.

Tetitte arrive au même moment.

— Bon ! Enfin te v'la ! lance Emma qui n'avait pas commencé encore à déjeuner. On t'attendait ! Quiens !

Elle lui offre les deux *toasts* qu'elle vient tout juste de beurrer.

— Je vas m'en faire d'autres. Envoye, prends-les ! Quiens ! dit-elle en lui versant une tasse de café. Mange avec ton père !

— Merci, maman ! T'es ben fine !

Elle frissonne un peu en s'assoyant :

— Y a-tu faite assez frette c'te nuit ! J'arrivais quasiment pas à me réchauffer, lance-t-elle.

— Hier au soir, au bureau de Delisle, le monde disait qu'y avait jamais fait aussi frette dans toute la province. Paraît que dans nuitte d'avant, au nord du lac, y avait faite moins soixante-cinq degrés Fahrenheit !

— Sont-tu fous ? l'interrompt Emma. Moi, je dis que ça se peut pas.

— Ben voyons donc ! rétorque Georges. À cause qu'y aurait dit ça si c'tait pas vrai ?

— Dans ma chambre, entouècas, c'tait vrai ! déclare Tetitte en pouffant de rire.

Emma s'assoit avec eux et commence à manger. Après un petit moment de silence, chacun le nez dans son assiette, Tetitte demande à sa mère :

— Penses-tu qu'on va enfin avoir une lettre de Ti-Louis aujourd'hui ?

— J'sais ben pas, répond Emma en hochant la tête, un peu triste.

Georges se lève aussitôt bruyamment de sa chaise :

— Entouècas, moi, j'attends pas après ça, lance-t-il en quittant la cuisine.

Emma regarde sa fille avec de gros yeux :

— À cause que t'as dit ça ? Tu vois ben qu'y file pas ces temps-ci. Y dit qu'y attend pas, mais tu vois ben que c'est pas vrai. Tu comprends, y s'tait faite ben des idées avec c'te mariage-là. Y était content de garder Ti-Louis à maison avec nous autres. Pis là…

— Excuse-moi, maman, j'ai pas faite exprès.

Tetitte se lève, songeuse, et ramasse la vaisselle du déjeuner. Machinalement, elle met de l'eau à bouillir et sort la bassine du dessous de l'évier. Elle mouille une guenille, la tord lentement et la passe sur le dessus de la table en silence. Comme cela lui arrive de plus en plus souvent depuis les événements, elle se demande avec une appréhension grandissante comment elle va faire pour se marier au mois d'août, partir elle aussi de Chicoutimi et laisser derrière elle ses deux vieux parents esseulés.

Ce même jour, en soirée…

6 février 1923, Manchester

Chère maman,

Je m'excuse de ne pas encore avoir pris le temps de vous écrire à toi et papa. Mon excuse, c'est que je n'ai pas arrêté une minute depuis que je suis arrivé à Manchester. Pourtant, depuis ce matin je sens très fort en moi le besoin de vous écrire sans plus attendre. Me voilà donc prêt à commencer.

D'abord, je veux vous dire de pas vous inquiéter. Je suis vraiment bien installé et Pit et Éva sont très fins avec moi. Les petites filles sont bien gentilles aussi, elles ne me dérangent pas du tout.

Ici, tout est nouveau et, en même temps, tout est pareil comme chez nous. Des Canadiens français, dans notre quartier Notre-Dame, on voit quasiment juste de ça. Il y a des écoles, des églises, des bureaux, des restaurants, des épiceries, des magasins, et tout se passe en français. Il y a aussi un journal, une société d'assurance vie et une caisse populaire juste pour nous autres. On m'a raconté que c'était Alphonse Desjardins qui était venu l'ouvrir en personne, ça fait quinze ans.

Le plus gros employeur, c'est la filature d'Amoskeag qui fait travailler plus de dix-sept mille ouvriers dans une trentaine de manufactures de textiles. Peux-tu croire ça? Quasiment la moitié des employés viennent du Québec. Tu devrais voir tout ce monde-là sortir en même temps dans les rues après leur shift. En tout cas, la Pulperie de Chicoutimi, c'est rien comparé à ici. Mais c'est complètement le contraire pour le fleuve Merrimack qui sépare la ville en deux. À côté de notre beau grand fjord du Saguenay, on dirait un petit ruisseau.

La maison de Pit est pas loin de l'église Ste-Marie. À la messe, dimanche, je me suis rendu compte que les prêtres venaient tous du Québec. Je me pensais à la cathédrale dehors après la messe tellement ça parlait comme par chez nous. Mais si tu voyais comment c'est beau dans l'église. De grandes fresques religieuses, des couleurs, de la dorure, tout est magnifique. C'est un artiste-peintre canadien-français qui a peint tout cela. Il s'appelle Ozias Leduc. Paraît qu'il est très bon et très reconnu même, et d'après ce que j'ai vu j'en doute pas une minute.

Comme tu le sais maman, en venant ici, mon but était d'acquérir le plus vite possible mon indépendance. C'est pour ça que j'ai commencé un cours d'opticien d'ordonnances hier matin. Le cours va durer environ cinq mois et Pit pense que je vais pouvoir m'ouvrir un bureau pour ajuster la vue dans la même bâtisse que lui à la fin de l'été. En attendant, il faut absolument que papa m'envoie de l'argent rapidement. Tu comprends, les cours coûtent cher et j'ai toutes sortes d'autres dépenses. Dis-lui que je lui suis extrêmement reconnaissant et, qu'un jour, je vais pouvoir lui remettre au centuple tout ce qu'il aura fait pour moi.

Ah oui! Pit et moi, on a pensé que tu devrais venir nous voir avec papa aux vacances de Pâques. C'est à la fin mars. Pâques tombe le premier avril. Il me semble que ça adonnerait bien. Je sais que t'es déjà venue, tu t'étais perdue dans la grande maison de Pit, tu te souviens? Mais papa, lui, n'est jamais venu. En tout cas, pensez-y. Ça vous ferait du bien de vous changer les idées et je serais si heureux de vous voir. Pit et sa famille vous invitent chaleureusement. Ils vous le feront savoir eux aussi par lettre.

Bon bien, je pense t'avoir tout dit. Je vais essayer de t'écrire plus souvent. Et n'oublie pas de dire à papa de faire vite pour l'argent. Je ne voudrais pas être obligé d'en demander à Pit.

P.-S. À propos de tu sais quoi, je fais tout ce que je peux pour oublier et passer à autre chose. Mais ce n'est pas facile tout le temps… Tu comprends ce que je veux dire. Mais ne t'inquiète pas pour moi, ça va passer. Il le faut bien.

Dis un beau bonjour à Tetitte et à toute la famille.

Ton fils Louis qui pense à toi

Une fois la rédaction de sa lettre achevée, Louis remet les feuillets en ordre et se relit attentivement, numérotant les pages et corrigeant quelques fautes au passage. *C'est bien,* se dit-il finalement. Il plie la lettre, la glisse dans une enveloppe, la cachette et la dépose à plat devant lui. De sa plus belle main, il inscrit l'adresse de ses parents. *Bon! J'irai au bureau de poste demain matin à la première heure.*

Il reste encore un moment ainsi, à sa table de travail, le menton appuyé sur les bras, devant la fenêtre de sa chambre. Distrait, son regard suit les branches d'un gros érable qui se balancent au gré du vent. Elles ressemblent à de longs bras qui s'agiteraient au loin comme pour lui faire des signes. Ohé! Ohé! Depuis la fin de l'après-midi, il est tombé sur la ville une bonne quantité de neige et l'écorce sombre de l'arbre semble tout illuminée par de longues plaques blanches qui tracent dans l'espace comme une ébauche de sa silhouette dansante. Malgré la beauté étrange du spectacle, Louis ne peut s'empêcher de soupirer longuement. C'est comme une grosse vague de chagrin qui lui serre soudainement la gorge.

Non, les choses ne sont pas aussi faciles qu'il avait pu l'espérer ou le souhaiter en venant ici. Mais pourquoi en aurait-il parlé à sa mère? Pour l'inquiéter? Tout ce qu'il lui a écrit est bien vrai. C'est plutôt ce qu'il n'a pas dit qui, à présent, remplit son cœur de tristesse. Il pense à son mariage raté et il ne peut s'empêcher de se faire des reproches. Il n'arrive pas à croire que ce qui est arrivé est un hasard. Malgré lui, il se sent coupable. Pourquoi a-t-il choisi cette date? Il se torture avec l'idée que, s'il en avait choisi une autre, n'importe laquelle, elle ne serait pas morte et il ne serait pas ici à essayer de se rebâtir un avenir. Il serait avec elle dans la maison de ses parents. Il serait avec elle à Chicoutimi.

Louis se laisse aller contre le dossier de sa chaise. Toute sa vaillance l'a abandonné d'un seul coup. C'est peut-être le fait d'écrire qui l'a mis tout à l'envers. Pendant quelques minutes, il reste là, prostré, envahi par le mal du pays, le cœur encombré par cet avenir brisé, malheureux de ne plus savoir en ce moment ni ce qu'il veut, ni ce qu'il souhaite, ni ce qu'il désire.

Brusquement, il se lève et se met à marcher vers son lit pour se préparer pour la nuit. Il change aussitôt d'idée et se dirige vers une étagère contenant quelques livres empruntés à Pit. Il choisit *Les anciens Canadiens* de Philippe Aubert de Gaspé et retourne à sa table. Il s'assoit et tente de lire quelques lignes, mais se décourage aussitôt. Son esprit est encore trop troublé. Il se lève de nouveau et décide impulsivement de sortir dehors, d'aller marcher un peu sous la neige floconneuse, respirer le grand air et essayer à nouveau de se laisser séduire par son nouveau milieu de vie. Sans tarder, il sort dans le corridor et descend dans l'entrée, puis met manteau, bottes, foulard, chapeau de fourrure et mitaines.

— Tu sors? demande Pit, debout dans l'arche du grand salon.

Louis lui répond sans cesser de s'habiller:

— Ah! C'est juste une p'tite marche pour profiter de la neige.

— T'es sûr que ça va?

Pit le regarde d'un air inquiet:

— Oui, oui. Tout est beau. J'ai juste besoin de bouger un peu.

— On va t'attendre avant de fermer pour la nuit.

— OK. Je serai pas long.

Il ouvre la porte.

— À tantôt! fait-il en sortant rapidement sur la galerie.

Instantanément, l'air froid le saisit, lui redonnant un peu d'énergie. Le col de son manteau remonté, le chapeau bien calé sur la tête, les mains dans les poches, il descend prudemment l'escalier pour entrer dans la tempête. Le vent souffle et des milliers de flocons moelleux virevoltent autour de lui. C'est beau. Mais la marche est difficile, ses pieds s'enfoncent à chaque pas dans une épaisse couche de neige. Il se sent lourd et malheureux. Au bout du chemin, il s'arrête un moment devant la rivière qui ressemble en ce moment à une patinoire balayée par de brusques bourrasques de vent. *Où est passé mon courage?* se demande-t-il, le cœur gros. Il aurait pourtant grand besoin de toute sa vaillance ce soir pour continuer sa route, ici ou ailleurs…

Soudain, une rafale de neige poudreuse le frappe de plein fouet et pendant quelques secondes, il ne voit plus ni ciel ni terre. Ni dehors ni dedans. Le tumulte est partout. Et ça rugit au dehors, et ça implore en dedans. *Mon Dieu ! Qu'est-ce qui m'est arrivé mon Dieu ? Qu'est-ce qui m'est arrivé ?* Sans qu'il ne puisse plus les contenir, des larmes se mettent à couler sur ses joues, libérant son chagrin. Il revoit tout en accéléré, la maladie, la mort, l'enterrement d'Angéline, son départ précipité pour les États-Unis, son installation, le début de ses cours. Et par-dessus tout cela, cet effort constant pour ne pas inquiéter personne, ne pas décevoir, ne pas déranger, être à la hauteur, se contenir, sauver son honneur, se montrer fort. Mais ce soir, il n'en est plus capable. *Pourquoi mon Dieu ? Pourquoi vous m'avez fait ça ? Pourquoi vous me l'avez enlevée ?* Il sanglote maintenant une main devant son visage. *Pourquoi Seigneur ? Je méritais pas ça !* Il lève ses yeux vers un ciel très bas, très sombre, sans lune ni étoiles, et reste là encore un moment à renifler et à s'essuyer les yeux avec son mouchoir, se sentant véritablement seul au monde. Il n'est même plus capable d'imaginer le visage heureux et en santé de sa fiancée. On dirait qu'il n'arrive plus à la voir autrement qu'agonisante dans son lit de mort. Il revoit la scène, en boucle, comme si cela venait tout juste de se produire et, en même temps, c'est comme si cela faisait un siècle. Elle est morte et le temps s'est figé.

Par moments, il enrage intérieurement et lui en veut de l'avoir laissé là. Il se sent humilié, honteux. Il a l'impression d'avoir perdu la face devant toute sa famille. Il se souvient que, vers la fin, avant même le jour des funérailles, M. Warren ne le regardait plus du tout comme avant. On aurait dit qu'il lui en voulait pour la mort tragique de sa fille. Comme si ce mariage en plein hiver était devenu la raison même de ce drame. Il devait se dire que, sans tout cet énervement, elle ne serait pas tombée malade. Elle serait là encore avec eux et tout serait parfait. Louis avait senti que Mme Warren se détournait aussi de lui, le rendant peut-être responsable de ce gâchis irrévocable. Dans un sens, il était bien d'accord avec eux. Tout était de sa faute. Il y avait eu aussi cette pitié qu'il avait sentie de la part de Marie-Louise et d'Héléna. Les regards qui se croisaient, les silences quand il entrait dans une pièce. En tout cas, c'est exactement ce qu'il avait ressenti. Maintenant encore, en ce moment même, il s'en veut, en veut à Angéline, en veut au monde entier. *Qu'est-ce que j'ai ben pu vous faire mon Dieu pour mériter une telle humiliation ?*

Brusquement, il serre les poings, tourne le dos à la rivière et revient sur ses pas. « Maudite vie ! » lance-t-il en accélérant la cadence. Il en veut à Dieu surtout, à cette injustice qu'il doit subir et qui l'oblige à tout recommencer à vingt-huit ans… « Batinse de batinse ! » Il heurte un obstacle, son pied glisse et il évite de justesse la chute. *Ouf ! Attention !* se dit-il en ralentissant son rythme. *C'est pas le temps de m'estropier, en plus de toute,* grogne-t-il.

Il se remet à avancer prudemment, au milieu de la rue, luttant contre le vent qui lui souffle maintenant en pleine figure. Être ici n'est pas ce qu'il aurait souhaité faire de sa vie ! Loin s'en faut et il faut bien l'admettre. Mais à quoi cela servirait-il de se tourmenter encore et encore avec cela ? La fatalité a frappé et l'a déraciné de chez lui, après lui avoir arraché ce qu'il avait trouvé de plus précieux dans la vie. Il s'arrête quelques secondes, se place dos au vent, remonte son col et son foulard sur son nez, puis reprend sa marche. Bientôt, il n'a plus qu'un souhait : être à l'abri, se réchauffer près du foyer, dormir et aller à ses cours demain matin. *Est-ce que j'ai le choix ?* se demande-t-il, en quelque sorte résigné. *Au fond, je peux pas faire grand-chose de plus que d'essayer de me rebâtir une vie, songe-t-il. Pis ça ben l'air que c'est icitte que c'est en train d'arriver.*

Chapitre 7

Le temps passe. On est à la mi-mars et le temps est encore froid. Georges marche d'un pas décidé sur la rue Racine. Avec sa grande taille, son teint foncé et ses cheveux presque encore noirs, il a un peu l'allure d'un étranger, ce qui impressionne les gens qui ne le connaissent pas ou qui le rencontrent pour la première fois. Avec l'âge, son expression est devenue de plus en plus sérieuse, sévère même, et, depuis les derniers événements, cette tendance n'a fait que s'accentuer. Avec ses locataires retardataires ou les clients récalcitrants à payer leur compte, il ne peut s'empêcher depuis quelque temps de prendre son air le plus revêche pour exiger son dû. Il revient justement de chez l'un d'eux, un dénommé Boucher, toujours en retard dans son loyer, toujours à se lamenter de ci ou ça. *Une vraie engeance!* songe-t-il. Il ne voudrait pas en avoir des dizaines comme lui. Si c'était le cas, c'est pas mêlant, il vendrait tout. Bon, il veut bien comprendre qu'il est sans travail, que sa femme est malade, que les enfants sont jeunes, mais pas au point de le loger gratuitement! *Quand même! Je ne suis pas la banque à pitons!* se répète-t-il. Il hoche la tête. Non, certainement pas. Il lui a donné jusqu'à lundi prochain pour acquitter sa dette, sinon… Il hausse les épaules. *Sinon, quoi?* Il se connaît. Il jappe plus fort qu'il ne mord. Il ne pourrait jamais le mettre dehors avec sa famille en plein hiver! Il en serait incapable. «Hé! Bon-yenne de bon-yenne! Chus trop bon», murmure-t-il pour lui-même.

Si, au moins, y avait un piano! se dit-il en poursuivant sa marche vers la rue Bergeron. *Je pourrais le saisir et le revendre pour me dédommager.* Il repense à ce qu'il a pu apercevoir dans le logement : juste des vieux meubles dont il ne saurait que faire.

Arrivé devant la boutique de forge de son fils Arthur, il entre en coup de vent. Immédiatement, il est saisi par une chaleur suffocante.

— Bon-yenne! Comment tu fais pour travailler à chaleur de même? On crève! fait-il.

— Ben, dégraye-toi, le père! répond Arthur, un homme grand, au visage carré, aux traits réguliers et possédant le large front distinctif de ses frères. Icitte, y fa chaud! s'exclame-t-il d'une voix forte en assénant un bon coup de marteau sur une longue tige de métal brûlant.

Georges n'a pas l'intention de rester longtemps, mais voyant son fils en chemise, les manches roulées, à proximité du feu, il comprend qu'il n'a pas le choix d'en enlever une couche.

— C'est que tu fais là? demande-t-il.

— Une clôture en fer forgé, imagine-toi donc! C't'une commande du Dr Savard pour mettre en avant de sa maison. Y veut que j'y fasse quequ'chose de beau pour qu'on voye ben l'entrée de son bureau, avec un portail pis une plaque avec son nom.

— Ouais… T'es quasiment rendu comme un artiste.

— Ç'a ben l'air que c'est ça qu'y faut faire de nos jours ! T'sais ben, avec le monde qui achète des chars pis des machines astheure, ça fait longtemps que j'aurais fermé boutique si je me contentais de ferrer des chevaux.

— C'pas à cause ! Tu connais ton affaire, mon garçon !

— Pis toi ? C'est que tu fais là de bonne heure de même su'l chemin ?

— Je collecte, riposte-t-il, retrouvant aussitôt sa mauvaise humeur. Qui c'est que tu veux qui le fasse astheure si c'est pas moi ?

— Ouais, c'est sûr que Ti-Louis pas là…

— Parle-moi pas de Ti-Louis à matin.

— Batêche que t'es à pic, papa ! Je disais ça de même.

— Ben si t'as rien de plus intelligent à dire, dis rien.

Georges empoigne son manteau, son chapeau et ses mitaines et, sans prendre le temps de s'habiller, sort de la boutique aussi vite qu'il est arrivé. Une fois dehors, il se dirige aussitôt vers la maison voisine, chez sa fille Marie-Louise. Après deux petits coups à la porte d'en arrière, il entre dans la cuisine où il la trouve en train de finir de déjeuner. Tout étonnée de le voir arriver à moitié déshabillé en plein mois de mars, celle-ci s'exclame :

— Papa ? C'est que tu fais là, pas habillé, de bonne heure de même ? Maman est-tu malade ?

— Non, non. Je passais par icitte, pis j'ai pensé venir te voir. T'es pas contente ?

— Ah! J'suis ben contente voyons donc! Rentre! Viens t'asseoir! Veux-tu quequ'chose? T'as-tu mangé?

— Pas besoin! Je resterai pas longtemps. J'arrive de chez Arthur, c'est pour ça, précise-t-il en désignant son manteau, qu'il accroche dans l'entrée. Je veux pas enlever mes bottes.

Marie-Louise lui avance une chaise près du tapis d'entrée.

— Tiens! Assis-toi là au moins deux minutes!

— C'est pas de refus!

Il s'assoit sur le bout de sa chaise, encore nerveux.

— Pis! Y a-tu des nouvelles dans le journal? demande-t-il.

— Rien. À part peut-être quequ'chose qui pourrait t'intéresser, dit-elle en montrant le journal de la main. Y disent qu'y vont ouvrir un grand magasin de vêtements pour hommes à Montréal. Ça va s'appeler Sauvé frères. C'est des Canadiens français qui sont propriétaires. Ça ouvre le 17, samedi qui vient, dans deux jours.

— Pis? répond-il en haussant les épaules. C'est que tu veux que ça me fasse?

Marie-Louise le regarde, interloquée:

— T'es donc ben bête! Je dis ça à cause que tu loues des magasins! Je pensais que ça t'intéresserait de voir les changements qui s'en viennent dans le commerce de linge.

— Tu trouves pas qu'y en a ben de reste des changements ce temps-citte, riposte-t-il. Ben de reste…

Il se lève, prêt à partir.

— Ben voyons donc, papa! T'es donc ben rendu à pic!

— Moi à pic? réplique-t-il, fâché.

Il commence à mettre son manteau:

— Vous avez pas connu Thiburce vous autres, ça paraît!

Il continue de s'habiller et s'adresse à elle comme s'il parlait à toute sa famille:

— Mon père? Lui, y était à pic! Sec, pis dru, pis pas parlable. Moi à pic? C'est le contraire! Chus trop fin, c'est ça l'histoire. Ben qu'trop fin!

Sur ces derniers mots, Georges sort en coup de vent sans que Marie-Louise ait eu le temps de dire quoi que ce soit. Une fois dehors, il marche vite et se retrouve quelques secondes plus tard sur la rue Racine. Sa maison est toute proche. Dans le fond, c'est vrai qu'il est de mauvaise humeur. Mais il est capable de s'en rendre compte par lui-même, pas besoin de se le faire dire par tout un chacun. *C'est la faute à Ti-Louis aussi*, se dit-il une fois de plus. *Y commençait à collecter depuis un bout de temps*, se rappelle-t-il, *pis y avait le tour avec le monde*. Il sent monter en lui une série de reproches. *C'qu'y avait d'affaire aussi à s'en aller de même?* marmonne-t-il entre ses dents. *C'est le beau Pit là! Bon-yenne de grand talent, qui veut toute gérer!*

Rendu devant chez lui, Georges se dirige tout droit vers l'escalier qui monte à son appartement, sans un regard pour ses commerces au rez-de-chaussée. On dirait qu'il a perdu le goût à tout cela.

— Pis! Comment ça s'est passé avec M. Boucher? lui demande Emma en le voyant surgir dans la cuisine.

— Y a pas une cenne noire qui l'adore! C'est que tu veux que je te dise? répond-il d'un ton bourru en s'assoyant à sa place habituelle. J'vas les laisser finir l'hiver, y me donnera comme y peut, mais en mai, va falloir qu'y déménage. J'aurai pas le choix. À moins qu'y se trouve une *job* d'icitte ce temps-là.

— T'es ben bon, mon mari! T'as du cœur, pis ça, c'est mieux que n'importe quoi d'autre su'a terre.

— Ouais, peut-être ben!

Un peu amadoué, il sort sa pipe et sa blague à tabac, la bourre et l'allume en inspirant quelques bonnes bouffées. Il se sent un peu plus calme. C'est probablement le simple fait de respirer plus lentement, plus profondément. Et puis, les odeurs dans la cuisine y sont pour beaucoup aussi. Ça sent la soupe qu'Emma prépare pour le dîner, ça sent le bois qui brûle dans le poêle, ça sent le pain qui cuit dans le four. Ça fait du bien tout ça.

— Tetitte est partie chez Alida. J'cré ben qu'est tombée en amour avec c'te p'tite fille-là, Madeleine. C'est rendu qu'a va la barcer quasiment toué matins.

En disant cela, Emma s'assoit à la table. Elle souhaite parler de Ti-Louis à son mari, mais elle ne sait pas trop comment s'y prendre. Le caractère de Georges a changé depuis quelque temps et elle a peur de se faire répondre sèchement une fois de plus. Une question, surtout, lui brûle les lèvres. De sa voix la plus conciliante, elle lance:

— Pis en fin de compte! T'as-tu eu l'temps de penser à l'invitation de Ti-Louis?

Georges ne bronche pas. Il continue de tirer sur sa pipe en regardant le mur devant lui. Emma continue :

— Ça fait ben trois ou quatre lettres qu'on reçoit avec la même invitation. Faudrait ben répondre. Pâques est tôt c't'année, le premier avril. Y reste même pas quinze jours jusque-là.

Georges ne répond pas. Il grogne un peu. En réalité, il n'a jamais eu l'intention d'y aller. Ça, c'est très clair pour lui depuis le début. Sa femme devrait bien le savoir. Il est trop fâché contre ses deux garçons pour aller leur rendre visite. Il en veut à Ti-Louis d'être parti. Il en veut à Pit de l'avoir entraîné là-dedans. Il se décide enfin à parler :

— Moi, j'vas pas là, c'est çartain ! tranche-t-il en la toisant du regard. Pis fais-moi pas fâcher avec c't'affaire-là à matin !

— Bon, bon… On n'ira pas. C'est toute. Pas plus compliqué qu'ça. J'vas y écrire tantôt.

— J'te cré qu'y nous verront pas la face là-bas ! dit Georges en haussant le ton. T'as-tu pensé ? Ç'a même pas de bon sens c't'affaire-là. Fin mars en plus. Traverser le pays en train jusqu'aux États en plein hiver. Sont-tu après revirer fous ?

— T'exagères pas un p'tit brin, là ? En avril, c'est le printemps.

— Peut-être ben din dates, rétorque-t-il, mais pas dans vraie vie. On en a vu ben manque des grosses tempêtes en avril. Tu peux pas dire le contraire.

Il reprend son briquet et rallume sa pipe en silence.

— De toute façon, c'est pas là la question, ajoute-t-il. L'histoire, c'est qu'y est pas question que j'aille là-bas ! Point final.

Il hoche la tête de gauche à droite, l'air obstiné :

— À cause, hen ? À cause qu'on se donnerait du trouble de même ? Veux-tu ben me le dire ? Pour aller voir Ti-Louis qui a sacré son camp d'icitte ! dit-il en serrant son poing et en frappant le bord de la table. Non monsieur. J'ai ben assez d'y envoyer de l'argent tout le beau temps depuis presquement deux mois.

Emma se lève tristement. Elle a encore quelques légumes à ajouter dans la préparation de sa soupe. Elle se remet au travail tout en demeurant songeuse. Pour elle aussi, cette histoire a tout changé. Mais elle se sent incapable d'en vouloir à Ti-Louis pour ça. Comment l'accuser de quelque chose qu'il n'a de toute façon jamais voulu, ni souhaité, ni vraiment décidé ? C'est le destin qui l'a frappé, et d'une façon tellement cruelle. Comment lui en vouloir ?

— Des fois, je te reconnais pus, dit-elle, en sortant son pain du four. Toi qui es si fin d'ordinaire.

— Justement ! s'exclame-t-il. Chus trop fin. Ben qu'trop fin !

— Arrête donc de dire que t'es trop fin ! C'est pas vrai pantoute ! Ce qui est vrai, c'est que t'es juste ben fin. Juste ben.

Emma attend quelques secondes avant d'ajouter :

— Dans le fond, je pense que c'est de la peine que t'as, pis que c'est pour ça que t'es fâché.

Elle s'approche lentement, en continuant de parler d'une voix posée :

— T'sais, Ti-Louis aussi y a de la peine. Pis mon idée, c'est qu'y aime pas ça tant que ça vivre là-bas. Des fois, je pense que ça se peut même qu'y revienne. On sait jamais. Y a l'air de s'ennuyer dans ses lettres. Y le dit pas, mais moi chus sa mère, pis je sens ben des affaires…

Georges ne dit rien. Il se sent fondre un peu par en dedans. Il voudrait croire ce qu'il entend, ne plus être fâché, et que tout redevienne comme avant. Emma se rassoit et regarde son mari, pleine de compassion.

— Tu devrais y pardonner, poursuit-elle d'une voix douce. C'est que tu voulais qu'y fasse, pauvre enfant ? Y as-tu pensé ? Lui, si orgueilleux, si fier ! T'as-tu pensé comment ça a dû être dur pour lui de tout perdre comme ça devant ses frères, ses sœurs, pis nous autres ses parents… Sans être capable de rien faire, en plus.

Georges dépose sa pipe dans le cendrier. Le menton appuyé sur sa main, il écoute sa femme.

— Y fait son possible, continue-t-elle en posant ses mains à plat devant elle sur la table. Y nous écrit chaque semaine. Y étudie. Moi, en fin de compte, c'est pour toi que je dis ça. Tu le sais comment ce que je t'aime. Tu le sais que j'serais jamais capable de te vouloir du mal. Mais vivre fâché de même, chus çartaine que c'est pas bon pour toi. Pis pour toute nous autres aussi, la famille, c'est pas bon…

Emma se lève et sort lentement de la pièce. Elle sait que son mari a besoin de réfléchir. Le dîner est presque prêt. Ils pourront manger plus tard quand Tetitte reviendra de chez sa sœur. En attendant, elle se sent apaisée. Elle a enfin réussi à parler à son mari et, d'après le sérieux avec lequel il l'a écoutée, elle a l'impression que les choses vont finir par s'arranger. De toute façon, elle n'a jamais vraiment souhaité aller voir ses deux fils aux États-Unis. Juste à se rappeler le voyage de janvier dernier à La Malbaie, les courbatures qu'elle a ressenties dans son corps pendant des jours, les étourdissements qu'elle a eus pendant des semaines, elle n'a pas très envie de se rendre à Manchester. *Y viendront eux autres*, se dit-elle. *Cet été ou aux Fêtes!*

Arrivée dans le grand salon qui donne sur la rue, elle s'assoit dans son fauteuil près de la fenêtre. Le soleil de la mi-mars frappe fort sur les maisons des alentours. Elle entend l'eau s'écouler des glaçons en forme de stalactites accrochés au toit qui surplombe la galerie. Toc, toc, toc. Elle remarque que ça fond aussi un peu dans la rue. Elle pense au printemps qui s'en vient. Ah! Pas le vrai, pas celui avec le gazon qui verdit et les arbres tout en fleurs. Pas tout de suite celui-là. Pas avant mai ou juin. Non, l'autre printemps, le premier, celui qui fait caler les glaces du Saguenay, celui qui adoucit l'air, celui qui fait fondre la neige qui se déverse comme des ruisseaux pendant des semaines dans les côtes abruptes de la ville, celui qui fait ressortir les bonnes odeurs de terre mouillée qui montent aux narines et qui lui rappellent sa ferme natale dans le rang saint-Thomas. Elle soupire doucement. Elle ne se sent pas gaillarde ces temps-ci. Par moments, les forces lui manquent pour faire des tâches qu'elle exécutait avant en un tournemain. Elle vieillit, c'est tout. Il faut qu'elle se repose davantage. Elle sourit pensivement et reste là un moment, oisive, dans son fauteuil devant la fenêtre. Elle se prend à rêver que Ti-Louis revienne vivre avec eux. *Une petite femme avec lui, pourquoi pas ? Une petite femme qui lui donnerait des enfants et en ferait un homme heureux.* Elle le souhaite, non seulement pour lui, mais pour Georges aussi, et pour elle.

Chapitre 8

Un mois et demi plus tard…

Louis replie lentement les feuillets et les remet dans l'enveloppe. Les nouvelles de Chicoutimi sont bonnes. Ses parents vont bien. Tout le monde semble de bonne humeur. Au début du mois de mai comme ça, le printemps est vraiment arrivé, raconte sa mère, il n'y a plus de neige dans la ville, les rues sont propres, on peut y marcher en souliers. Depuis quelques semaines, le traversier a repris ses transports d'une rive à l'autre et le temps suit son cours. Même son père lui fait dire un beau bonjour. Louis plie l'enveloppe en deux et la met dans la poche de son veston. Il sourit, un peu triste, se souvenant avec nostalgie des belles journées chaudes de fin avril et début mai qui surviennent là-bas comme un cadeau-surprise après des mois d'hivernage et les longues semaines de la fonte des neiges. À Manchester, il a pu observer le même phénomène, mais en moins intense et, surtout, plus tôt en avril. Actuellement, les arbres sont déjà en fleurs, les tulipes enjolivent les parterres, et les femmes se promènent en robe sur les trottoirs de bois, avec de simples châles jetés sur leurs épaules et de jolis chapeaux à larges bords garnis de rubans, de fleurs ou de petits fruits de couleur. On aperçoit de plus en plus leurs jambes en raison des ourlets qui raccourcissent davantage chaque année et il y a quelque chose de ravissant dans le spectacle des jeunes ouvrières qui marchent dans les rues en bavardant et en pouffant de rire sans qu'on sache vraiment pourquoi.

Son père lui a encore envoyé un chèque, il ne sait plus à combien il en est, mais il ressent une grande reconnaissance envers lui. Que ferait-il sans son aide? Bientôt, d'ici le mois de septembre, peut-être un peu avant, il va commencer à travailler et il se promet de lui rendre au moins une partie de tout cet argent généreusement envoyé depuis janvier. Dès lundi, il s'empressera d'aller encaisser le chèque à la caisse populaire de Sainte-Marie. Avec l'argent, il devra payer ses cours, se faire couper les cheveux, s'acheter quelques bons cigares, se procurer des vêtements de saison plus à la mode, et bien d'autres petites choses encore. Mais il ne donnera pas de contribution à Pit. Il a bien essayé, par principe, de lui offrir un petit montant à quelques reprises, mais celui-ci prend son rôle de frère aîné et de parrain très à cœur. Il affirme qu'avec ses revenus de médecin spécialiste dans un milieu de vie prospère où tous les chefs de famille travaillent, il n'a pas besoin d'argent supplémentaire. Qu'en ferait-il? Il habite une maison cossue, large et profonde, sur trois étages, bâtie sur un terrain légèrement en surplomb, ce qui la fait paraître encore plus imposante vue de la rue. Elle est située dans le quartier le plus chic du secteur francophone de la ville, sur la plus belle avenue bordée d'arbres matures. Il possède une belle voiture, une Lincoln à sept places qu'il a achetée à bon prix d'un de ses patients et dont il se sert tous les jours pour se rendre à sa clinique et à l'hôpital, ainsi que pour aller à Boston ou au Québec avec famille et bagages. Il mène un gros train de vie, disposant de deux employés – une servante qui s'occupe du ménage et du gardiennage, et un homme à tout faire qui porte bien son titre puisqu'il est à la fois jardinier, mécanicien, plombier et menuisier – auxquels s'ajoute parfois une cuisinière, lorsqu'il décide d'offrir un souper à son groupe d'amis, constitué de francophones et d'anglophones du même niveau social que lui. Grâce à cela, et aussi à ses cours d'opticien où tout se passe en anglais, Louis est maintenant parfaitement bilingue.

Louis se dirige vers l'escalier et monte directement à sa chambre. Depuis quelques semaines, il est envahi par un mélange d'anticipation et d'excitation difficile à définir. Il porte toujours le jonc serti de diamants d'Angéline à son petit doigt en gage de fidélité à son passé et, le soir quand il se couche, il ressent encore souvent de grands accès de tristesse, culpabilité, colère et révolte. Mais – est-ce le changement de saison qui éveille ses sens ? – il lui est de plus en plus difficile d'oublier qu'il est encore un homme bien en vie ! La chair est faible et, malgré les exhortations à ne pas céder à la tentation entendues lors des sermons ou dans le secret du confessionnal depuis toujours, il n'a jamais cru ni pensé qu'il avait le devoir, l'obligation ni même le goût de faire vœu de chasteté pour le reste de son existence. Il a passé l'âge de craindre d'avoir des boutons ou d'assister, impuissant, à la décrépitude de son corps comme les prêtres du Petit Séminaire avaient tenté de le leur faire croire, à lui et à ses compagnons d'études, quand il était question de masturbation – mot qui n'était par ailleurs jamais prononcé. En tout cas, ce soir, il va sortir un peu, aller se balader sur la grande rue et le long du fleuve. Il n'a pas encore le cœur bien joyeux, mais il a besoin de voir du monde, de se changer les idées, de humer un peu la beauté printanière. Pit et Éva sont également sortis de leur côté. Ils devaient se rendre à un souper chez un collègue de travail. Comme à leur habitude, ils ont invité Louis, mais celui-ci savait d'expérience qu'il n'y aurait là que des couples. La dernière fois, il s'était senti mal à l'aise et s'était promis de décliner poliment la prochaine invitation.

Louis a donc soupé plus tôt dans la cuisine avec les enfants, Yvonne et Lucille, et la servante, Malvina, qui prend soin d'elles depuis leur naissance. Un bon macaroni au fromage et un pouding chômeur avec crème fraîche. À la bonne franquette. Les petites ne se sont pas privées de le questionner tout au long du repas. «Pourquoi tu restes ici? Ça veut dire quoi opticien? Pourquoi tu portes des lunettes? C'est quoi ta bague? Pourquoi tu sors? Où tu vas?» Deux fillettes volubiles, intelligentes, drôles, qui en ont profité pour lui raconter de long en large la semaine d'école de grosse chaleur qui venait de se terminer. Ce qu'il en avait retenu, c'est que leur plus grand bonheur s'était produit pendant les récréations où elles avaient pu jouer à leur guise à la corde à danser en rythmant leurs sauts sur des chansons hurlées à pleins poumons pendant qu'un peu plus loin, les garçons jouaient au ballon et se querellaient en s'époumonant eux aussi à qui mieux mieux. Certains enfants plus tranquilles se tenaient le long des murs, jouant aux billes avec une concentration et un sérieux qui feraient sûrement envie à n'importe quelle maîtresse d'école. Yvonne et Lucille semblaient avoir été fascinées par la forme et les couleurs miroitantes des billes. Louis s'était promis de leur en acheter un sac à chacune, à la première occasion.

Dans sa chambre, il se demande à présent de quoi il a l'air. *Devrait-il changer de chemise, de cravate, de veston? Ses souliers sont-ils bien polis?* Après quelques ajustements, il se regarde dans le miroir, satisfait de sa tenue. Il descend dans l'entrée, prend sa canne et son canotier tout neuf, et quitte la maison un peu avant huit heures. Tranquillement, il dirige ses pas vers la rue principale où, depuis la venue du beau temps, il adore marcher et regarder les jeunes filles passer. Il ne peut manquer également d'observer les passages répétés d'une douzaine de voitures qui, surtout le vendredi soir, de dix minutes en dix minutes, vont et viennent d'un bout à l'autre de la rue. Certains jeunes gens à pied ou en bicyclette circulent eux aussi, cherchant à attirer l'attention des demoiselles de mille et une façons.

Ces derniers jours, il y a toujours beaucoup de monde dans la rue à cette heure. Depuis le premier du mois, la majorité de la population de la ville assiste en effet chaque soir à un rassemblement pieux en l'honneur de la Sainte Vierge. Tout le mois de mai est consacré à Marie. Cette coutume très canadienne-française s'est implantée en Nouvelle-Angleterre en même temps que les familles catholiques du Québec. À Manchester, les églises francophones – Notre-Dame et Sainte-Marie – sont toutes deux consacrées à la Vierge. Depuis le début du mois, elles se remplissent chaque soir de gens dévots qui récitent le chapelet en chœur, entrecoupant chaque dizaine d'intentions particulières aux malades, aux familles, aux semences, aux récoltes à venir, à la température en général. Tout au long de la cérémonie, les croyants entonnent divers chants religieux qui exaltent l'âme et glorifient la Sainte Vierge. Chaque soirée de dévotion débute et se termine par ce refrain chanté à l'unisson : *C'est le mois de Marie, c'est le mois le plus beau. À la Vierge chérie, disons un chant nouveau.*

Louis n'a jamais été attiré par ce genre de cérémonies pieuses. Même s'il aime bien la mère de Jésus, il se dit que, lorsqu'il prie, pourquoi s'adresserait-il à une intermédiaire, même très puissante comme ils disent, et non directement au bon Dieu? Et puis, il ne le dirait jamais à haute voix, mais toutes ces coutumes ostentatoires de rosaires en commun, processions de la Fête-Dieu, chemins de croix et parades le rendent plutôt mal à l'aise. Dans le fond, il pense que ces habitudes vont tout simplement à l'encontre de la parole même de Jésus qui dit dans les Évangiles que, si on veut prier, il suffit de se retirer seul dans sa chambre, de fermer la porte et de s'adresser au Père dans le secret. Il avait discuté de cela dans un cours avec un prêtre du Petit Séminaire qui, après bien des reproches quant à son impertinence, lui avait rétorqué sèchement que Jésus disait aussi que si deux ou trois personnes se réunissaient en son nom, qu'il était là au milieu d'eux. Cela ne l'avait pas fait changer d'opinion, mais il était devenu moins catégorique, plus indulgent envers les cérémonies de groupe. Pas assez toutefois pour y participer.

Au bout d'une trentaine de minutes d'agitation, la rue commence à se vider. *Pas déjà!* songe Louis, qui voudrait bien pouvoir poursuivre la soirée, mais sans savoir où. Alors qu'il retourne lentement vers la maison de son frère, il croise un homme à qui il a parlé à quelques reprises dans un petit restaurant du secteur anglophone de la ville où il prend ses dîners lors des journées de cours. Il s'agit de Gérard Demers. Louis le reconnaît aussitôt et s'arrête pour le saluer. Après quelques échanges de politesse et des commentaires consensuels sur la température exceptionnelle, Demers invite Louis à le suivre.

— Je m'en vas jouer aux cartes, pis boire un p'tit coup, explique Gérard Demers, en le toisant, l'air un peu frondeur. Ça te tente-tu de venir avec moi?

Devant le regard un peu méfiant de Louis, il hausse les épaules:

— Inquiète-toi pas, dit-il, y a rien de grave là'dans.

Louis se montre hésitant. Ce n'est pourtant pas l'envie qui lui manque, mais il ne se sent pas vraiment rassuré. Il n'a surtout pas envie d'avoir des problèmes. Il commence par décliner l'invitation, mais Demers insiste:

— Envoye! De quoi t'as peur? dit-il en lui faisant un clin d'œil complice. Icitte à Manchester, un endroit illégal comme là où je veux t'amener, c'est quasiment pareil comme un presbytère.

Demers se met à rire. Sa gaieté est contagieuse et Louis l'imite bientôt. Demers lui plaît. Son regard est loyal, son sourire franc et il est très bien mis, ce qui est quand même important pour lui. Il se dit que ça ne lui ferait pas de tort de vivre enfin quelque chose de différent…

— OK. J'vas te suivre, mais pas longtemps. Juste par curiosité…

— *You bet!* lance Demers en se frappant dans les mains. Viens! Suis-moi! C'est pas loin, à deux trois rues d'icitte. Pas plus.

Ils partent ensemble. Louis se sent un peu craintif, mais fébrile. En marchant, il apprend que Demers travaille dans un magasin de vêtements du côté anglophone, qu'il est né aux États-Unis, que ses parents ont tous deux immigré pour travailler dans les filatures d'Amoskeag trente ans plus tôt, mais que lui a toujours voulu pour sa part faire autre chose, travailler dans le monde, avoir les mains libres, plutôt que contraintes à tisser du fil toute la journée. Ce qu'il voudrait vraiment un jour, c'est ouvrir son propre magasin de vêtements pour hommes. Louis écoute et acquiesce tout au long du parcours. À la toute fin, il confie à son compagnon qu'il fait des études pour devenir opticien.

— Eille ! dit Demers, impressionné. C'est tiguidou c't'affaire-là ! Comme ça, si je veux des lunettes, je saurai qui aller voir…

Il rit à cette pensée. Subitement, il ralentit et reprend son sérieux en approchant d'un certain coin de rue.

— Bon, c'est icitte ! dit-il en s'arrêtant. Là, on va faire accroire de rien, pis on va se rendre à place que je te parle d'une traite.

Il regarde lentement autour de lui.

— Viens ! Suis-moi !

Nerveux, Louis marche rapidement au côté de Demers et le suit jusqu'en bas d'un escalier qui s'arrête abruptement devant une porte sans fenêtre. Sans perdre un instant, Demers frappe un coup, puis trois autres coups rapides, puis un dernier. Après quelques secondes d'attente, la porte s'ouvre à moitié. Un homme à l'air méfiant sort la tête et leur demande :

— Qui c'est qui est là ?

— C'est moi, Gérard Demers.

Le gars opine du bonnet, ouvre la porte toute grande et le laisse entrer avec son invité. Louis entend la porte se refermer derrière lui et découvre une pièce sombre et enfumée où il peine à distinguer quatre individus assis autour d'une table, les cartes à la main. Il ressent un léger frisson. A-t-il eu raison de faire confiance à cet homme, qui était presque un inconnu une heure plus tôt ?

— Viens ! On va aller se chercher un verre !

Demers l'entraîne vers le fond de la pièce où il découvre un bar de fortune confectionné avec une porte de bois posée sur deux vieux barils. Des bouteilles d'alcool et des verres sont posés sur une petite table à l'arrière. L'homme qui leur a ouvert la porte arrive.

— T'as-tu du whisky ? lui demande Demers.

Sans un mot, l'homme lui verse un double. Il pointe Louis avec le menton :

— Pis toi, quessé que tu veux ?

— Même chose que lui.

Il remplit son verre, puis retourne à l'avant de la pièce. Louis se détend. Ce n'est pas la première fois, après tout, qu'il va dans ce genre de tripot illicite. C'est la prohibition qui entraîne tout ça. À Québec, une fois, dans la Basse-Ville, et quelques fois aussi à Chicoutimi, dans une petite place près de la gare sur la rue du Havre. Mais il était dans son pays. Ici, aux États-Unis, on dirait que tout est plus risqué. S'habituant peu à peu à l'obscurité, il aperçoit deux autres hommes, un peu à l'écart, qui boivent un verre en parlant à voix feutrée. Le ton monte toutefois rapidement.

— Y nous aguissent, je te dis, nous autres les Canadiens français, parce qu'on est catholiques, lance l'un d'eux d'une voix forte. Y veulent nous enlever nos droits, pis nous *shiper* au Canada.

— Tu penses pas que t'exagères pas mal là ? avance l'autre buveur en lui faisant signe de parler moins fort.

— Moi ça ! J'exagère ? Pantoute !

Loin de baisser le ton, il en rajoute :

— C'est du monde bizarre, je te dis, dangereux, des fous qui se promènent avec des draps su'a tête pis qu'y pendent le monde, des nègres surtout. Mais là, paraît que c'est nous autres, les Canadiens français, les prochains su'a liste.

L'homme s'interrompt, prend une gorgée et s'essuie la bouche avec sa manche avant de poursuivre, les yeux en feu :

— Y veulent nous détruire, je te dis. Y placent leurs hommes politiques partout en Nouvelle-Angleterre. Y paraît que betôt, y vont surtaxer nos églises, nos écoles, pis que si on rouspète le moindrement, y vont même les brûler.

Sur ces derniers mots, l'homme regarde droit devant lui de façon théâtrale, vide son verre, se lève et se dirige d'un pas décidé vers la sortie. Avant de partir, il se retourne, l'index en l'air tel un oracle, et lance à tous les gens présents :

— Entouècas, vous pourrez pas dire que je vous l'avais pas dit !

Il leur tourne le dos et disparaît derrière la porte. Personne n'a pu manquer d'entendre ce discours enflammé.

— Batinse ! Tu sais-tu de qui ce qu'y parle, toi ? demande Louis à son compagnon.

— Je pense qu'y parle du Ku Klux Klan.

— Le Ku Klux Klan ! Ben voyons donc ! lance Louis, très surpris. Sont pas dans le sud des États, eux autres ?

— Paraît qu'y essayent de s'implanter partout où ce qu'y a des immigrants, pis surtout des catholiques. Sont protestants, tu comprends, pis j'sais pas trop… J'ai entendu dire qu'y avaient brûlé une église au Québec l'année passée, pis une autre au Manitoba pas longtemps après.

— Ah ouais ?

Louis n'en revient pas :

— Batinse ! Sont ben mieux de pas se montrer la face à Chicoutimi, parce qu'y seraient pas chanceux avec nous autres ! On est la petite ville la plus catholique et française du Canada au grand complet, t'sais ben, pis tu peux me croire mon p'tit gars qu'on te leur organiserait le portrait su'un moyen temps.

Louis se sent fier de sa ville d'origine, même si elle lui semble tout à coup bien lointaine. Parfois, comme c'est le cas maintenant, il se demande ce qu'il fait là, si loin de sa belle région du Saguenay et de son magnifique fjord aux eaux profondes. Il vient de le réaliser encore une fois. Son vrai chez-lui, c'est à Chicoutimi, avec les siens. Ici, il est juste un immigrant.

— Viens! On va jouer au poker avec eux autres!

Demers fait signe à Louis de le suivre vers les joueurs déjà attablés.

— Non, non, pas tout de suite. Vas-y toi!

La partie se poursuit, plus animée que tout à l'heure. Demers gagne le premier jeu et il exprime bruyamment son contentement. Louis sourit pour la forme, mais il n'a pas envie de se joindre à eux. Comme il se prépare à partir, on cogne à la porte – un coup, trois rapides et un dernier. L'homme qui leur a ouvert se dirige vers la porte et l'entrouvre. Louis entend un rire de femme et il voit apparaître à l'entrée deux filles habillées de façon provocante, laissant très peu de place à une erreur d'interprétation sur la raison de leur présence. *Ce sont des filles de joie, des prostituées*, se dit Louis, qui ne peut s'empêcher de sentir un léger tressaillement dans son pantalon en prononçant ces mots intérieurement. *Batinse*, se dit-il. *Faut que je me sauve avant que…* Sans qu'il ait eu le temps de terminer sa pensée, une des femmes s'avance vers lui. C'est une jolie brune, maquillée, parfumée, les cheveux frisés remontés sur le dessus de la tête avec des mèches retombant sur son front et de grands yeux marron. Elle doit avoir vingt-cinq ans, peut-être un peu plus. Sa robe bleu ciel est si serrée qu'on dirait qu'elle a été cousue sur elle. Louis ne peut s'empêcher de fixer un moment les deux seins ronds tout blancs qui émergent à moitié de son décolleté.

— Je t'ai jamais vu icitte toué! T'es nouveau? demande-t-elle en esquissant un sourire enjôleur.

— Non, non, balbutie Louis. Chus juste venu en passant avec un ami. Je m'en allais là.

— T'es donc ben pressé! La soirée est jeune, dit-elle en s'assoyant sur le siège laissé vacant par Demers. Je m'appelle Marceline, pis toué c'est quoi ton p'tit nom?

— Louis. Je m'appelle Louis.

— Comme mon frére, murmure-t-elle à voix basse en souriant un peu tristement. Paye-moé un verre, mon beau! On va parler toué deux, suggère-t-elle, penchée légèrement vers lui, la poitrine bien en évidence.

Comme s'il avait reçu un signal, le type qui s'occupe du bar arrive sur le fait. Sans attendre que Louis l'invite à le faire, il remplit de nouveau son verre et en offre un à la fille, qui continue sur sa lancée.

— Quessé que t'aimerais à souèr, mon beau?

Elle s'approche un peu plus et Louis se sent bientôt envoûté par son odeur parfumée et la peau blanche de son cou et de ses seins.

— Oui! T'es pas mal beau toé, dit-elle en émettant un rire qui fait soulever sa poitrine légèrement. Quessé que tu dirais de ça d'avoir une p'tite récompense à souèr? Je peux te faire plaisir, t'sais.

Elle pose doucement sa main sur sa cuisse en remontant lentement. Louis ne sait plus où il en est. C'est beaucoup plus qu'un tressaillement qu'il éprouve depuis quelques minutes dans son pantalon. Il peut résister à tout, sauf à la tentation. Et elle est là devant lui, si aguichante, si prometteuse, si attirante. Comment pourrait-il passer à côté ? Troublé, il sourit à Marceline, un peu gêné. Elle lui sourit en retour et lève son verre.

— Bon ben ! Bois un coup avec moé !

Il cogne son verre au sien et avale ensuite presque tout son whisky d'une traite. Elle rit et fait de même.

— Viens !

Elle se lève et se dirige vers l'arrière de la pièce. Elle ouvre une porte et il entre à sa suite dans une petite chambre où un simple lit trône au milieu d'une pièce presque vide. Une commode et un lavabo complètent le tableau. Devant ce triste décor, Louis revient un peu à lui et sent son excitation diminuer. Il reste debout un moment, hésitant sur le pas de la porte. Mais voilà que Marceline se tourne vers lui et baisse lentement le haut de sa robe, découvrant ses deux seins. Sans parler, elle le fixe d'un regard lascif, relevant sa robe jusqu'aux genoux en se tortillant pour remonter le tissu étroit au-dessus des cuisses. Sans pudeur, elle se couche sur le bord du lit à demi nue, les jambes écartées. N'y résistant plus, Louis s'avance et se jette sur elle, l'embrassant partout, le cou, les seins, les cuisses, faisant avec sa bouche, avec ses mains, des choses qu'il n'aurait jamais pensé pouvoir faire un jour. Baissant son pantalon, il tente de la pénétrer, s'imaginant aller et venir, glisser, se frotter pendant des heures pour ne plus jamais en ressortir. Mais à peine a-t-il eu le temps de toucher sa peau avec son pénis qu'il sent immédiatement l'éjaculation survenir. Pendant quelques minutes, il reste là, couché sur sa poitrine, à la fois déçu et soulagé.

— Merci, murmure-t-il enfin. Ça m'a fait du bien.

Il se rassoit sur le bord du lit, remonte son pantalon, ajuste lentement sa chemise, replace sa cravate.

— T'es drôle toé de me dire marci. T'es un vrai gars smatte. Comme mon frére Louis. C'est pas pour rien que tu t'appelles comme lui.

Elle ajuste sa tenue lentement. Elle semble émue tout à coup, triste même. Elle se met à raconter :

— C'tait le plus vieux che-nous. Y aidait maman.

Les yeux mouillés, elle regarde ce Louis qui est là devant elle :

— C'tait lui qui remplaçait mon pére qui était mort quand on était p'tits, tu comprends ?

Elle s'arrête de parler et reste là, tête baissée, reniflant comme une petite fille. Louis ne sait plus quoi faire. Il se rassoit maladroitement à côté d'elle sur le bord du lit.

— Mon frére, y travaillait pis c'tait comme si ça avait été notre pére, tu comprends, pour moé pis mes p'tits fréres. Pis un jour, ça fait sept ans de d'ça, y est tombé malade, précise-t-elle en levant le regard sur Louis, qui l'écoute attentivement. Tu me croiras p't-être pas, mais au boutte de deux jours y était raide mort dans son lit.

Elle le fixe les yeux pleins de larmes et Louis se sent rattrapé par sa propre histoire. Son chagrin, jamais loin, refait surface. Il la regarde, les yeux mouillés lui aussi. «Pauv'tite», murmure-t-il. Ils restent là, silencieux tous les deux.

— De quoi ce qu'y est mort? finit-il par demander, curieux.

— On le sait pas. Tu comprends, on était trop pauvres pour faire venir un docteur. Quand j'y pense, ça me fait brailler.

Elle sort un mouchoir de son petit sac en faux cuir et se tamponne les yeux délicatement pour ne pas enlever son maquillage.

— Quand tu perds quelqu'un d'important aussi vite…, dit-elle en reniflant et en s'essuyant les yeux et le nez. Entouècas, nous autres, on est tombés dans la misére.

Elle le regarde, les mains ouvertes en signe d'impuissance comme pour dire: «Voilà où ça m'a menée.»

Louis se sent troublé. Il a reconnu son histoire dans celle de cette fille. Une perte brutale, irréparable. Il réalise toutefois que les conséquences de la mort prématurée d'Angéline ont été moindres pour lui s'il se compare à elle. Il vit dans le luxe chez son frère, étudie, mange au restaurant. Et elle? Obligée de se prostituer!

— Je te comprends, murmure-t-il. J'sais ce que t'as vécu.

Il lui tapote la main pour lui exprimer son empathie, mais il lui est impossible d'en dire plus. Se confier à elle, ce serait comme ouvrir son cœur, et les mots ne veulent pas sortir. Juste prononcer le nom de sa fiancée dans ce lieu serait un sacrilège. Le simple fait d'y penser le met tout à coup extrêmement mal à l'aise. Il regarde sa main sur celle de Marceline, le jonc à son doigt et il sent la panique s'emparer de lui. Il se lève subitement, sort son portefeuille et lui tend les quelques dollars qu'il lui reste.

— Bonne chance ! lance-t-il sans trop savoir pourquoi.

Il se dirige ensuite vers la porte, suivie de Marceline, qui est habituée de reprendre très vite ses esprits. Les épanchements, elle sait ce que c'est. Et ça donne ce que ça donne. Un peu plus de douceur après, un genre de consolation émotive, et c'est tout. Comment pourrait-elle oublier son rang, sa place dans le monde, inférieure à tout ce qu'on peut imaginer… Mais au moins, elle se console. Elle pourra aider sa mère demain à nourrir ses petits frères, et elle a donné ce soir à cet homme un cadeau qu'il a su apprécier. Que pourrait-elle attendre de plus de la vie…

Sans un regard pour Gérard Demers ou les autres hommes présents, Louis récupère sa canne et son chapeau au bar et s'empresse de se diriger vers la porte. Restée derrière, Marceline fait un signe de la main au portier, qui ouvre la porte à Louis. Ce dernier quitte aussitôt les lieux sans un regard derrière lui.

Une fois dehors, et après avoir pris quelques secondes pour s'orienter, il se dirige vers la rue principale en marchant d'un bon pas. Il court presque, tellement il a hâte de se retrouver dans sa chambre chez son frère. Il ne pense qu'à se laver, se nettoyer, enlever cette odeur de parfum et de sexe qu'il a sur les mains, dans le visage, partout sur la peau. *C'est la dernière fois que je parle à ce gars-là*, se jure-t-il. *La dernière fois que j'vas dans c'te place-là c'est certain. La dernière fois que je fais ça, je le jure. La dernière.*

Chapitre 9

Mon cher garçon,

Je t'écris aujourd'hui pour te dire que tout va bien par chez nous. Ici, c'est comme l'été depuis quelques jours. La chaleur est entrée dans la maison et cette nuit, j'ai failli crever dans notre lit tellement il faisait chaud. Je me rends compte que je n'endure plus la chaleur. Même le jour, on dirait que j'ai moins de résistance qu'avant avec le soleil. C'est la vieillesse. Quand je marche dehors maintenant, je marche toujours sur le bord de la rue à l'ombre, et pas longtemps. Je comprends celles qui se promenaient avant avec une ombrelle. Si c'était juste de moi, je pense que je me promènerais tout le beau temps dehors avec mon parapluie ouvert, même quand il pleut pas. Mais veux-tu bien me dire ce que le monde dirait de ta mère…

Arthur a eu quarante ans le 18. On l'a fêté un peu le dimanche qui a suivi. Pas une grosse affaire. Tu le connais, il déteste les histoires compliquées. Mais ton père y tenait. Depuis quelque temps, il a réalisé que c'était le seul de ses fils qui n'avait jamais quitté la ville pour s'en aller chez les Anglais et cela lui a fait grand plaisir de penser ça. Il faut dire que Pitou et Edgar sont revenus mais, quand même, il a compris qu'il y avait juste Arthur qui n'était jamais parti. En tout cas, il avait l'air content quand il a pensé à ça. Moi, ce que je te dis, c'est que tu es bien libre de rester là-bas et d'y refaire ta vie comme tu veux, tu es un homme et c'est bien normal de faire comme tu l'entends, mais par contre on peut pas dire qu'on serait fâchés que tu reviennes toi aussi, comme tes deux frères, et que tu t'installes comme eux autres pas loin de nous autres.

Graziella, la femme d'Arthur, est enceinte avancée et ça ne va pas numéro un. Elle a passé pratiquement toute la fête à moitié couchée, les jambes allongées sur deux chaises. Le docteur lui a dit qu'il faut qu'elle se ménage jusqu'à ce qu'elle accouche d'ici la fin juin. Arthur lui a engagé une servante pour l'aider. Ils souhaitent avoir un garçon, tu comprends, vu qu'ils ont perdu le seul fils qu'ils ont eu, le petit Raymond, et qu'ils ont déjà cinq filles. Mais le bon Dieu va arranger ça à sa façon, comme de raison, et ils n'auront pas un mot à dire.

Tetitte va bien. Elle passe son temps chez Alida ces temps-ci, elle va bercer la petite Madeleine l'avant-midi, ou bien elle tricote. Des nappes, des couvertes, des robes, des gilets, des petits costumes d'enfants, des foulards, des mitaines, des pattes et j'en oublie. On dirait qu'elle n'est plus capable de s'asseoir deux minutes sans sortir son tricot. En tout cas, personne n'aura jamais vu un aussi beau trousseau, c'est certain. La semaine passée, Héléna l'a aidée à coudre ce qui lui manquait.

Marie-Louise va bien. Elle continue de broder les vêtements des prêtres et son travail est vraiment apprécié. Elle bourrasse encore pas mal son Aimé, mais elle est chanceuse, il est bonne pâte. Il parle pas. Il endure. C'est vrai qu'elle a toujours eu un mauvais caractère, mais on dirait que ça rempire en vieillissant. Peut-être que c'est parce qu'elle n'a pas eu d'enfant. En tout cas, elle se reprend avec les enfants d'Héléna. Elle va souvent les voir. Elle leur apporte du sucre à la crème, des petits gâteaux, ou des bébelles qu'elle achète au cinq-dix-quinze. Ça lui fait passer le temps.

Pitou et Jeanne ont l'air de bien aller. On ne les voit pas très souvent. Ils restent à Kénogami et je pense qu'ils vont plus souvent voir les Racine *à Saint-Charles-Borromée. Elle n'est pas encore tombée enceinte et elle ne veut pas en parler. Je crois qu'elle a peur que ça fasse comme pour Marie-Louise. Moi je pense qu'elle s'inquiète pour rien.*

Bertha a eu son bébé le mois passé. Une fille qu'ils ont baptisée Jacqueline. Ça lui en fait six. Mais j'ai jamais vu une personne aussi boquée. Même dans les fêtes de famille, elle ne se force même pas pour dire bonjour en français. Je pense que ça fait pas grand-chose à Edgar, il est habitué. Mais ton père, lui, ça l'enrage. En tout cas… Pour ton frère, ça va bien. Il travaille depuis février chez un fourreur, tanneur de peaux. C'est nouveau et il aime vraiment ça. Ton père est bien content de ça.

Pour le reste, il n'y a pas grand nouveau…

Emma s'interrompt. Elle déteste mentir et écrire, comme ça, qu'il n'y a pas grand nouveau alors qu'il y a bel et bien un très gros nouveau qui lui brûle la langue, ou plutôt les doigts. Cette dissimulation de la vérité la met très mal à l'aise, même si personne n'est là pour la voir. Elle se raisonne en se disant que, si elle ne le dit pas, ce n'est pas vraiment mentir, mais une petite voix lui dit en même temps qu'en confession, omettre de dire quelque chose, c'est mentir d'une certaine façon. Elle dépose son crayon et s'adosse à sa chaise pour réfléchir à la question. Pourquoi dirait-elle à Ti-Louis que Charlotte, la sœur d'Angéline, a eu son bébé… Que c'est une petite fille et qu'ils l'ont appelée Angéline… C'est ça la grosse nouvelle qu'elle a apprise ce midi par Tetitte, qui l'avait su par Alida, qui, elle, l'avait su par son mari Thomas, qui avait rencontré William à l'hôpital le jour d'avant en fin d'après-midi après l'accouchement, où tout s'était bien déroulé. Dans le fond, c'est une très bonne nouvelle, mais pourquoi serait-ce à elle de lui annoncer cela et de risquer ainsi de réveiller son chagrin? Elle a beau tourner la question dans tous les sens, elle ne se sent pas à l'aise. Non, finit-elle par décider. C'est mieux qu'il l'apprenne autrement. *Et puis ce qu'on sait pas, ça fait pas mal,* se répète-t-elle intérieurement à quelques reprises pour se rassurer et renforcer sa décision. Finalement, elle reprend son crayon et poursuit la rédaction de sa lettre.

Pour le reste, il n'y a pas grand nouveau. Ton père est en bonne santé. Il te fait dire bonjour et t'envoie un chèque comme bien entendu. Il te fait dire de pas trop dépenser et d'essayer de faire tout le mois de juin avec cet argent-là.

Ta mère qui pense à toi

P.-S. Je te mentirais si je te disais qu'on s'ennuie pas de toi parce que ce serait pas vrai. Tu nous manques bien gros, à ton père, à moi ta mère, et à toute la famille aussi bien sûr.

* * *

Ce n'est que trois semaines plus tard que Louis apprend finalement la nouvelle. Une lettre de son ami William. Il s'y attendait un peu puisque Charlotte lui avait confié au cours des funérailles leur intention d'honorer la mémoire de sa sœur. Mais juste à savoir qu'une petite Angéline vient de naître, Louis se sent quand même tout ému. Il est surpris aussi et se demande pourquoi sa mère ne lui en a pas parlé. William parle du 29 mai. Dans sa dernière lettre, Emma ne dit pourtant pas un mot là-dessus. Il se lève et va vers sa commode. Il ouvre le tiroir du haut et en sort un petit paquet d'enveloppes. Il prend la première sur la pile, sort les feuillets et regarde la date d'envoi. Le 31 mai. Deux jours après l'accouchement. Est-ce qu'elle le savait? s'interroge-t-il. Peut-être bien que oui, peut-être bien que non. En tout cas, elle n'en a pas soufflé mot. *Elle ne voulait pas me faire de peine,* se dit Louis. De toute façon, qu'est-ce que ça change pour lui? Rien, conclut-il. Son Angéline ne reviendra jamais, et ce petit bébé qui vient de naître et qui porte le même prénom qu'elle ne lui ressemblera peut-être pas du tout. Il regarde sa montre. Six heures moins quart. Il est temps de descendre souper.

Pit et Éva sont déjà dans la salle à manger. Comme tous les soirs, les petites ont mangé plus tôt dans la cuisine, en même temps que la bonne. En ce moment, elles s'exercent au piano à tour de rôle dans le salon. On les entend pianoter de loin, enchaîner, se tromper, reprendre et se quereller par moments pour déterminer qui doit avoir le piano.

— C'tait une lettre de William Tremblay, déclare Louis en s'assoyant avec son frère et sa belle-sœur.

En quelques mots, il leur résume la nouvelle.

— Bon, ben tant mieux si le bébé est en bonne santé! tranche Pit sans grande sensibilité. Après le choc que la future maman avait vécu, on sait jamais ce qui aurait pu arriver.

— Ouais c'est sûr, répond Louis, désireux de changer de sujet. Pis comment ça va pour la location de mon bureau? Penses-tu que ça va marcher?

— C'est comme si c'tait faite, lui répond Pit, sûr de lui.

— Je vais servir le repas, déclare Éva en se levant et en se dirigeant vers la cuisine.

Elle est si difficile, si exigeante, qu'à part les soupers de réception, elle préfère cuisiner et servir elle-même les repas. Tout le reste – le ménage, le lavage, le repassage, le gardiennage, la vaisselle –, elle laisse cela avec bonheur à la bonne, Malvina, mais les repas, elle les garde pour elle. Elle revient avec trois bols de soupe aux légumes bien chaude déposés sur une desserte qu'elle roule jusqu'à la table.

— Le mieux, ça serait que t'en prennes possession au début du mois prochain. Avec tout l'équipement et les instruments que t'as déjà achetés, tu pourrais l'organiser pendant que'ques semaines, pis à la rentrée en septembre, tu serais prêt à recevoir des clients. C'est que tu penses de ça ?

— Ç'a ben du bon sens, répond Louis. C'est d'ailleurs comme ça que ça devait se faire.

Ils mangent tous les trois pendant quelques minutes au son de la musique parfois un peu cacophonique des fillettes. Louis se sent bizarre, encore un peu ému par ce qu'il vient d'apprendre, comme si le passé venait encore une fois s'immiscer dans son présent, alors qu'il fait tout son possible pour l'oublier. Heureusement, parler de son travail lui fait du bien. Il anticipe avec excitation le début de sa carrière d'opticien. Ses cours sont terminés depuis la semaine dernière et il se sent prêt à ajuster la vision des gens de Manchester et de tous les villages autour, et plus loin encore si c'est possible.

— J'vas me faire faire des cartes d'affaires, pis j'vas aller les distribuer partout dans les environs. J'vas faire fabriquer mes lunettes par le plus grand fabricant de lunettes de Boston. J'ai déjà mes contacts. J'vas offrir de nouveaux modèles, du jamais vu.

— Bonne idée, répond Pit. Mais attention quand même ! Si tu vois trop grand trop vite, tu risques de te casser les reins en partant. Moi, à ta place, je commencerais par me faire une bonne clientèle icitte pis, tranquillement pas vite, le bouche-à-oreille va faire son chemin…

— C'est sûr ! Mais ça fait longtemps que j'ai hâte de travailler, pis j'ai toutes sortes d'idées.

— C'est bien d'avoir des idées. C'est très bien. On va les exploiter au bon moment. Moi, si j'avais pas eu d'idée, j'aurais pas parti ma propre clinique en ORL, pis j'aurais pas connu le même succès. C'est américain ça, d'être de même.

Pit fait un grand sourire à son frère, triomphant :

— Toi pis moi, Ti-Louis, on est des Américains. On vise le succès. On veut faire de l'argent. On n'a pas peur de réussir. On n'a pas peur d'être riches. Pas comme les p'tits Canadiens français qui se contentent de travailler à la manufacture, pis qu'y voyent pas plus loin que le bout de leur nez pis de leur p'tite paye, semaine après semaine.

Sans prendre part à la discussion, Éva se lève et reprend les bols à soupe qu'elle place sous la tablette de la desserte avec laquelle elle retourne à la cuisine servir les assiettes de pâté au saumon avec blanquette aux œufs et haricots verts au beurre, un menu maigre obligatoire tous les vendredis chez les catholiques. Avec grâce, elle revient avec les trois assiettes qu'elle dispose devant chacun, puis se rassoit discrètement. Sur sa lancée, Pit semble intarissable :

— Pourquoi ça serait pas bien, hen, d'avoir de l'ambition ? De vouloir prospérer, s'enrichir, faire fortune ? Ben non, c'est ben mieux d'être né pour un p'tit pain, pis surtout, de pas dire un mot d'travers.

Pit s'interrompt un moment pour prendre quelques bouchées. Louis en profite pour riposter :

— Entouècas, tu peux pas dire que notre père était de même ! Lui, y a jamais eu peur d'en faire, de l'argent.

— L'exception qui confirme la règle, déclame Pit entre deux bouchées. Moi je te parle de la grosse majorité : des petits moutons qui ont même de la misère à bêler, sainte-patate. Tout ça à cause des curés ! Ah les maudits curés… Quand j'y pense ! On dirait que personne peut échapper à leur emprise ! Y enseignent, y confessent, y font des sermons, y passent din maisons, y se mêlent de politique, y dirigent par en arrière pis par en avant, par-dessus pis par en dessous. Dans le fond, y surveillent tout ce que le monde fait. C'est des maudits fatigants !

— C'est vrai que les prêtres en mènent large au Québec, réplique Louis, mais on dirait que t'oublies que les curés font du bien aussi. Y nous aident à garder notre langue, pis notre culture par exemple. Pense à Mgr Dominique Racine qui a fondé le Petit Séminaire où on a pu faire nos études toué deux. Pense à l'abbé Eugène Lapointe qui a fondé chez nous à Chicoutimi le premier syndicat catholique de toute l'Amérique du Nord ! Fallait le faire pour un prêtre !

— Pauv'tit gars ! Pourquoi tu penses qu'y a fait ça ? ironise Pit, cynique.

— Pour protéger les ouvriers, pis pour leur avoir de meilleures conditions de travail.

— Ben voyons donc! C'tait surtout pour empêcher les ouvriers d'entrer dans des associations syndicales anglaises qui venaient de l'extérieur.

— Ben c'est ça que je dis! insiste Louis. En même temps, y protégeait notre culture pis notre langue.

— Bon bon, les hommes, intervient Éva. Assez parlé de politique. Avez-vous trouvé ça bon au moins? demande-t-elle en se levant pour débarrasser les assiettes vides qu'elle dépose sous la desserte.

— Oui, oui, très bon, succulent comme toujours, entend-elle derrière elle en retournant à la cuisine chercher le dessert.

— T'as une dent contre les curés, toi, lance Louis, pis c'est ben ton droit, mais chus pas obligé de partager ton opinion su toute.

— C'est pas une dent que j'ai contre eux autres, c'est tout un dentier! lance Pit en éclatant de rire. Mais t'sais, moi, j's'rais pas icitte si c'était pas d'eux autres.

— Comment ça?

Pit prend une bouchée du gâteau renversé à l'ananas que sa femme vient de lui servir et ne peut s'empêcher de lui faire un grand sourire de contentement avant de poursuivre:

— Quand j'étais au Petit Séminaire, je me suis chicané à mort avec un des profs. Un vrai tyran. Injuste. Tortionnaire. Un fou. Ç'avait ben beau être un prêtre, à un moment donné, j'y ai dit ma façon d'penser pis su'un moyen temps à part de ça.

— Pis c'est qu'y est arrivé après?

— C'est que tu penses ? Je me sus faite sacrer dehors.

Louis regarde son frère, interloqué :

— Tu m'avais jamais raconté ça !

— Ben c'est ça qui est ça. Je me suis ramassé à Québec pour finir ma dernière année de cours classique, pis ma médecine ensuite à l'Université Laval. C'est là que j'ai connu Éva, pis que je me suis marié, dit Pit en regardant sa femme, tout sourire.

— Mais ça explique pas pourquoi t'es rendu icitte ?

— Ben t'sais… Quand tu te pognes d'aplomb avec un prêtre comme je l'avais faite au P'tit Séminaire, c'est pas ben long que tout le monde le sait. C'est p'tit le Québec. Ben p'tit ! Faut dire que j'endurais pus leurs niaiseries de bigoteries de bornés. Ça fait que j'en avais plusieurs su mon dos. J'étais une tête forte, tu comprends, pis y aimaient pas ça. Ça fait que c'est comme ça que j'ai décidé de venir faire ma spécialité aux États-Unis… En sachant très bien que je pourrais pas la pratiquer par après au Québec.

— Tu serais pas oto-rhino-laryngologiste au Québec ?

— Non monsieur ! Faudrait que je refasse ma spécialité. Je pourrais juste être généraliste avec mon diplôme de Laval. Pis même ! Ça fait tellement longtemps que j'ai fini ma médecine que je pense qu'y voudraient que je refasse des cours pis des examens, au moins une partie.

— Pis moi ? Ça va-tu être pareil ? Mon cours va-tu être bon au Québec si jamais je voulais m'en retourner ?

Pit le regarde, incertain :

— Je le sais pas. Faudrait que tu t'informes. C'est p't-être ben toujours la même chose.

— J'vas m'informer… même si je pense pas m'en aller, répond Louis.

Ils se lèvent de table tous les trois et se dirigent vers le grand salon où les petites ont cessé leur exercice de piano. Éva s'assoit sur le canapé près de ses deux filles qui lisent sagement un livre. Les deux frères s'installent confortablement dans des fauteuils près de la cheminée et, comme à l'habitude, ils s'allument un cigare.

— Ouais… Ça fait réfléchir ce que tu viens de me dire là. J'vas m'informer c'est sûr…

Louis tire sur son cigare en regardant au loin :

— Mais là, pour tu-suite, mes cours finis pis le bureau disponible juste en août, je me demande ben ce que j'vas faire pendant le mois de juillet. Ça va être long en batinse. J'avais pensé d'aller faire un tour à Chicoutimi, mais on dirait que c'est trop vite…

— Bah ! Viens donc plutôt avec nous autres à Wells dans le Maine ! On se loue un chalet les deux dernières semaines de juillet. Tu vas voir comment c'est plaisant de se baigner dans mer.

— Je voudrais pas vous déranger.

— Ben voyons donc ! Tu nous déranges pas pantoute. Hen Éva que mon p'tit frère nous dérange pas ? Écoute, c'est juste pour encore que'ques mois que t'es avec nous autres. Après ça, tu vas te trouver une place pour rester, pis…

Il le regarde avec un air complice :

— Probablement une p'tite femme… Après ça, on te verra quasiment pus.

— Ouais… On verra ça dans le temps comme dans le temps, réplique Louis. Un loyer ou ben une maison, c'est sûr que ça va venir. Mais une p'tite femme, chus pas encore rendu là.

Louis se lève et se dirige vers l'escalier :

— Faut que j'aille me préparer ! Je pense que j'vas sortir un peu, aller faire un tour. J'vas revenir de bonne heure.

Une fois dans sa chambre, Louis s'assoit à sa table, soudainement moins pressé. Il continue de fumer encore un peu, fixant la luxuriante masse de feuilles d'érable qui, depuis le printemps, abondent devant sa fenêtre et remuent au gré du vent comme un tableau vivant. Il a pu à quelques reprises y observer les allées et venues d'oiseaux de toutes sortes. Parfois, c'est une femelle avec un ver de terre dans le bec venant nourrir ses petits. Mais elle s'arrête d'abord loin de son nid, pour mystifier les prédateurs qui souhaiteraient s'en prendre aux oisillons. Avec raison, d'ailleurs. Il a vu un jour une grosse corneille noire sortir de cet amas feuillu avec un œuf à demi cassé dans le bec, le contenu gluant coulant de chaque côté. *C'est la loi de la jungle*, s'était dit Louis, un peu dégoûté. À l'occasion, il a plutôt droit au passage de petits oiseaux flâneurs qui se posent un moment et lui chantent la sérénade. Parfois, comme ce soir, c'est le spectacle éblouissant du soleil couchant qui illumine et fait briller la multitude de feuilles dentelées comme des milliers de pierres précieuses.

Louis éteint son cigare qu'il laisse dans le cendrier jusqu'à la prochaine fois. Il reprend la lettre qu'il vient de recevoir pour la relire. En plus de la nouvelle pour le bébé, William lui apprend que Richard, le frère de Charlotte, est en train d'aménager son bureau de dentiste sur la rue Racine. Louis repose lentement la lettre sur la table. Il se sent tout à coup très nostalgique. *La vie continue là-bas*, se dit-il, *et cette vie qui aurait dû être en partie la sienne se déroule sans lui.* Dans son âme, il ressent un immense besoin de consolation. Il soupire très fort. «Bon! Faut que j'me secoue pis que j'sorte un peu, se dit-il à haute voix, si ce n'est que pour me changer les idées!» Il se lève et marche vers son garde-robe. Malgré lui, il repense à la fille qu'il a connue dans ce bar clandestin. Il a subitement envie de retrouver l'endroit et d'aller y chercher son réconfort. *Marceline, qu'elle s'appelait. Elle était gentille.* Il secoue la tête pour chasser cette idée. Comment peut-il seulement penser à cette fille qui n'est rien pour lui et ne sera jamais rien alors que, dans son âme, il se sent encore si meurtri par la perte irrémédiable de sa fiancée et son bel avenir brisé? Que pourrait-il trouver dans les bras de cette pauvre fille perdue? Un simple soulagement, rien de plus. Et à quel prix? Encore chanceux qu'il n'ait pas attrapé la syphilis la dernière fois.

Il ajuste sa tenue et sort de sa chambre, bien décidé à ne pas briser sa résolution de ne jamais remettre les pieds dans ce tripot. Lui, Louis Bergeron, fils de Georges, frère de Pit, bientôt fier opticien d'ordonnances, il n'a pas d'affaire dans un endroit louche comme celui-là. Une fois dans l'entrée, il lance :

— Bon ben je sors un peu là ! Inquiétez-vous pas ! J'vas rentrer de bonne heure !

— OK ! Bonne soirée là ! entend-il au loin avant de refermer la porte derrière lui.

Il descend les marches d'un bon pas. Est-ce à cause de l'animation de la rue, de la brise parfumée, du soleil rougissant à l'horizon ? Louis ressent soudainement très fort en lui un petit bonheur qui s'empare de son cœur. Il lève les yeux au ciel, confiant. *Un jour, peut-être, il y aura une autre femme dans ma vie,* songe-t-il pour la première fois depuis les événements. Il sourit en lui-même, l'âme apaisée, comme s'il voyait devant lui s'ouvrir une large fenêtre. Oui, un jour, il y aura une belle jeune femme dans ma vie et elle sera juste pour moi.

Chapitre 10

Georges vient d'arriver dans la cuisine tout en sueur. On est en juillet, et il fait vraiment chaud. Il regarde sa femme. Depuis le matin, elle n'a pas l'air dans son assiette. Indolente, elle n'a pas encore déjeuné et semble n'avoir aucun appétit. Georges est inquiet. Tantôt, juste après s'être levée, elle a même failli tomber dans la salle de bain. Depuis quelques minutes, elle reste là, hagarde, muette. Georges monte au deuxième étage et cogne à la porte de la chambre de sa fille.

— Tetitte! Lève-toi. Viens voir ta mère, on dirait qu'a file pas.

— Oui, oui, je me lève là! J'arrive.

Tetitte le rejoint en bas quelques minutes plus tard. Elle s'approche de sa mère, qui est prostrée :

— Maman? C'est que t'as, maman?

Emma la regarde, la vue embrouillée, incapable de lui répondre.

— Ben voyons, maman! Dis-moi ce que t'as! T'es-tu malade?

Devant le manque de réaction de sa mère, Tetitte se tourne vers son père :

— Papa! Téléphone à Thomas! Dis-y qu'y vienne tu-suite! Ça presse!

Georges se lance sur l'appareil et décroche le combiné:

— Allô, oui, mamoiselle? Vite, passez-moi le numéro de Thomas Duperré! Vite, vite, ça presse! Allô Alida! Ton mari est-tu encore là? Bon ben, dis-y qu'y faut qu'y vienne tu-suite icitte à maison. Quoi? Ah! C'est ta mère. Est pas ben. Non, non… Ben, c't'inquiétant tu comprends… Ouais ouais… Allô Thomas! Quoi? Ben a parle pas, a bouge pas, a l'a les yeux dans graisse de bines… Quoi? À l'hôpital tu-suite!

Georges se tourne et crie à sa fille:

— Tetitte, faut amener ta mère à l'hôpital tu-suite! OK, Thomas, on va t'attendre icitte, pour l'hôpital? Pour que tu soyes avec elle! Quoi? Appeler une ambulance tu-suite? Bon-yenne, à matin! A va-tu mourir? Non, non, OK, on appelle pis on t'attend.

Georges remet le combiné en place:

— Y dit qu'y faut appeler une ambulance, répète-t-il en levant les deux bras en l'air. As-tu d'jà vu une affaire de même, toi?

Il reprend le combiné:

— Allô mamoiselle! Oui, c't'encore moi. Vous devez avoir toute entendu, comme de raison, ça fait que, passez-moi l'hôpital pis ça presse! Allô! On a besoin d'une ambulance au 110 rue Racine Est, au deuxième étage. Dites-leur de passer par l'escalier en avant, pis de faire ça vite… Ouais, ouais… C'est correct. On va vous attendre.

Georges regarde sa femme et sa fille avec anxiété :

— Thomas devrait être icitte d'une menute à l'autre. Vous allez voir, y va nous rassurer, c'est sûr. Ça peut pas être si grave que ça, calvaire, ajoute-t-il en tournant en rond. Bon ben, va t'habiller Tetitte. Tu vas venir avec nous autres à l'hôpital. Tu monteras avec Thomas. Moi j'vas embarquer avec ta mère dans l'ambulance.

Il s'assoit, se relève à moitié, approche sa chaise de celle d'Emma, lui prend la main :

— Bon-yenne, c'est qui t'arrive là à matin ma femme ? dit-il en la regardant, les larmes aux yeux. Envoye, toi ! Va t'habiller ! lance-t-il à Tetitte qui semble figée sur place.

Aussitôt, celle-ci sort de sa torpeur et s'élance vers le grand escalier :

— J'vas faire ça vite, crie-t-elle en sortant de la cuisine, alors que le téléphone sonne.

— Allô ! répond Georges, après s'être précipité sur le combiné. Marie-Louise ? Ouais… Les nouvelles vont vite à matin. Oui, oui… C'est ta mère. A va pas ben à matin. Je le sais pas… Je vas te rappeler plus tard… Ouais ouais. Quand on va en savoir plus. Salut ben !

Il retourne s'asseoir auprès de sa femme. Au même moment, il entend des pas dans le *backstore*. À son grand soulagement, la porte de la cuisine s'ouvre sur son gendre, Thomas Duperré. De taille moyenne, celui-ci possède un visage d'un ovale parfait. Cheveux bruns et traits énergiques, ce sont ses yeux, presque noirs, et ses sourcils en forme d'accent circonflexe qui le distinguent particulièrement, lui donnant un air intelligent et perspicace.

— Salut, le beau-père !

L'air sérieux, sa sacoche de médecin à la main, il se rend aussitôt auprès de la malade. Au même moment, on entend du bruit dans l'escalier en avant de la maison. La porte s'ouvre.

— On est dans cuisine, hurle Georges aux ambulanciers. En arrière, dans cuisine.

— Y a pas une minute à perdre, leur dit Thomas en les voyant.

Consciencieux, les ambulanciers allongent la malade sur une civière et ils la couvrent d'une couverture légère. Même en plein été, ils ont l'habitude de couvrir les malades pour qu'ils se sentent un peu réconfortés.

— Faites-y attention ! C'est ma belle-mère, déclare Thomas, ému malgré lui.

Georges marche derrière le brancard :

— Tetitte va monter avec toi, le gendre. Marci ben d'être venu. On va se revoir à l'hôpital.

***

Plusieurs heures et bien des hauts et des bas plus tard, la situation semble s'être enfin stabilisée. D'après les médecins, ce serait le cœur, le cerveau, la circulation du sang dans les artères, la pression. Georges est loin d'avoir compris toutes leurs explications. Même chose pour Tetitte, qui semble incapable d'arrêter de pleurer. Marie-Louise, qui est arrivée aussi vite qu'elle a pu en taxi, la console de son mieux. Les médecins leur ont dit que c'était une chance que cela se soit passé le matin, en plein jour, et surtout qu'ils aient réagi aussi rapidement. Ils avaient ainsi pu arrêter le processus avant que les dégâts ne soient plus importants. Georges se dit qu'il ne pourra jamais remercier suffisamment son gendre d'avoir été là pour eux. *C'est un bon docteur. Un bon gendre*, se dit-il. Il le savait mais maintenant, il en est encore plus convaincu. Alida est vraiment bien mariée. Le voilà justement qui revient auprès d'eux.

— Je viens vous dire que ça va mieux. Son état a l'air stable. Mais nous allons la surveiller de près jusqu'à demain matin.

— J'vas rester avec elle, avance Georges avec empressement.

— Non, non, c'est pas nécessaire le beau-père. Faut qu'a dorme, qu'a se repose, vous comprenez. On va la garder à l'hôpital plusieurs jours, au moins une semaine.

— Est donc ben malade, coudonc! fait remarquer Marie-Louise, tout énervée.

Thomas les regarde tous les trois avec une expression de bienveillance :

— Non, non… Inquiétez-vous pas là! Le pire est passé. Mme Bergeron est maintenant sous contrôle.

Il fait une petite pause et reprend, les sourcils froncés :

— Mais c'est quand même grave ce qu'elle a eu. Ce qui fait qu'a va devoir faire une très longue convalescence… Vous comprenez ce que je veux dire. À son âge, a va peut-être même rester plus faible qu'avant.

Il prononce ces derniers mots d'un air consciencieux, tout en affichant un sourire encourageant.

— Je te remercierai jamais assez, mon gendre, jamais assez, déclare Georges qui s'avance vers lui, la main sur le cœur. T'es comme un fils pour moi, ajoute-t-il en lui mettant l'autre main sur l'épaule avec chaleur.

— On l'a sauvée, hen le beau-père ? répond Thomas, ému lui aussi. C'est ça qui compte.

Il tousse un peu pour se ressaisir :

— Astheure, allez vous reposer ! Vous pouvez pus rien faire pour le moment. On la surveille. Mais après, elle va avoir besoin de beaucoup de repos.

Dès son retour à la maison, Georges va s'étendre sur son lit. Il en a bien besoin. Les questions tournent dans sa tête. Emma est-elle vraiment hors de danger ? Combien de temps va durer la convalescence ? Qui va prendre soin d'elle ? Que voulait dire Thomas quand il a parlé d'état de faiblesse ? Est-ce qu'il lui cachait quelque chose ? Finalement, au moment de partir, Marie-Louise a décidé de rester auprès de sa mère. « On est toujours ben pas pour la laisser tu-seule », a-t-elle argumenté avec raison. Il a été décidé qu'il reviendrait lui-même à son tour après le souper pour passer du temps à son chevet, que Tetitte irait la voir demain matin et qu'ils se répartiraient ainsi des périodes de garde pour le temps qu'elle serait à l'hôpital. Et par la suite? Georges est incapable de penser pour le moment au retour à la maison. Étendu sur son lit, il passe en revue ses enfants, l'un après l'autre. Pit? Inutile d'y penser. Arthur? Il travaille et sa femme vient tout juste d'accoucher de sa sixième fille. *Comment qu'a s'appelle donc celle-là? Esther, oui c'est ça, Esther. Entouècas, inutile de penser à eux autres.* Alida, Héléna, Edgar? Impossible d'y penser non plus. Pitou? Il travaille à Kénogami, et il est toujours très occupé. Reste Marie-Louise, qui n'a pas d'enfant, mais qui est mariée, et Tetitte… qui se marie le mois prochain et s'en va habiter à Montréal. Il soupire. *Pis y a Ti-Louis…* Georges serre les lèvres. *Jésus Marie Joseph!* gémit-il en regardant le crucifix accroché sur le mur devant lui. *C'est qu'on t'a faite, hen, Seigneur! C'est qu'on t'a faite, hen, t'es-tu capable de me le dire toi là sur le mur, pour que notre Ti-Louis soye pus icitte avec nous autres…*

Dans la cuisine, Tetitte ne sait pas trop quoi faire pour le souper. Sauf à de rares occasions, c'est toujours sa mère qui a fait les repas. Ces derniers mois, elle lui a bien enseigné quelques recettes en vue de son prochain mariage, mais en ce moment, elle a l'impression d'avoir tout oublié. Elle regarde dans la glacière. Il y a un rôti de porc déjà cuit et des pommes. Dans le garde-manger, il y a un sac de pommes de terre. Sa mère devait vouloir servir des tranches de rôti avec des patates brunes et une compote de pommes. *Mais comment on fait ça, donc, des patates brunes?* se demande-t-elle. La compote, c'est facile, sur le feu avec du sucre et un peu d'eau jusqu'à ce que les pommes ramollissent. Mais les patates? Elle hausse les épaules. *J'vas faire une purée, pis ça va faire pareil,* décide-t-elle finalement. Elle prend un petit couteau et commence à peler les pommes de terre. Elle travaille vite, la tête ailleurs, anxieuse, pressée. Elle fait soudain un faux mouvement et elle s'entaille le pouce. La vue du sang lui fait un drôle d'effet. Elle se sent faiblir tout à coup. Elle marche vers la table et s'assoit, prête à s'évanouir. C'est trop pour elle. Sa mère ce matin, l'hôpital, et là ce sang… Elle met sa tête dans ses bras sur la table et se met à pleurer. *Je pourrai jamais me marier*, se lamente-t-elle, le cœur brisé. Elle revoit sa mère couchée à l'hôpital, toute petite sur sa couchette, blême, démunie, inconsciente, entourée de médecins et d'infirmières. *Comment je pourrais l'abandonner malade de même? Je serais jamais capable de faire ça…* Elle continue sa réflexion. *À moins qu'on reporte la date du mariage?* se risque-t-elle à penser. *Mais Jos, va-t-il vouloir, lui?* Elle soupire, pessimiste. *Pis papa?* se demande-t-elle encore. *Je peux toujours ben pas le laisser tu-seul icitte!* Elle se lève et se dirige vers la salle de bain pour y prendre un petit pansement pour son pouce. Pendant qu'elle panse son doigt, elle entend le téléphone sonner et son père se précipiter pour y répondre.

— Allô! Ah! C'est Héléna… Oui, maman est restée à l'hôpital. Ben, Thomas nous a dit de pas nous inquiéter, mais t'sais… Non, non… C'est moi qui y va à soir… Oui, oui, tu peux venir aussi, çartain. On va t'attendre… ta mère pis moi, ajoute-t-il après un moment d'hésitation.

Georges se tourne tristement vers Tetitte qui s'est remise à éplucher les pommes de terre :

— C'tait Héléna, fait-il, laconique.

Il s'assoit à sa place habituelle, sort sa pipe et l'allume tranquillement. Il reste là, silencieux, un bon moment, pendant que Tetitte lave les pommes de terre et les met à bouillir sur le feu.

— J'ai pensé à ça, papa… On pourrait reporter notre mariage, Jos pis moi.

— Jamais, réplique Georges d'un ton catégorique. Jamais. Pense pas à ça, ma p'tite fille. Pense pas à ça! Non, non…

Il aspire deux ou trois fois sur sa pipe et poursuit d'un ton plus doux:

— Là tu-suite, on dirait qu'on n'est pas capables de penser comme du monde. Tu comprends, on est ben qu'trop énarvés pour savoir quoi faire… On décidera plus tard.

À l'hôpital, la soirée est difficile pour Georges. Tous ses enfants se retrouvent finalement auprès de lui. Chacun d'eux s'approche de la malade à tour de rôle pour quelques minutes. Tous en ressortent les yeux pleins de larmes.

— Est sauvée, répète le père à chacun en guise de consolation. C'est ça que Thomas m'a dit, est sauvée. L'autre docteur, lui – Gagnon je pense qu'y s'appelle – y m'a dit qu'a allait probablement rester un peu paralysée du côté gauche. Ça sera p't-être pas si pire, mais y savent pas trop pour le moment. Faut attendre pour voir.

Au cours de la soirée, bien des propositions lui sont faites. Marie-Louise se dit prête à venir coucher le nombre de nuits qu'il faudra. Héléna offre de fournir des repas que sa bonne pourrait préparer, en cuisinant en plus grande quantité, tout simplement. Alida promet que Thomas ira visiter sa belle-mère tous les jours, aussi longtemps qu'il le faudra. Arthur, Edgar et Pitou disent qu'ils sont disponibles pour rendre n'importe quel service à leur père. Reconnaissant d'avoir de si bons enfants, Georges les écoute sans beaucoup parler. Mais dans son silence, une solution de plus en plus évidente se fraye tranquillement un chemin de son cœur jusqu'à son esprit.

* * *

Plus tard, vers neuf heures, tout le monde se retrouve chacun chez soi. Dans son for intérieur, Georges sait qu'il a pris sa décision. Marchant sur son orgueil, il décroche le combiné et demande l'opératrice :

— C'est pour un longue distance, déclare-t-il d'un ton affirmé. Oui. Aux États-Unis. Pierre Bergeron, à Manchester. Le numéro est le…

Il prononce celui-ci à haute voix, en déchiffrant lentement les chiffres un à un.

— Vous êtes en ligne, lui dit-on avant qu'il entende quelques secondes plus tard les mêmes mots répétés en anglais, comme en écho.

— Allô Pit ! C'est ton père qui parle… Je t'appelle pour te dire que ta mère est ben malade… Non, non, a va s'en sortir. Inquiète-toi pas !

Georges lui résume brièvement la journée, la soirée et les avis des médecins.

— Ouais, c'est sûr que c'est ben de valeur que tu soyes aussi loin… Ouais. C'est sûr. Thomas a été ben smatte entouècas. Tu vas l'appeler ? Ouais… Tu me rappelleras si t'apprends des affaires. Moi chus loin d'avoir toute compris… Bon ben… C'est ben beau mon garçon… Astheure, passe-moi Ti-Louis !

Georges sent son cœur cogner dans sa poitrine, mais il ne reculera pas. C'est sa conscience qui lui dicte ce qu'il doit faire. Il l'a senti tantôt à l'hôpital, c'est comme une certitude intérieure.

— Allô Ti-Louis! C'est toi? Oui, c'est ta mère qui est malade… Pas mal malade… Non non, a va pas mourir. Non, non… Inquiète-toi pas, Thomas me l'a répété cent fois. Non, non…Je voulais te parler à toi…J'ai une demande importante à te faire…

Il tousse, mal à l'aise, mais il continue:

— Ben ma demande, c'est que… Je veux que tu reviennes à Chicoutimi… Ouais… On a besoin d'aide, ta mère pis moi, pis j'y ai ben pensé, y a juste toi qui peux rester avec nous autres, pis nous aider… Juste toi… Quoi? Ta clinique? C'est rien ça! J'vas t'en ouvrir une clinique en bas, si c'est ça que tu veux. J'ai un local vide depuis deux mois… Ton équipement? On va le faire venir icitte par train sans problème, ça coûtera ce que ça coûtera… On va faire toute comme tu vas vouloir Ti-Louis… Toute ce qui a de mieux…

À bout d'arguments, il se tait. Il a tout dit. Un long silence fait suite à sa demande. Georges sait qu'il ne pourra pas aller plus loin. Qu'il ne pourra pas refaire cette demande deux fois. C'est trop difficile.

Au bout d'un moment, il entend enfin les mots que son cœur souhaite entendre depuis des mois:

— OK papa. J'vas revenir, lui répond Louis. C'est correct. J'vas revenir prendre soin de maman, pis de toi. Vous méritez ben ça.

Louis entend son père soupirer très fort. Il se sent ému.

— Papa… Inquiétez-vous pus là ! Dis à maman que j'arrive.

Il étouffe un sanglot d'émotion en pensant à elle, puis il se reprend :

— Va falloir que je m'occupe demain matin de faire envelopper comme y faut mon équipement, pis de le mettre su'l train. Demain ou après-demain, ça va dépendre des horaires. Mais attendez-moi sans faute pour la fin de semaine. Je reviens chez nous.

Chapitre 11

Un mois plus tard…

Louis aide sa mère à s'asseoir dans son fauteuil près de la fenêtre du salon, son endroit préféré depuis qu'elle a repris suffisamment de forces pour ne pas rester alitée toute la journée.

— Je voulais te dire marci, mon garçon ! dit-elle lentement.

— C'est rien, maman, c'est rien.

— Non, non, c'est pas rien, insiste-t-elle sur le rythme lent avec lequel elle s'exprime depuis qu'elle est tombée malade. Ce que tu fais pour moi pis pour ton père, c'est loin d'être rien. C'est ben gros pour nous autres. Ben gros.

Louis a approché une table du fauteuil afin d'y déposer tout ce dont sa mère pourrait avoir besoin. Un livre, même si elle arrive maintenant difficilement à lire, du papier à lettres et un crayon, au cas où elle aurait envie d'écrire, un verre d'eau, un mouchoir propre, un petit sac de *peppermints*, une boîte en fer-blanc contenant des morceaux de sucre à la crème et de fudge que lui a confectionnés Marie-Louise, et bien d'autres petites douceurs.

— Fais-toi-z'en pas maman ! répond-il en la regardant d'un air joyeux. Finalement là, ça fait mon affaire d'être revenu. Je me sens à ma place icitte. Avec ma clinique en bas qui va être prête à ouvrir betôt, ma famille, mes amis, c'est pas moi qui va se lamenter certain !

— Entouècas, t'es ben fin pareil, pis c'est ça que, moi ta mère, je voulais te dire à matin.

Louis se penche pour installer confortablement les pieds de sa mère sur un pouf. En se relevant, il l'embrasse tendrement, ramenant son châle sur ses épaules amaigries :

— Bon ben, j'vas y aller là, dit-il en s'éloignant de quelques pas. Tetitte va venir voir tantôt si t'as besoin de quequ'chose.

— C'est tiguidou ! répond-elle, le regard déjà tourné vers la fenêtre où le spectacle de la rue l'attend.

Jamais Emma ne s'est autant intéressée à regarder passer les gens. Elle n'en a probablement jamais eu le temps ! Trop occupée, toute sa vie. Ce qui la frappe maintenant, c'est de voir tout le monde marcher, bouger, gesticuler si vite. *Mon Dieu Seigneur,* soupire-t-elle, *est-ce ainsi qu'on passe notre vie à se démener sans compter ?* Elle se sent pour sa part tellement au ralenti, presque complètement retirée de l'action. Un rien la fatigue. Mais, en même temps, miraculeusement semble-t-il, un rien la comble. Rester là sans bouger à regarder au loin est devenu pour elle la récompense de toute une vie de don de soi et de services rendus. Bien des petites choses prennent un nouveau sens, un sourire, une attention, une visite, son cœur se gonflant chaque fois de contentement et de gratitude, comme si, à l'approche de la mort, elle avait traversé le long couloir et vu se dérouler sa vie en accéléré : son enfance sur la ferme avec ses parents, ses frères et ses sœurs, l'odeur et la chaleur des animaux, de la terre et de la nature, son mariage d'amour avec Georges, la naissance de ses quatorze enfants, la mort de cinq d'entre eux en bas âge, les mariages et allées et venues de chacun et chacune, les nombreux petits-enfants, sa chère maison… De l'autre côté de ce long couloir, c'était comme s'il ne lui était plus resté que le paradis à vivre jusqu'à la fin de ses jours. Elle esquisse un sourire en pensant aux médicaments qu'elle prend encore tous les jours. Peut-être ont-ils un rôle à jouer dans ce merveilleux bonheur, mais qui s'en soucie… *Un jour ou l'autre, elle reprendra le collier*, se dit-elle comme pour s'excuser. Elle l'espère en tout cas. En attendant… Elle tend le bras pour prendre une *peppermint* qu'elle met dans sa bouche. *Je me demande ben où ce qu'est passé Georges ?* se dit-elle. Il le lui a dit tantôt, avant de partir, mais elle ne s'en souvient pas. C'est ainsi maintenant, elle cherche souvent des réponses à des questions d'apparence simple. Quel jour sommes-nous, par exemple, quelle date ? Chaque fois, elle cherche patiemment et découvre un indice, puis un autre qui l'amènent à savoir. Par exemple, elle se souvient qu'hier Tetitte a fait le lavage, que Georges est allé au conseil de ville. *On est donc mardi. Y me semble que c'tait une journée spéciale aujourd'hui,* songe-t-elle. Elle cherche un peu, puis baisse tranquillement la tête, ferme les yeux et s'assoupit.

* * *

Après avoir laissé sa mère, Louis est descendu rapidement à son local. Hier, le peintre a terminé son travail et il est vraiment satisfait du résultat. Ce matin, un ouvrier doit venir pour installer les tablettes qui couvriront presque tout le mur du fond. Louis imagine déjà le résultat final. Il y mettra certains instruments, ses livres d'études et ses diplômes bien en évidence, de même que des encadrements d'images saisissantes de l'œil qu'il a achetés à grands frais avant de quitter Manchester. Il y placera aussi de beaux objets pour séduire sa clientèle.

Soudain, il entend claquer la porte d'entrée et voit son père surgir :

— Eille Ti-Louis! lance-t-il avec cet air sérieux qu'il a depuis quelques mois. Je t'ai trouvé des chaises pour mettre icitte d'dans. Deux gros fauteuils ben rembourrés, pis deux chaises droites. Sont chics, tu crèras pas à ça quand tu vas les voir.

— Où c'est que t'as pris ça? demande Louis, qui se méfie toujours un peu des trouvailles de son père.

— C'tait un vrai *bargain*, explique-t-il en contournant la question. Je pouvais pas laisser passer ça. Tu vas en avoir besoin pour asseoir le monde qui va attendre.

— Sont où?

— Y a un gars qui vient les livrer tu-suite là. Y me suivait.

Aussitôt, Louis voit arriver un colosse ébouriffé, tenant une chaise dans chaque main à bout de bras au-dessus de sa tête.

— Où ce que je les mets? demande-t-il en se penchant pour franchir le cadre de la porte.

— Posez-les là! répond Louis en indiquant un coin libre tout près de la vitrine.

L'homme repart aussitôt pour aller chercher les fauteuils.

— C'est vrai qu'y sont belles, les chaises de bois. Y font distingué, dit Louis en s'assoyant. Pis on est confortable, en plus.

Georges maintient la porte ouverte afin de laisser l'homme pénétrer dans le local avec les fauteuils, un à la fois.

— Salut ben! lance ce dernier une fois son travail terminé, en claquant la porte derrière lui.

— Pis? Comment t'es trouves? demande Georges.

D'un beau rouge bourgogne au motif jacquard ton sur ton, les fauteuils sont très élégants avec un dossier capitonné et décoré de cinq boutons ronds en tissu, un siège moelleux et des pieds et bras en bois d'acajou sculpté.

— Quand je te disais qu'y étaient chics, ajoute-t-il, fier de son coup.

— Ouais, t'as du goût papa.

Louis les tapote et les essuie un peu avec les mains, puis il s'assoit:

— On est vraiment ben assis à part de ça, remarque-t-il.

— Bon ben, astheure que c'est faite, j'vas remonter trouver ta mère en haut, lance Georges d'un air satisfait.

— Ben merci là papa! Chus ben content.

— Moi si, chus ben content, conclut-il en sortant.

Louis reste assis un moment à contempler son local. Il ne peut pas partir, l'ouvrier doit arriver d'une minute à l'autre. Faisant légèrement pivoter son fauteuil vers la rue, il sort son étui à cigare de sa poche, l'ouvre et y prend un beau gros havane rapporté de Manchester. Il le roule entre ses doigts, le hume puis, méticuleusement, avec son petit coupe-cigare, il en entaille un bout. Satisfait du résultat, il l'allume en aspirant quelques bonnes bouffées, sans se presser, jambes croisées. Il accueille ce doux moment comme un petit bonheur bien mérité. C'est un beau jour pour lui, aujourd'hui, 7 août, une journée spéciale. C'est son anniversaire et il a vingt-neuf ans. Peut-être est-ce de la superstition ou autre chose, mais il se sent soulagé que ses vingt-huit ans se retrouvent désormais derrière lui. Que lui importe que sa mère n'y ait pas pensé au déjeuner ? Dans son état, elle est tout excusée. Ni Tetitte ni son père n'y ont d'ailleurs fait allusion. Mais la journée n'est pas terminée, songe-t-il, peut-être que ce midi ou ce soir… Il hausse les épaules. Ce n'est pas très important, finalement. Il fume lentement, savourant l'arôme unique de ce cigare coûteux. *La vie comporte quand même de bons moments*, se dit-il, satisfait de lui-même. Depuis son retour, il pense moins à son mariage raté. Ce n'est pas qu'il oublie. Il n'a pas oublié et il n'oubliera probablement jamais. Mais il y pense moins. Il continue de porter le jonc d'Angéline à son petit doigt, et c'est comme si, d'une certaine façon, cela lui donnait la permission de ne plus y penser.

Une forte émotion l'attendait tout de même lorsqu'il s'est retrouvé dans sa chambre la première nuit, tout seul dans son grand lit. Après tout le branle-bas occasionné par son retour à Chicoutimi, le départ précipité de Manchester, l'interminable voyage en train, la visite à l'hôpital pour voir sa mère en arrivant et la soirée animée passée à discuter avec les membres de la famille venus voir leur mère et l'accueillir, lui, l'enfant prodigue éprouvé par le destin ; de se retrouver seul dans ce même grand lit où il avait tant rêvé, tant espéré, tant anticipé l'avenir en janvier dernier lui avait donné l'impression d'avoir inutilement fait un très grand détour pour revenir, pas très avancé, à la case départ. Mais l'excitation qu'il avait ressentie ce soir-là d'être de retour dans sa ville natale, auprès des siens, l'avait finalement emporté sur le chagrin. La vie lui offrait la chance de vivre un nouveau départ. Ici, chez eux! C'était son devoir d'y mettre toute sa bonne volonté, de chasser son chagrin pour de bon et de s'ouvrir à ce qui s'en venait. En réalité, que pouvait-il changer au passé? Absolument rien. C'est ainsi qu'au cours de la nuit qui avait suivi son retour, il s'était juré de ne plus penser à son mariage raté et, surtout, de ne plus jamais en parler à personne. C'était peut-être comme ça seulement que la vie allait pouvoir vraiment continuer pour lui. Il allait mettre ce drame dans une petite case bien délimitée dans sa tête et, symboliquement, il allait refermer la porte. Ainsi, il espérait que les choses finiraient peu à peu par se dissiper. Comme si, à force de ne pas y penser et de ne pas les nommer, les mauvais souvenirs finissaient forcément par disparaître.

Tout à ses pensées, Louis entend soudain une voix moqueuse:

— Salut, Ti-Louis! T'as l'air de travailler fort c't effrayant!

Par la porte entrebâillée, Louis reconnaît le visage de celui qui a failli être son beau-frère, Richard, qui est maintenant installé à Chicoutimi. C'est la première fois qu'il le revoit depuis les événements. Déposant son cigare dans le cendrier, il se lève aussitôt pour l'accueillir.

— Ah ben! Salut, Richard! dit Louis en s'avançant vers son ami. Envoye, entre!

Ils se serrent la main chaleureusement.

— Eille! Ça fait longtemps qu'on s'est pas vus! s'exclame Louis qui sent soudainement sa gorge se serrer.

Devant lui, Richard semble lui aussi envahi par l'émotion. Pendant un court moment, ils se regardent en silence, les yeux mouillés, se comprenant sans parler. Louis hoche la tête, les lèvres serrées.

— Viens! Assis-toi! dit-il en désignant les deux fauteuils. C'est mon père qui vient de me les faire livrer.

Richard s'assoit lentement, occupé à se ressaisir lui aussi :

— Tes parents doivent être contents que tu sois revenu, dit-il finalement.

— Ben heureux! Pis, moi aussi, pour dire vrai… Pis toi? Paraît que t'as ouvert ta clinique de dentiste?

— Qui t'a dit ça?

— C'est William qui me l'a écrit quand j'étais encore aux *States*.

— Y t'a-tu dit aussi pour sa fille?

— Oui, oui.

Au même moment, l'ouvrier arrive avec son coffre à outils. Louis se lève, suivi de Richard :

— Je faisais juste passer que'ques minutes, explique ce dernier en se dirigeant vers la porte. Entouècas, j'suis ben content que tu sois revenu, lui dit-il en se retournant encore une fois.

— On va se reprendre, répond Louis. J'vas aller te voir à ton bureau c'te semaine. T'es-tu toujours là?

— Les après-midis, pas mal tout le temps. C'est quasiment en face du magasin Carrier su'a côte. Viens vers midi, on ira dîner ensemble.

— OK. On se redonne des nouvelles.

Louis se tourne vers l'ouvrier, qui a déposé son coffre par terre et commencé à prendre les mesures. Ils se sont parlé la veille et Louis lui a déjà donné toutes ses directives.

— Tu laisseras au moins un pied et demi entre les étagères, lui répète-t-il quand même pour se rassurer. Deux pieds même entre les deux dernières du bas, je veux pouvoir y mettre des revues pis des journaux. Des beaux livres aussi.

— Ça sera faite comme vous voulez, monsieur, répond l'ouvrier en poursuivant son travail.

Louis reste derrière. Il le regarde travailler pendant quelques minutes.

— Bon ben, j'vas y aller moi, finit-il par dire. J'vas revenir barrer la porte avant midi.

— Pas besoin, monsieur. Je sortirai pas, j'ai mon lunch.

— C'est tiguidou. Si jamais t'as fini avant que je revienne, tu fermeras la porte comme faut en partant.

Louis quitte le local. Il fait chaud. Machinalement, il se dirige vers la rue Morin où il tourne tout de suite à droite, vers le Saguenay, d'où une légère brise lui parvient déjà. Après quelques minutes, il se retrouve devant l'Académie commerciale, une grosse école pour garçons de quatre étages en briques rouges dont le terrain bordé d'ormes lui offre momentanément un peu d'ombre. Il continue sa marche vers le Saguenay, qui se trouve maintenant à quelques pas seulement devant lui. Sans hésiter, il descend sur le bord de l'eau, à cet endroit où il allait parfois l'été, quand il était plus jeune et qu'il souhaitait se baigner dans la rivière. L'odeur de son enfance l'envahit aussitôt, ce mélange unique d'eau douce, de terre glaise, de vase et de longues tiges drues d'herbacées, qu'il appelait alors « des fouets » tant elles lui pinçaient les jambes lorsqu'il courait sur la grève. La marée est basse. Il s'avance un peu et s'assoit sur une grosse roche arrondie de laquelle lui et son petit frère Pitou pouvaient plonger lorsque la marée était haute. Le soleil est brûlant. Lentement, il enlève son veston, ses chaussures et ses chaussettes. Quel bonheur de se retrouver ici en ce jour d'anniversaire, avec ce merveilleux vent doux qui lui caresse le visage, les bras et les pieds ! Se jeter à l'eau compléterait son bonheur, mais il n'est pas question pour lui de se baigner tout habillé. Ni de le faire en sous-vêtements. *Quand même ! Il a vingt-neuf ans !* À cette pensée, il sourit, un peu espiègle.

Au loin, il aperçoit une volée d'oiseaux qui se posent sur l'eau à tour de rôle pour se laisser glisser au gré des forts courants du fjord. Il les observe longtemps recommencer leur jeu sans se lasser. Son regard se pose ensuite de l'autre côté de la rive, sur le petit village de Sainte-Anne qui commence comme un hameau sur un étroit terrain plat en bordure du Saguenay et qui monte tout de suite vers la gauche, directement à flanc de montagne, s'élevant par plateaux sur au moins un mille de long jusqu'à l'immense croix érigée tout en haut du cap Saint-Joseph. Vers la droite, c'est un long chemin bordé de maisons qui monte abruptement sur le cap Saint-François, qui s'avance dans les eaux profondes de la rivière. Au bout de l'horizon, juste en avant de lui, par-delà les caps, les crans et les vastes plateaux, les monts Valin forment un long ruban tout en rondeurs verdoyantes qui tranchent sur le bleu du ciel. Il se sent bien. À sa gauche, il entend le son du traversier Tremblay qui vogue vers Chicoutimi et aperçoit à son bord plusieurs passagers appuyés au bastingage qui se rafraîchissent au grand vent.

Soudain, les cloches de la cathédrale le sortent de sa contemplation. « Batinse, l'angélus ! » s'exclame-t-il en se dépêchant de remettre ses chaussettes, ses souliers et son veston. Heureusement, Tetitte doit avoir préparé le dîner. Depuis la maladie de sa mère, elle fait tous les repas sur les conseils avisés de ses sœurs et de sa mère. Louis se hâte. Une fois sur la rue Morin, il accélère davantage le pas. Une chance que sa sœur est encore là pour quelques semaines. Par contre, après ses noces, le 25 août, elle va partir pour de bon et il va alors se retrouver tout seul avec ses parents. Une légère anxiété s'empare de lui, vite chassée par la vue de la maison, tout près. *Pas le temps de penser à ça astheure,* se dit-il en grimpant l'escalier à toute vitesse.

Chapitre 12

Il y a des moments déterminants dans une vie, et si Louis savait tout le bonheur qui l'attend en cette journée, il se lèverait sans hésiter et foncerait tête baissée vers son destin. Mais la vie est ainsi faite que ce qui se prépare parfois de plus merveilleux se fait dans le plus grand des secrets, sans indice permettant de croire que, lorsqu'on se couchera quelques heures plus tard, une embellie pleine d'espoirs aura germé dans le cœur.

C'est plutôt avec la tête et l'estomac un peu à l'envers que Louis se réveille ce matin-là vers huit heures. La veille, il a mangé et bu plus que de raison en cette journée mémorable. Pour une fois depuis des années, toute la famille était rassemblée, sauf Pit et sa famille, dans la grande maison familiale où se déroulait la réception à l'occasion du mariage de Tetitte. Trois employés avaient été engagés pour s'occuper de tout, de la confection du repas à l'installation des tables dans les deux salons de même que dans une partie du hall et du large corridor, sous la supervision de Marie-Louise ainsi que d'Emma qui avait déclaré, quelques jours auparavant et sans que personne s'y attende, qu'elle était suffisamment remise pour reprendre lentement ses activités dans la maison. Il avait été décidé qu'elle n'assisterait pas à la cérémonie pour ménager un peu ses forces. Marie-Louise resterait avec elle pour superviser tous les détails de dernière minute.

Tetitte était belle à voir dans sa robe de mariée, blanche et longue à souhait, au bras de son père, lui aussi très chic. Elle était si heureuse de vivre enfin, à vingt-six ans, son grand jour à elle. Comme elle était une «vieille fille» depuis un moment, certains ne se gênaient pas pour la traiter de Catherinette en se moquant d'elle. Pour l'occasion, Georges avait loué une automobile et c'est Louis qui avait servi de chauffeur et les avait conduits, son père et elle, jusqu'à la cathédrale. La cérémonie avait été parfaite. Louis avait bien ressenti un pincement au cœur lors de l'échange des vœux, mais il n'en avait rien laissé paraître. Le passé n'était-il pas mort de sa belle mort? C'est donc sous une joyeuse volée de cloches qu'il avait ensuite ramené les deux jeunes mariés, en klaxonnant tout au long de la rue Racine, imité par les quelques voitures qui le suivaient selon la nouvelle coutume. Au retour, la réception avait débuté vers midi et s'était prolongée pour quelques-uns jusqu'en début de soirée. Ce n'est que vers sept heures, vêtue de son plus beau costume de laine tricoté à la main, que Tetitte était fièrement partie pour Montréal au bras de son nouveau mari, Jos Lafontaine, dans le train de nuit, avec couchette et services compris.

En ce lendemain de noces, Louis ne se sent pas très bien. Il essaie encore un moment de se rendormir mais, très vite, une sérieuse envie d'uriner l'en empêche. À contrecœur, il quitte son lit et marche sans faire de bruit jusqu'à la salle de bain, en espérant ne pas se faire entendre de ses parents. Il ne souhaite qu'une chose: revenir se coucher une petite heure encore. *Mais c'est dimanche aujourd'hui*, songe-t-il soudainement. Comment dormir plus longtemps avec la messe obligatoire? La messe d'hier devrait faire l'affaire, mais non, rien ne peut remplacer la messe du dimanche. Interdiction formelle de la manquer, sinon… Il se résout donc à rester debout. Il ira à la messe de neuf heures. Un grand verre d'eau et une bonne douche devraient le remettre sur pied. Il apprécie sa chance de pouvoir se laver ainsi dans sa propre maison. Ce ne sont pas tous les habitants de Chicoutimi qui peuvent le faire. Il n'avait que dix ou onze ans lorsque son père avait fait construire deux salles de bain complètes, celle à l'étage comprenant non seulement une baignoire à l'eau froide et chaude, mais également un bain d'orage. C'est du moins ainsi que son père avait appelé son installation de douche dans le journal, invitant les gens, moyennant une somme modique, à venir s'y rafraîchir en été. Il faut dire qu'en 1905, la maison de trois étages était depuis sa construction un petit hôtel pour voyageurs, travailleurs et chambreurs à la semaine avec commerces au rez-de-chaussée. Ce n'est qu'après quelques années que Georges en avait fait uniquement la maison familiale.

Une fois lavé et rasé de près, Louis peigne ses cheveux, puis il verse un peu d'huile de ricin dans ses mains afin de les lisser vers l'arrière et de dégager son front. Il retourne ensuite dans sa chambre pour s'habiller et décide de mettre le même costume que la veille – pantalon, chemise et souliers blancs avec un veston plus foncé dans les tons de beige et une cravate rayée dans des teintes dégradées de bleu. Une fois satisfait de sa tenue, il descend à la cuisine pour manger un peu. Tout est en ordre en bas. Les employés ont tout rangé hier avant de partir. Beaucoup de nourriture a été rangée dans la glacière qui déborde littéralement de victuailles. Se sentant soudainement affamé, Louis se sert quelques sandwichs, des tranches de jambon, du poulet froid, des canneberges, et il se met à table, tout heureux. *Rien de tel que de se remplir l'estomac pour se sentir mieux!* se dit-il, suivant sa philosophie insouciante de gros mangeur qui digère tout et ne prend jamais de poids.

— Ouais… Tu fais honneur au lunch! lui dit sa mère qui vient d'arriver derrière lui.

— Bah! j'avais faim. Pis, j'ai communié hier, c'est ben en masse, répond Louis.

— C'pas à cause! Faut que ça se mange toute ce manger-là! Je regardais ça hier au soir, j'cré ben qu'on en a pour au moins deux jours avec les restes.

Emma s'assoit dans sa chaise berçante près du poêle. Elle est songeuse. Tetitte partie, elle trouve la maison bien tranquille ce matin. Surtout après l'effervescence d'hier.

— Penses-tu que Tetitte est ben rendue?

— À cause qu'a serait pas arrivée? Sont partis ben heureux su'l train hier au soir. C'est l'été. C'est que tu veux qu'y soye arrivé?

— Je le sais pas…, répond Emma en se levant et en marchant un peu. Entouècas, chus ben contente d'être revenue de mon affaire, lance-t-elle en se massant les avant-bras avec les mains.

— Faut que tu fasses attention à toi là, maman. T'es pas encore Samson! Thomas dit que c'tait sérieux ce que t'as eu. Pis hier, tu t'es dépensée sans compter.

Louis hoche la tête de désapprobation:

— Oublie pas que t'es chanceuse de t'en être aussi ben sortie. T'as quasiment rien.

— Ben je boite un peu, chus restée paralysée un peu du côté gauche, pis je trouve que je parle moins vite qu'avant, la bouche croche p't-être ben aussi ! Mais c'est vrai que chus chanceuse.

Elle lui sourit, la bouche un peu de travers, puis elle ajoute :

— Surtout que toi, t'es là.

— Ben oui maman, chus là, répond-il en ramassant son assiette. Pis papa lui, c'est qui brette à matin ?

— Y est allé à messe de bonne heure.

— Bon ben moi, faut que j'y aille si je veux pas manquer le début de la mienne. Tu diras à papa que j'ai pris l'auto. Tant qu'a l'avoir dans cour jusqu'à demain, autant en profiter.

— C'est correct, mon garçon. Vas-y, là !

Louis s'éloigne de quelques pas. Il met son canotier, prend sa canne et se dirige vers la porte qui donne sur la cour.

— T'as quasiment l'air d'un Parisien ! lui dit sa mère avant de le voir disparaître derrière la porte.

* * *

Une fois à l'église, Louis se sent distrait. Il a juste hâte que ça finisse afin de pouvoir retourner à la maison au volant de sa voiture. Il se promet de faire un grand détour jusqu'au rang Saint-Thomas et de revenir tranquillement par la rue de l'hôpital jusque chez lui. Pour le moment, il se contente de suivre les mouvements de la foule. Debout, assis, debout, à genoux. Arrivé au sermon, il s'installe de son mieux sur son étroit banc de bois et il ferme les yeux. Il entend le prêtre commencer son prêche et c'est pour lui comme un bruit de fond qui le porte à somnoler. Pourtant, ce qu'il entend le sort peu à peu de sa rêverie.

— Demandez, et l'on vous donnera, entonne le curé d'une voix forte. Cherchez, et vous trouverez, poursuit-il encore plus fort. Frappez, et l'on vous ouvrira, insiste-t-il.

D'une voix de stentor, et sans reprendre son souffle, il enchaîne :

— Car quiconque demande reçoit, celui qui cherche trouve, et l'on ouvre à celui qui frappe.

Après ces derniers mots, il contemple en silence ses fidèles du haut de la chaire.

— Et vous ? les apostrophe-t-il. Oui vous, vous, vous, ajoute-t-il en les pointant comme s'il s'adressait directement à chacun. Savez-vous au moins ce que ça signifie ces paroles-là ? Savez-vous au moins ce que vous souhaitez demander au bon Dieu dans le fond de votre cœur ?

Il les regarde sans parler pendant quelques secondes, puis il continue :

— Est-ce que vous savez au moins ce que vous cherchez ? Est-ce que vous savez à quelle porte il vous faut cogner si vous voulez qu'on vous ouvre ? Quelle porte, hen ? Quelle porte ? Ah ! je pourrais vous faire peur *à* matin avec la porte de l'enfer qui peut être bien tentante, n'est-ce pas, comme tout le monde le sait…

Les yeux plissés, le curé scrute la foule.

— Mais non, fait-il tout à coup d'un ton adouci, en faisant lentement le tour de son auditoire d'un regard conciliant. Non ! Ce matin, je ne vous parlerai pas de l'enfer. Non ! Ce matin, je vous demande seulement de réfléchir à ce que vous voulez, ce que vous cherchez et *à* quelle porte vous allez frapper. Comprenez-vous ce que je vous dis *là* ? C'est comme trois questions en une, comme le bon Dieu, comme la Sainte Trinité, explique-t-il en ouvrant les bras, les yeux et les mains tournés vers le ciel.

Regardant de nouveau ses paroissiens, il continue :

— Priez le bon Dieu pour qu'il vous éclaire et qu'il vous inspire les réponses ! Il va vous répondre, soyez-en convaincus !

Le curé demeure un moment sur sa lancée, les bras en l'air, un peu figé, puis il reprend avec emphase :

— Et n'oubliez jamais une chose, mes très chers frères, le bon Dieu est bon !

Il ouvre la bouche comme s'il allait poursuivre, mais finalement il conclut par un simple « Amen ! » Les mains jointes, la tête inclinée, il descend lentement de la chaire et retourne devant l'autel pour poursuivre la messe avec le *Credo*.

Depuis quelques minutes, Louis n'entend plus vraiment ce qui se passe autour de lui. Son corps continue de suivre machinalement les mouvements de l'assistance – debout, assis, à genoux –, mais il se sent fortement interpellé par les paroles du sermon. Il faut dire que les réponses lui sont venues spontanément au fur et à mesure qu'il les entendait et c'est à cela qu'il ne cesse maintenant de penser. Ce qu'il veut, ce qu'il cherche, c'est bien simple, c'est une femme à marier. Une femme pour vivre avec lui et lui faire des enfants. Une femme pour avoir une famille bien à lui. Une femme qui l'aidera à prendre soin de ses parents. Quelle porte ? Peu importe ! Une épouse, c'est tout ce qu'il veut. Il jure qu'il sera bon envers elle, qu'il sera un bon mari, un bon père. Que pourrait-il donc promettre d'autre pour montrer son sérieux ? Il ne sait pas trop. Arrêter de fumer ou de boire, prier plus, travailler plus. Peu importe. Il promet à Dieu de lui être éternellement reconnaissant, et cette gratitude infinie lui semble en fin de compte suffisante pour garantir sa bonne foi.

Lorsque la messe se termine, il a déjà un peu oublié tout cela, désirant maintenant plus que tout repartir au volant de son automobile. Insouciant, il se promène longuement dans les rues de la ville, refaisant plusieurs fois les mêmes parcours, enchanté d'attirer le regard des envieux. Revenu sur la rue Racine, il arrête faire le plein d'essence à la pompe installée en bordure du trottoir, à quelques centaines de pieds de la maison familiale. Il se promet de dîner ensuite rapidement, en mangeant de nouveau des restes, du pâté à la viande et de la tourtière avec du ketchup. Il aidera sa mère pour la vaisselle et il partira aussitôt que possible pour passer l'après-midi à l'exposition agricole installée au parc Caron, dans les hauteurs de la ville. C'est le dernier jour de cet événement régional qui en est à sa troisième année. Concours de bêtes de ferme, vaches, bœufs, chevaux et kiosques de tirs avec cibles à viser et cadeaux à gagner, quelques manèges. Il ne veut surtout pas manquer ça.

Arrivé sur les lieux un peu plus tard, Louis stationne sa voiture près de la côte Saint-Antoine. Il fait ensuite tranquillement le tour des kiosques d'exposition. Les cultivateurs sont fiers de leur bétail et ils ont tout fait pour soigner la présentation de leurs bêtes. Depuis trois jours, des juges se promènent et leur attribuent des points. Les gagnants seront dévoilés un peu plus tard cet après-midi. Louis ne connaît pas grand-chose à l'agriculture. Bien que ses grands-parents des deux côtés aient été de bons cultivateurs, comme il est l'un des plus jeunes de la famille, il ne les a pas beaucoup connus. Il flâne un moment dans les allées, appréciant tout de même la chaleur et l'odeur forte qui se dégagent des bêtes. Lentement, il s'éloigne vers les kiosques de tir où il s'installe, un peu à l'écart, près d'un petit muret, pour observer la foule.

Louis aperçoit bientôt un homme qui a l'air de suivre deux jeunes filles. Celles-ci marchent rapidement, bras dessus bras dessous, et semblent tenter de s'éloigner de lui. Il observe ce petit manège pendant quelque temps et voit tout à coup les deux demoiselles se diriger vers la droite, puis bifurquer promptement vers la gauche, pliées en deux pour ne pas que leur poursuivant les voie. Elles courent en riant comme des enfants et s'arrêtent près du muret, à deux pas de Louis. Celui-ci leur fait un clin d'œil. Complice de leur petit jeu, il leur fait signe de venir se dissimuler à côté de lui, derrière le muret. Faisant mine de rien, Louis observe un moment le poursuivant qui continue de chercher de tous bords tous côtés. Ce n'est qu'au bout de quelques minutes qu'il abandonne sa recherche et repart, dépité, vers les kiosques d'exposition.

— Ça y est! Y est parti! Vous pouvez sortir de votre cachette, lance Louis.

Les jeunes filles se redressent et le regardent en retenant leur hilarité.

— C'tait le fils du bonhomme Simard du rang deux, un fatigant, explique l'une d'elles, la plus vieille peut-être, en éclatant de rire.

— J'ai ben vu que c'te pauvre homme avait aucune chance avec vous autres! répond Louis en leur faisant son plus beau sourire.

Ils rient tous les trois.

— Bah! Y nous suivait depuis qu'on est arrivées, ajoute l'autre jeune fille.

— Une erreur! lance Louis, l'index soulevé.

Elles éclatent de rire encore une fois. Louis décide alors de se présenter :

— Je m'appelle Louis. Louis Bergeron, dit-il en soulevant poliment son chapeau. Et vous autres? C'est quoi votre p'tit nom?

— Moi c'est Rose, Rose Gauthier, répond la plus vieille avec aplomb, et elle, c'est ma sœur Mimine, ben… Hermine, mais tout l'monde l'appelle Mimine. On est de Sainte-Anne.

— Moi, je vis à Chicoutimi, sur la rue Racine. Je reste avec mes parents.

— Nous autres aussi, on reste encore avec nos parents.

— Voulez-vous boire quelque chose ? Une limonade ? Un jus ? Ça me ferait plaisir.

Elles se regardent et décident aussitôt de le suivre vers un kiosque qui vend des rafraîchissements et des friandises. Louis commande trois limonades et trois petits gâteaux à la vanille.

— Venez ! Allons un peu plus loin. Y a des tables. On va pouvoir s'asseoir.

Louis se sent à l'aise avec ses nouvelles compagnes, un peu comme s'il les avait toujours connues. En même temps, il est curieux d'en apprendre davantage à leur sujet.

— Comme ça, vous êtes venues voir l'exposition agricole, commence-t-il. Est-ce que vos parents sont cultivateurs ?

— Ils l'ont déjà été, quand on était jeunes. Là, notre père travaille surtout dans le bois, répond Rose, en levant le menton fièrement. Mais nous autres, on fait l'école toutes les deux. Moi, depuis quatre ans, pis Mimine, c'est sa troisième année.

— Ouais… Je parle pas à n'importe qui, rétorque Louis. Deux maîtresses d'école !

Il les regarde, visiblement séduit :

— Alors, en plus d'être belles, vous êtes intelligentes. On peut pas demander mieux !

Elles gloussent de plaisir en entendant ces compliments.

— Pis vous ? C'est que vous faites dans la vie ? demande Rose, qui commence à se sentir attirée par cet homme si bien habillé, qui semble à l'aise en société, et plutôt prospère, si l'on se fie à son jonc serti de diamants, sa canne et ses beaux souliers blancs immaculés.

— J'suis optométriste et opticien d'ordonnances, répond-il. J'ajuste la vue. Je viens juste d'ouvrir mon bureau en bas de chez nous. Il fait une pause. Mais on peut se tutoyer, n'est-ce pas, maintenant qu'on est devenus complices contre le fils du bonhomme Simard ? blague-t-il en faisant un clin d'œil à celle qui l'intéresse le plus, Rose.

Celle-ci baisse les yeux pudiquement, puis les relève aussitôt avec un petit air effarouché tout à fait charmant. Avec ses beaux cheveux bruns presque noirs naturellement bouclés qui encadrent son visage d'un ovale parfait, Rose a tout pour plaire : un teint légèrement hâlé, de grands yeux bruns à la fois doux et intelligents, des sourcils fins bien dessinés, un mignon petit nez légèrement arrondi et de jolies lèvres parfaitement dessinées. Pas très grande, mais bien proportionnée, elle en impose par son charisme naturel, plein d'assurance et de vivacité, et en même temps assez sérieux. Ce jour-là, elle porte une robe en crêpe d'un beau vert foncé dont le col rond surpiqué met en valeur son cou. Les manches courtes en fine dentelle d'un vert beaucoup plus pâle laissent voir ses bras à la fois longs et légèrement potelés. Sa tenue est complétée par une longue chaîne en argent dont le pendentif ressemble à un petit pendule qu'elle aurait porté devant elle pour détecter on ne sait quoi.

Ravi de cette rencontre inattendue, Louis se met à parler de sa famille, de ses projets, les questionnant également l'une et l'autre sur leur parenté, leurs goûts, leurs idées. La plus jeune, Hermine, est jolie elle aussi. Vive et ricaneuse, elle possède des yeux légèrement bridés qui lui donnent beaucoup de charme. Ses vêtements et son allure sont tout aussi agréables que ceux de sa sœur mais, sans hésitation, Louis a jeté son dévolu sur Rose qui, à première vue du moins, semble éprouver le même intérêt envers lui. C'est tout naturellement qu'ils déambulent ensuite tous les trois sur le site, Louis marchant maintenant entre les deux jeunes filles, tout heureux d'être là avec elles dans cette kermesse du dimanche. Quelle bonne idée il a eue de venir y passer l'après-midi !

Une fois la cérémonie de remise de prix terminée, il leur offre d'aller les reconduire au traversier. Après les avoir promenées en voiture pendant presque une heure, leur faisant faire le tour de la ville bien tranquillement, la capote ouverte, sous la belle brise chaude de cette fin d'été, Louis arrive au bout de la rue Racine et stationne sa voiture près du quai. Il décide spontanément d'attendre le bateau avec elles. Il ne sait pourquoi, mais son cœur ne cesse de battre la chamade dans sa poitrine. C'est une espèce d'exaltation intérieure, quelque chose de fort, comme un éclair qui aurait subitement traversé le ciel. *Est-ce le coup de foudre?* se demande-t-il. Incapable de se séparer de Rose, il se surprend à monter avec elles sur le traversier pour aller, explique-t-il, les reconduire sur l'autre rive.

Le fait de se retrouver ainsi en cette fin d'après-midi au beau milieu du Saguenay en si aimable compagnie représente pour lui un véritable enchantement. Discrètement, Mimine s'est éloignée et les a un peu laissés seuls, Rose et lui. Ils se tiennent l'un près de l'autre, debout au bord du bastingage avec le vent qui décoiffe les passagers et fait s'envoler les couvre-chefs. En riant, Louis rattrape le sien juste à temps. Il se tourne vers Rose et découvre alors avec ravissement les plus adorables oreilles jamais vues.

— Est-ce que je peux espérer qu'on va se revoir, Rose ? lui demande-t-il aussitôt.

Celle-ci baisse la tête, un peu gênée, et répond par l'affirmative én relevant doucement les yeux vers lui.

— Rose, c'est un joli nom pour la plus belle femme du monde, ne peut-il s'empêcher de déclarer.

Celle-ci rit un peu, flattée, ne sachant trop quoi répondre à ce beau compliment. Louis la couve du regard et lui caresse la main quelques secondes.

— Chus vraiment heureux de t'avoir connue, Rose.

Il redit doucement son prénom, Rose, de sa voix grave, celle d'un homme mûr, et la principale intéressée se sent soudainement tout à l'envers.

Sans parler, ils demeurent ainsi quelque temps, tout près l'un de l'autre, souriant simplement, promenant leurs regards sur l'eau, les oiseaux, les autres passagers, et régulièrement l'un sur l'autre. De l'autre côté du parapet, ils aperçoivent tout à coup Mimine qui parle avec un jeune homme.

— C'est le fils du capitaine du bateau, explique Rose. Il s'appelle Cyrias, Cyrias Pilote, et il veut remplacer son père comme pilote du traversier…

Elle éclate de rire, moqueuse.

— Pilote ! On dirait un vrai nom prédestiné. Entouècas, ça fait déjà que'que temps qu'y tourne autour de Mimine.

Lorsque le bateau accoste sur l'autre rive, Louis n'arrive pas à se résoudre à se séparer de Rose. Avec autorité, il hèle un taxi stationné près de là et il monte dedans avec elles pour les reconduire jusqu'à leur maison située tout en haut de la côte Roussel au coin de la rue de la Croix. Une fois le taxi arrivé dans la cour, Mimine descend et les laisse tous les deux seuls quelques minutes sur la banquette arrière. Louis, qui a tenu la main de Rose pendant tout le trajet, soulève lentement celle-ci et y dépose un baiser avec émotion.

— J'vas revenir te voir jeudi, Rose.

Ils sont si près l'un de l'autre que leurs visages se touchent presque. Impulsivement, Louis pose ses lèvres sur la bouche de celle qui fait battre son cœur si fort. À sa grande surprise, Rose lui rend son baiser avec ferveur. Tout éperdu de passion, Louis la regarde descendre de la voiture en balbutiant :

— Mardi… J'vas revenir mardi.

Chapitre 13

Deux jours plus tard, l'arrivée de Louis en taxi dans la cour de chez Rose un mardi soir crée tout un émoi. Le père, François Gauthier, un homme de cinquante-huit ans assez rude, habitué au travail de la terre et aux camps de bûcherons, voit arriver cette voiture avec suspicion :

— Qui c'est ça qui arrive icitte à soir ? demande-t-il à Rose et à Mimine, occupées à se friser les cheveux avec de la guenille humide dans la cuisine.

— C'est pour moi, répond Rose, frondeuse, en arrachant aussitôt les morceaux de tissu entortillés en boucles sur sa tête et en faisant disparaître son attirail.

Celle-ci n'a parlé à personne de ce rendez-vous, même pas à Mimine, de peur que ce nouveau prétendant lui fasse faux bond et qu'on se moque d'elle, ce qui l'aurait bien trop humiliée. Et puis… Il faut dire qu'elle a déjà quelqu'un. Ah ! pas un vrai fiancé, mais un garçon sérieux qu'elle a connu à Québec, en juin dernier alors qu'elle était en visite chez une cousine, et avec qui elle correspond depuis deux mois. Des lettres d'amour enflammées, attendues avec impatience, auxquelles elle s'empresse de répondre.

Ce mardi-là, Louis arrive un peu tard en raison du traversier. Rose ne sait plus trop quoi penser. Elle le voit, avec son bel habit gris souris, sa canne, son chapeau et un énorme bouquet de fleurs à la main! Elle n'a jamais vu un homme aussi distingué et impressionnant. Elle le présente brièvement à ses parents comme étant un ami, et l'amène sur les lieux d'une exposition artistique qui se termine le soir même. Mimine leur sert de chaperon officiel. Rose n'est pas peu fière de se promener sur le site et dans le village avec ce bel homme élégant. Elle lui présente des cousins et des cousines, et quelques connaissances qui les regardent d'une étrange façon.

— J'espère que je me ferai pas tirer des roches quand j'vas repartir d'icitte à soir! lui chuchote Louis à l'oreille, en constatant la réaction un peu hostile des garçons de la place.

C'est bien connu, ceux-ci ne tolèrent pas que les jeunes «fendants» de Chicoutimi viennent leur voler leurs filles à marier de l'autre côté de la rivière. La coutume veut qu'ils leur lancent des pierres du haut des caps pour les empêcher d'accoster leur canot ou les faire fuir.

En la reconduisant à la maison, Louis a galamment déposé son veston sur les épaules de Rose, pour contrer la fraîcheur des soirées de la fin août. Marchant lentement à côté de Rose, il sent très fort à quel point il s'attache déjà à son allure, sa voix, ses expressions. Un baiser volé met fin à leur rencontre.

— Y vient-tu rire de nous autres? lui demande son père lorsqu'il voit ce visiteur impromptu repartir en taxi.

Rose regarde sa mère, un sourire en coin, et monte directement dans sa chambre, suivie de Mimine tout excitée, elle aussi. Ce soir-là, les deux parents les entendent longtemps jacasser et rire avant de s'endormir.

***

Deux jours plus tard, Louis revient vers sept heures, avec un nouveau bouquet de fleurs et son bel enthousiasme amoureux. Toujours accompagnés de Mimine, ils marchent jusqu'au petit restaurant en face de l'église où Rose suscite encore bien des regards. Elle est vêtue d'une jolie robe rose qui laisse son cou dégagé et épouse parfaitement les lignes de son corps de jeune fille, gracieux et plein de vie. Un chapeau du même rose fait ressortir le brun doré de ses yeux et ses belles lèvres sur lesquelles elle a mis un peu de rouge. Sa beauté est frappante. Sérieuse, la tête haute, elle se sent un peu comme une princesse au bras d'un prince et ne se soucie point des bavardages ou des jalousies qu'elle provoque sur son passage. À l'heure du départ, il a été convenu que Louis reviendrait le samedi suivant dans l'après-midi et qu'ils iraient se promener jusqu'à la croix de Sainte-Anne. De quoi rendre Rose heureuse.

Mais elle se demande quoi faire de son correspondant, Pascal Fournier, de Québec, de qui elle a reçu une lettre la veille. Pour le moment, elle peut continuer à lui répondre puisque son choix n'est pas encore fait. Et si elle finit par choisir Louis, si attentionné, si amoureux, elle n'aura tout simplement qu'à cesser toute correspondance. Il comprendra. Elle en a déjà fait l'expérience avec un premier garçon de Saint-Fulgence, Patrick Deschênes, qu'elle avait connu à seize ans, en visite chez sa sœur Annette, et de qui elle était instantanément tombée amoureuse. Elle l'avait fréquenté avec assiduité pendant presque deux ans. Elle le trouvait beau, intelligent, talentueux, fascinant – surtout quand il chantait avec sa belle voix de baryton – et elle croyait vouloir passer sa vie avec lui. Mais, au moment où il avait parlé de mariage, ses parents, qui la croyaient trop jeune à dix-sept ans pour s'engager sérieusement, le lui avaient défendu. S'était-elle servie de cela pour retrouver avec soulagement sa liberté ? Impossible à dire. Mais elle avait été sans pitié et avait refusé de le revoir, malgré toutes les lettres de supplication qu'il lui avait envoyées. *La mère des hommes est pas morte*, s'était alors dit Rose. *J'ai toute la vie devant moi pour en connaître d'autres.*

Mais justement ! Qu'attend-elle de la vie, maintenant qu'elle a vingt ans ? Son rêve d'être maîtresse d'école, elle l'a réalisé. Et grâce à son oncle et parrain, Phydime Gauthier, responsable du bureau de poste et secrétaire de la commission scolaire, elle a rapidement hérité de la plus belle école de Sainte-Anne. Si elle se marie, c'en sera fini de l'enseignement. Elle doit bien y réfléchir. Mais d'un autre côté, elle aime les hommes et manifestement elle leur plaît, alors comment ne pas finir par s'engager vraiment avec l'un d'eux ? Jusqu'ici, elle a été un peu volage, mais maintenant, avec Louis… Elle sent qu'avec lui les choses pourraient se dérouler rondement. Son comportement empressé laisse deviner que ses intentions sont sérieuses et qu'il a passé l'âge de perdre du temps.

***

Le samedi suivant, Louis se réveille de bonne heure. Dans sa chambre encore sombre, il ne peut s'empêcher de sourire. *C'est incroyable comme ma vie a changé depuis dimanche dernier !* se dit-il. Moins d'une semaine depuis cette fameuse sortie à l'exposition agricole, le voilà tout amouraché d'une femme ! Il sourit de nouveau, les yeux mi-clos, les bras croisés sous sa nuque. Et quelle femme ! Il repense à Rose et se sent habité d'une passion subite et grandiose. *Tout ce que je veux maintenant,* murmure-t-il tout bas en regardant le plafond comme s'il s'adressait au ciel, *c'est marier Rose et l'amener vivre icitte avec moi pis mes parents pour tout le reste de ma vie.* Croyant à ses chances, tout heureux d'avoir un troisième rendez-vous cet après-midi, il se lève de façon énergique, bien décidé à faire un pas de plus dans la réalisation de son vœu aujourd'hui même.

Une fois dans la cuisine, il chantonne tout en préparant le café et en surveillant son pain qui grille sur le poêle à bois. Une petite flambée en se levant le matin, ça enlève l'humidité et ça réchauffe la place.

— T'es déjà levé ? lui lance soudain son père en surgissant derrière lui.

— Quoi ! fait Louis, surpris. T'étais dans le *backstore*?

— Non, non, répond Georges en s'assoyant près du poêle. J'arrive d'en bas. Fallait que j'aille *checker* quelque chose à l'épicerie avant qu'y ouvre. Bon ben, c'est faite astheure ! Pis toi ? C'est le premier aujourd'hui. Penses-tu pouvoir collecter les loyers à matin ?

— Je déjeune, je me prépare, pis tu-suite après, je pars faire ma tournée.

Emma arrive à son tour dans la cuisine. Elle vient de se lever et elle est encore en robe de chambre.

— Bonjour, maman ! Tiens ! Un bon café. Toi si, papa ! Tiens ! dit-il en lui tendant une tasse. Envoyez ! Assoyez-vous à table toué deux. J'vas vous faire un bon déjeuner. Des œufs, des *toasts*, des cretons, de la confiture, alouette.

— Ouais… T'es de bonne humeur à matin! s'exclame Emma en faisant un clin d'œil à son mari. Pour moi, t'as encore rendez-vous avec… Comment ce qu'a s'appelle donc?

— Ah! Je vous le dis pas encore. Si ça marche comme je veux c't'après-midi, j'vas vous l'amener icitte lundi qui vient, à Fête du travail, pis j'vas vous la présenter officiellement.

— Oh! Je prie assez pour toi, mon garçon, pour que ça marche ton affaire. Tu le mérites. Tu le mérites en masse.

— Ouais ben moi, j'sais pas trop si je crois encore à ça, le mérite. Dans le fond, t'as-tu pensé que si je mérite ça maintenant, c'est que je méritais ce qui m'est arrivé l'hiver passé?

Emma ne sait pas trop quoi répondre:

— Tu mélanges toute là! Non, non. On mérite pas nos malheurs çartain, voyons donc! Surtout pas toi, mon garçon.

— Bon ben, dans ce cas-là, on mérite pas plus nos bonheurs. Ça arrive. C'est toute.

— Ben d'accord avec toi, Ti-Louis, réplique son père. Là tu jases.

Louis a fini de cuisiner œufs et *toasts*. Il s'assoit avec ses parents et c'est en parlant de tout et de rien qu'ils mangent joyeusement tous les trois. Après un moment, Louis se lève pour ramasser, mais sa mère l'en empêche.

— Laisse faire ça! J'ai rien que ça à faire à matin, la vaisselle. Va vite faire ta collecte, toi.

— Ouais. T'as pas mal d'adresses à faire, ajoute son père, pis des fois y en a que c'est long sans bon sens. Emprunte d'un bord, chipote de l'autre. C'est pas mêlant, moi, des fois, je venais ben enragé. Me semble que si t'as une tête su'é épaules, tu le sais que le premier du mois, c'est le loyer, bon-yenne! Comment ça se fait que ce monde-là, y le savent jamais? Un vrai mystère…

Georges lâche un long soupir:

— Ah… Que chus donc content de pus m'occuper de ça!

— Je les ai ben avertis, le mois passé, qu'avec moi sont aussi ben d'être prêts! J'ai pas rien que ça à faire dans vie. Je vas collecter à matin ceux qui ont leur argent, pis les autres, y vont devoir venir me payer à ma clinique mardi matin, sans faute.

Sur ces mots, Louis quitte ses parents pour aller finir de se préparer en haut.

* * *

Ce n'est finalement que plusieurs heures plus tard qu'il se retrouve enfin libre, à bord du traversier Tremblay. Avant de partir, il a pris soin de se mettre un pardessus et une écharpe autour de son cou, car c'est assez frisquet au début de septembre sur la rivière. Heureusement, le soleil brille dans un ciel sans nuages. Appuyé au bastingage, il hume avec satisfaction cet air frais et vivifiant qui lui apporte par bouffées tous les parfums du fjord.

Sitôt débarqué sur l'autre rive, il monte dans un taxi, le cœur battant. Rendu devant la maison de Rose, il paye sa course et se dirige rapidement vers la porte d'entrée. C'est le père de Rose qui vient lui ouvrir la porte. Sa femme se tient juste derrière lui.

— Bonjour, monsieur Gauthier, bonjour, madame Gauthier, dit-il poliment en se découvrant la tête.

— Bonjour, monsieur, lui répond le père avec son air sévère habituel.

— Vous pouvez m'appeler Louis, voyons donc.

— On verra ça dans le temps comme dans le temps, coupe le père. Pour astheure, monsieur, c'est ben de reste.

Mme Gauthier, restée derrière, regarde Louis en hochant la tête avec un beau sourire. On la sent habituée à compenser par son amabilité l'attitude rigide de son mari. Elle marche vers le bas de l'escalier et crie à sa fille de descendre :

— Rose ! Ta visite est arrivée ! Dépêche-toi là !

— J'arrive ! J'arrive ! lance Rose en descendant les marches aussi vite que possible en soulevant sa jupe pour ne pas se prendre les pieds dedans.

Mimine la suit.

— Bonjour, Louis, fait Rose d'une voix émue, impression-née qu'elle est de le revoir chez elle une fois encore.

Elle se tourne vers ses parents :

— On va se promener jusqu'à la croix, avec Mimine, comme je vous l'avais dit. On va revenir pas trop tard.

— C'est ben correct, mes beaux enfants, répond la mère en les regardant avec attendrissement se diriger vers la porte. Excitez-vous pas trop là! lance-t-elle à ses filles avant qu'elles sortent.

Elle connaît ses deux plus jeunes. Rieuses et agitées, moqueuses comme dix, elles ne passent pas inaperçues.

— Inquiétez-vous pas, madame Gauthier! J'vas prendre soin d'eux autres.

Les voilà donc partis tous les trois sur le petit chemin de terre battue bordé de maisons à mansardes qui mène jusqu'au bout du cap Saint-Joseph. Louis marche entre les deux jeunes filles. Elles lui désignent certaines maisons en décrivant les familles qui y demeurent. Ici, ce sont des Simard, là des Maltais, là encore des Tremblay, des Bouchard. Le terrain est plat. Un faux plat en réalité, songe Louis. D'abord, le chemin descend légèrement pendant un petit bout de temps, puis il remonte lentement en pente douce jusqu'à un petit raidillon qui donne finalement accès au cran tout en haut du cap. Mimine s'arrête devant la dernière maison à gauche:

— Je pense que j'vas aller faire un tour chez Marie-Louise, lance-t-elle, tout sourire. Comme ça, vous allez pouvoir rester tu-seuls toué deux, ajoute-t-elle d'un air entendu en regardant Rose et Louis à tour de rôle.

Devant l'expression étonnée de Louis, les deux jeunes femmes éclatent de rire.

— C'est une de nos sœurs qui reste là! s'exclame Rose. On vient souvent ici pour voir notre nièce pis nos neveux.

Elle s'adresse à Mimine avec un air complice :

— C't'une bonne idée, certain. Pis prends ton temps là !

Elle se tourne vers Louis :

— Viens ! On va aller jusqu'à la croix.

Elle lui tend la main et ils continuent leur ascension main dans la main.

— C'est vrai que juste toi pis moi tu-seuls, c'est pas mal plus plaisant, fait Louis en se rapprochant de Rose.

Quelques pas encore et ils voient enfin émerger la tête de la nouvelle croix de métal consacrée au Sacré-Cœur de Jésus, installée sur un plateau, plus bas que le sommet du cran. C'est la première fois que Louis vient depuis son élévation cet été en remplacement de la petite croix de bois qui y avait été installée en 1863 pour protéger les gens qui traversaient le Saguenay. Il y a encore de la terre un peu partout, des traces de roues, des machines et d'autres équipements ayant servi au travail. On voit que l'aménagement du site est loin d'être terminé.

— Sais-tu qu'ici même, juste où on est, en plein su'l cran, ajoute Rose, c'était jusqu'à l'année passée la maison de mon oncle Ovide Tremblay, un frère de maman ?

— Ah oui ? fait Louis en regardant le grand terrain vague autour de lui.

— Ils l'ont exproprié pour agrandir la place autour de la nouvelle croix.

— Y devait pas être ben ben content.

— Ah non! Pas tant que ça! Avec les processions, les neuvaines, et toutes les visites de tout un chacun à la croix, mon oncle était pas mal tanné d'avoir tout le temps du monde sur son terrain.

— C'pas à cause! Même si le site est beau, ça devait finir par être plate de jamais avoir la paix chez eux.

Rose est toute à ses souvenirs :

— Si t'avais vu la grosse maison de briques de trois étages… C'tait grand comme un hôtel. Quand j'étais petite, une fois, on était venus toute la famille rester ici un hiver complet avec notre mère pendant que notre père était parti travailler dans le bois. Tu comprends, maman avait peur de rester tu-seule dans notre maison. Le plus drôle, c'est que j'ai jamais réussi à voir toutes les pièces de la maison tellement c'tait grand.

Elle marche quelques pas et s'arrête :

— Juste ici, c'était la façade, explique-t-elle. Une fois, quand j'avais huit ans, à la Fête-Dieu, le curé avait décidé d'ériger un reposoir devant les portes de la maison. J'avais été choisie pour faire un ange. Maman m'avait cousu une belle robe rose. J'étais fière. Tout le monde me regardait et me disait que j'étais belle.

— C'est vrai que t'es belle, Rose. Tu devais être une vraie belle p'tite fille!

Rose sourit avec coquetterie et se tourne vers le paysage plus bas.

— Viens! On va descendre jusque su'l bord.

Ils s'arrêtent un instant devant la croix juchée sur un socle sur lequel sont inscrits les noms des fondateurs de Sainte-Anne. Elle montre un nom sur la liste :

— C'lui-là, Joseph Tremblay, c'est mon arrière-grand-père. Le grand-père de ma mère.

— Ah ! C'est impressionnant ! Comme ça, ça fait quasiment cent ans que ta famille vit par icitte.

— Ben, pas tant que ça. Je pense qu'y est arrivé en 1844, avec tous ses enfants, y en avait eu onze avec deux femmes différentes. En tout cas, c'est ça que maman m'a conté.

— Penses-tu que c'est vrai que c'est la croix qui a arrêté le grand feu de 1870 juste avant d'arriver à Sainte-Anne ? demande Louis.

— C'est ça qu'y disent, répond Rose, avant d'éclater de rire. Mais je le sais pas, j'étais pas là.

— Pis moi non plus, répond Louis en se mettant à rire lui aussi.

Bientôt, un magnifique panorama s'offre à eux. Les Laurentides au loin, complètement au bout de l'horizon, la forêt dense, puis de vastes terres, mélangeant telle une toile de peintre les multiples tons de vert parsemés de touffes de rouge, de rouille et de jaune ici et là, dévalant en plateaux jusqu'à la petite reine du Nord, tout en bas à gauche, Chicoutimi. De cet endroit, on pouvait très bien voir l'importance, comme site de fondation, de l'embouchure de la rivière Chicoutimi qui se jette dans le Saguenay. C'est comme un petit lac autour duquel on a construit tout en pentes et en paliers des centaines de maisons au fil des ans. C'est là que vivent les ouvriers de la Compagnie de Pulpe, avec la ville vers la gauche et la rue Racine, ses magasins et ses commerces, qui s'étire, monte et redescend tout au long de la rive jusqu'à Rivière-du-Moulin. Celle-ci s'étire elle aussi jusqu'à une côte très abrupte qui monte vers un quartier paisible de résidences secondaires appelé Saguenayville.

En se penchant vers l'avant, Louis aperçoit tout en bas le long couloir d'eau presque noire du Saguenay qui s'étale et se déploie des deux côtés pour disparaître finalement à l'horizon. Il est déjà venu ici avec ses amis ou ses frères, mais jamais il n'avait observé qu'on pouvait voir le Saguenay réapparaître en boucle, sur la gauche, de l'autre côté du cap Saint-François, juste devant les monts Valin.

— Regarde en bas, juste ici ! lance Rose en s'avançant vers la balustrade à gauche. C'est le site principal de Sainte-Anne. C'est là que j'suis née, à côté de l'église, dans une vieille école que mon père avait achetée.

Louis se serre étroitement contre Rose et regarde dans la direction qu'elle lui indique avec son index. Il demande :

— À cause que vous êtes pas restés là ?

— On avait pas le choix ! Y ont voulu reprendre l'école, pis y ont offert à papa en échange une plus grande maison située sur une terre dans le rang deux. Mais ç'a pas duré très longtemps ça non plus. Papa, y était ben que trop bohème pour avoir soin d'une terre. Pis maman, a voulait absolument revenir au village pour nous inscrire au couvent des sœurs, Mimine pis moi. C'est comme ça qu'on a finalement déménagé dans notre maison actuelle.

Rose hausse les épaules, en jetant un regard à Louis :

— C'est là que papa a cessé d'aller dans le bois, pis qu'y s'est mis encore plus à acheter pis à vendre des chevaux. Une fois, y a vendu Daniel, notre cheval préféré à toute la famille. Je pense qu'y devait avoir pris un p'tit coup pour faire une affaire de même. Entouècas, c'tait la première fois que je voyais maman pleurer. Une autre fois, y a vendu notre chien Mousse à un gars de Bagotville. Mon Dieu qu'on a pleuré ! Mais crois-moi, crois-moi pas, devine qui c'est qu'on a vu revenir, la langue à terre, que'ques semaines plus tard ? Mousse. Y nous avait retrouvés.

Rose se met à rire. Louis est sous le charme. Il observe sa nouvelle amie raconter ses anecdotes avec tant de vivacité, tant d'aplomb, sans trop savoir quoi penser de toutes ces histoires.

— À cause tu penses qu'y faisait ça ton père ? demande-t-il.

— Y peut pas s'en empêcher, on dirait, rétorque-t-elle en secouant la tête. Y achète des affaires, pis y les revend. C'est de même. Depuis que'ques années, c'est encore des chevaux, mais aussi ben des voitures, toutes sortes de *waggines*, de *sleigh* pis de carrioles. C'est un travail pour lui. Y a plein de monde qui le demande pour faire des voyages, surtout les Indiens l'automne quand y ferment leurs camps d'été à côté de l'église.

— Comment ça, des Indiens par icitte ?

— Tu savais pas ça ? Chaque année, les Indiens viennent installer leur campement au mois de juillet juste à côté du presbytère. Y viennent surtout pour la neuvaine à la bonne sainte Anne, mais y viennent aussi pour être proches de la ville, pis en fin de compte y passent l'été. Y en a que'ques-uns qui viennent chez nous. Maman les fait entrer, a leur donne des galettes pis a leur parle. Sont fines, les Indiennes. Une fois, mon père en avait embarquée une, enceinte. A s'en allait retrouver son mari dans le bois. Les chemins étaient cahoteux et ça brassait pas mal fort dans le *buggy*. À un moment donné, a lui a demandé d'arrêter un peu. A débarqué pis, pas ben ben longtemps après, est revenue. Imagine ! Avait son bébé dans les bras. Papa, y en est pas encore revenu.

— Ouais, ç'a pas l'air compliqué eux autres d'accoucher.

Louis sourit à Rose et indique un banc tout près d'eux :

— Viens, Rose ! Viens t'asseoir un peu à côté de moi ! dit-il en lui prenant la main et en l'entraînant jusqu'au banc. Tu parles bien. Tu racontes bien. T'es belle, t'es tellement belle, Rose.

Elle rit, un peu gênée.

— J'ai quequ'chose à te demander, Louis.

— Demande ! J'vas toute faire pour te contenter.

Elle pointe le jonc qu'il porte toujours au petit doigt.

— C'est quoi ça ? Pourquoi tu portes un jonc de même ?

Louis baisse la tête, regarde le fameux jonc jamais porté par celle à qui il était destiné. Il le touche sans parler quelques secondes, puis l'enlève lentement.

— J'ai déjà failli me marier, dit-il en faisant tourner le jonc entre ses doigts. Ma fiancée est morte juste avant le jour du mariage.

Il hausse les épaules et reste silencieux quelques secondes.

— Après, chus parti vivre aux États-Unis chez mon frère le plus vieux.

— Ça fait-tu longtemps?

Louis secoue la tête sans vraiment répondre.

— C'est du passé toute ça, Rose. C'est pus important astheure, dit-il en glissant le jonc dans la poche de son veston. Là chus avec toi icitte, pis chus ben heureux.

Il se tourne vers elle et place doucement ses mains de chaque côté de son visage illuminé de soleil. Il la regarde un moment, puis il pose ses lèvres sur les siennes avec émotion. «Ma belle Rose», murmure-t-il tout bas, embrassant ses paupières, lentement, une à la fois, son front, le bout de son nez et ses joues, délicatement. Lentement, il s'écarte un peu pour la regarder avec des yeux remplis d'affection.

— J'ai des sentiments pour toi, Rose, le sais-tu?

Elle hoche la tête, visiblement émue, sans dire un mot.

— J'ai des sentiments sérieux, ajoute-t-il.

Il place alors son bras autour des épaules de Rose qui y appuie spontanément sa tête. Pleins de tendresse, ils restent là, blottis l'un contre l'autre, contemplant le panorama. Louis se sent soulagé d'avoir confié son gros secret. Il n'a rien à cacher, mais inutile d'en dire trop. *Tout est parfait comme ça*, se dit-il.

— J'aimerais ça te présenter à mes parents lundi, propose-t-il.

— Oui certain! J'aimerais ça. Mais… Lundi? J'sais pas trop… L'école commence le lendemain. Ça adonne pas vraiment. Faut que je me prépare, tu comprends. J'aimerais mieux la semaine prochaine.

— Samedi prochain d'abord? Dans l'après-midi. Ça te va-tu?

— Oui, samedi, c'est parfait.

— Bon ben, j'vas venir te chercher après dîner, dit-il en la serrant plus fort contre lui. Pis d'icitte là, si tu veux, j'vas venir te voir de bonne heure les bons soirs.

— Oui, Louis. Comme tu veux. J'vas t'attendre.

Chapitre 14

Louis n'a jamais aussi souvent pris le traversier que depuis les quinze derniers jours. Que le quai soit situé juste au bout de la rue Racine, tout près de chez lui, fait bien son affaire. Il peut s'y rendre à pied sans effort. Mais que fera-t-il lorsque, bientôt – on parle des dernières semaines de novembre qui vont venir trop vite –, le service sera interrompu ? Il y a souvent un long délai entre cet arrêt de service et la construction du pont de glace qui relie les deux rives jusqu'au printemps. Il faut parfois plusieurs semaines avant que sa structure soit assez solide pour y circuler en sécurité. Il n'ose pas trop y penser.

Ce samedi-là, Louis et Rose viennent tout juste de débarquer du bateau et ils marchent côte à côte, passant devant les belles demeures de riches qui forment une espèce d'allée victorienne jusqu'au coin de la rue Sainte-Anne. Ce n'est qu'après cette rue, qui divise symboliquement la ville d'est en ouest, que la rue Racine prend son aspect plus commercial. Des bâtisses de deux ou trois étages la bordent, toutes construites un peu sur le même modèle : des magasins ou des commerces avec vitrines au rez-de-chaussée, de grandes galeries au premier qui font toute la largeur de la maison, souvent incluses dans la structure ou parfois construites en extension au-dessus des trottoirs, et pouvant servir d'abri aux passants en cas de pluie.

Regardant au loin, Rose aperçoit la silhouette d'un homme de grande taille, aux cheveux et au teint foncés, qui les regarde venir. Elle a souvent aperçu cet homme debout devant son magasin, un commerçant juif, a-t-elle toujours pensé. Aussitôt, Louis lève son bras et lui fait un grand signe de la main. Rose l'observe, étonnée, puis regarde l'homme au loin.

— C'est mon père, déclare Louis, tout heureux.

Rose n'en revient pas. Non seulement connaît-elle cet homme de vue depuis longtemps, mais elle reconnaît également la maison, l'épicerie en bas, la boucherie, le magasin de coupons et l'escalier extérieur dont les trois premières marches dépassent sur le trottoir. Un jour qu'elle se promenait avec Mimine en se moquant d'un homme qui marchait devant elles avec un pantalon beaucoup trop court, elle avait tellement ri qu'elle s'était accroché les pieds dans l'escalier, faute de l'avoir vu à temps. Les voilà maintenant arrivés près de Georges.

— Papa, je te présente Rose. Rose Gauthier.

— Enchanté, mamoiselle.

Georges la salue d'un signe de tête en signe de respect.

— Enchantée, monsieur Bergeron, répond-elle avec aplomb, malgré le fait qu'elle se sente un peu intimidée.

Georges s'adresse à Louis :

— Montez ! dit-il. Montez ! Maman est en haut. A vous attend. Moi, j'vas aller vous rejoindre dans que'ques menutes.

Il esquisse un petit sourire à Rose :

— J'ai quequ'chose à régler avant.

Rose lui rend son sourire et se dirige vers l'escalier. Si quelqu'un lui avait dit qu'un jour elle monterait ces marches avec le fils du propriétaire, ce fameux Juif qui l'impressionnait tant, elle ne l'aurait jamais cru. Elle se voyait déjà en train de raconter tout ça à Mimine, ce soir. Une fois en haut sur la galerie, elle a droit à un point de vue inédit sur les activités de la rue. Tout est si nouveau, si saisissant. Elle a l'impression d'être dans l'un de ces rêves singuliers qu'elle fait depuis qu'elle est toute petite. Des rêves vrais qui racontent des histoires tout en couleurs, avec des objets, des décors, des personnages vivants qui viennent vers elle, des phrases qu'elle entend parfois, supposément très importantes, mais qu'elle oublie pourtant dès son réveil. Aujourd'hui, elle serait l'héroïne d'un roman d'amour au bras d'un beau et riche héros, comme dans un livre de Zola, Balzac ou Hugo, qu'elle lit avec ferveur depuis plusieurs années.

Aussitôt qu'ils ouvrent la porte, Louis et Rose sont accueillis par Emma, qui leur tend les bras avec une expression proche du ravissement.

— Bienvenue chez nous, chère enfant ! dit-elle en souriant. Ti-Louis, mon garçon ! Ah ! Que chus donc contente de vous voir ! Entrez ! Entrez !

Elle s'approche d'eux en claudiquant légèrement et place ses mains sur leurs bras en les entourant tous les deux comme s'ils étaient d'ores et déjà une seule entité.

— Venez ! On va s'asseoir dans le salon. Georges va venir nous trouver tantôt.

— On vient de le voir en bas, justement. Y était dans rue. Pour moi, y nous surveillait! dit Louis en riant un peu nerveusement. Maman, je te présente Rose. Rose Gauthier.

— Enchantée, mamoiselle, dit-elle en prenant sa main dans les siennes. Je vous dis qu'on avait hâte de vous connaître. Mais assoyez-vous donc!

Emma s'assoit elle-même dans son fauteuil près de la fenêtre, pendant que les deux amoureux s'installent l'un près de l'autre sur le divan.

— Louis m'a dit que vous étiez maîtresse d'école?

— Oui. Ça fait quatre ans que je fais l'école.

Emma sourit en hochant la tête.

— Vous devez en savoir des choses, alors! Pis vos parents, y s'appellent comment?

— François Gauthier et Louise Tremblay. P't-être que ça va vous dire quequ'chose, ma mère, c'est la fille de Jos Tremblay Cornet.

— Ben sûr que ça me dit quequ'chose! Vous êtes la petite-cousine du Dr William. Ton ami, Ti-Louis! Son grand-père, Alexis Tremblay Kessy, c'est le frère de son grand-père Jos.

Emma sourit, elle se sent déjà en famille. Rose se montre très intéressée par tous ces liens familiaux, si nombreux dans la région.

— En fait, c'est le vieux Joseph Tremblay Cornet qui est arrivé icitte le premier, continue Emma. Son fils Jos, votre grand-père, a gardé son nom, Tremblay Cornet, et ses trois autres fils s'appellent Tremblay Kessy, Lucon et Émilien. C't'eux autres qui ont quasiment fondé pis peuplé Sainte-Anne. Même que, dans ce temps-là, ça s'appelait Canton Tremblay, à cause de toutes ces Tremblay-là.

Ils rient un peu tous les trois.

— Mon père, lui, y venait de Saint-Irénée, ajoute Rose. Y est arrivé à Sainte-Anne, y avait dix-huit ans. Y a connu maman, pis y l'a mariée.

— Avez-vous ben des frères pis des sœurs, mamoiselle Rose ?

— Maman a eu douze enfants, mais a l'en a perdu cinq. Deux filles, pis trois garçons. Y en reste juste un, garçon, Gonzague. Ça se trouve à être le plus jeune de la famille. A dit qu'a va le garder avec elle toute sa vie.

Emma l'écoute en silence, ne comprenant que trop bien de quoi Rose parle.

— Quand j'suis née, poursuit Rose, mon frère Patrick, qui avait onze ans, a fait une méningite. Maman priait pour que le bon Dieu vienne me chercher à sa place. Mais le bon Dieu, y a pas voulu de moi. Pis mon frère est mort, pis moi, ben, chus restée en vie.

Elle rit un peu. Inconsciente du fait que son récit ait pu provoquer quelque réminiscence chez Louis et sa mère, Rose pose son regard sur une immense photo encadrée accrochée au mur en face d'elle. Le cadre large et doré, de style baroque, est presque aussi haut que le mur. Deux jeunes hommes sont debout à l'arrière. L'un est droit comme un I, le visage plein de confiance avec une belle moustache aux pointes retroussées, le second, plus grand, a le front large et un air un peu arrogant. Tous deux sont en habit d'apparat comme s'ils assistaient à un bal. Trois jeunes femmes sont assises en avant-plan. Elles portent des coiffures montées très souples, très larges, avec des cheveux qui retombent mollement sur les côtés de leur visage. Leurs robes et leurs bijoux sont splendides.

— C'est mes cinq plus vieux, déclare Emma, qui a remarqué l'intérêt de Rose pour la photo.

Louis se lève et indique du doigt chaque personne en la nommant:

— Mes deux frères les plus vieux, Pit, celui qui reste aux États-Unis, et Arthur le forgeron. Et là, c'est mes trois sœurs les plus âgées, Alida, Marie-Louise et Héléna. Toué cinq sont mariés ça fait un boute.

Rose sourit, sans trop savoir quoi dire. Elle est assez impressionnée. Ce qu'elle souhaite surtout, c'est retenir quelques détails des toilettes des trois jeunes femmes, les cols, les manches bouffantes, les jabots, les bijoux, pour mieux s'en inspirer un jour pour ses propres toilettes.

Des pas sur la galerie annoncent l'arrivée de Georges. Emma fait mine de se lever:

— J'vas aller chercher le plateau que j'ai préparé.

Louis se lève aussitôt:

— Laisse faire, maman. J'vas y aller, moi.

— Toute est su'a table. T'as juste à apporter le plateau.

Elle sourit à Rose :

— J'ai faite des beaux petits biscuits sablés et j'ai préparé du thé. Aimez-vous ça ?

— Oui, oui. J'aime ben ça.

Dès que Georges pénètre dans la pièce, l'atmosphère s'anime. Il semble très fier de son coup :

— J'ai enfin attrapé mon bonhomme, Maltais, lance-t-il d'une voix forte. Je le savais qu'y allait venir se chercher des affaires à l'épicerie après-midi. Je l'attendais su'un moyen temps. Ben cré-moi, cré-moi pas, il l'a enfin payé sa bon-yenne de facture !

Il regarde Rose :

— Oups ! Excusez-moi, mamoiselle. Chus pas ben ben poli.

— Y a pas d'faute, voyons donc, monsieur Bergeron ! Des fois, j'en entends des ben pires à l'école. Mes élèves les plus vieux, y ont quasiment quinze, seize ans, pis y sacrent des fois juste pour me faire fâcher.

Georges la regarde d'un air sérieux :

— Pis en fin d'compte, mamoiselle Rose, est-ce que vous vous fâchez ben souvent ? lui demande-t-il avec un clin d'œil complice à Louis qui revient avec le plateau.

Rose rougit. Elle ne sait pas trop quoi répondre. Il faut dire qu'elle est assez soupe au lait, et autoritaire, c'est sûr. Il le faut bien, quand on fait la classe. Mais doit-elle tout dire ?

— Ben, des fois je me fâche c'est sûr… Comme tout le monde, j'sais ben.

Elle hausse lentement les épaules avec un air un peu dépité.

— Ben là Georges! Tu vas pas commencer à agacer notre invitée, intervient Emma en présentant le plateau à sa précieuse convive. Occupez-vous pas de lui, Rose! Tenez! Prenez un biscuit. Pis j'vas vous verser une bonne tasse de thé. Tenez!

Ils mangent et boivent un petit moment sans parler. Louis relance la conversation:

— Raconte Rose, ce que tu m'as conté l'autre jour sur la sœur de ta mère!

— Tu penses?

— Oui, oui. Envoye, raconte!

— C'est l'histoire de ma tante Marie Tremblay, la plus vieille de la famille. Dans le fond, c'est la demi-sœur à maman parce que mon grand-père s'était marié une première fois, pis y avait juste eu c'te fille-là. Bon, en tout cas, un bon jour, avait pas encore dix-huit ans je pense, est partie à pied avec un dénommé Joseph Fleury de par chez nous, pis sont allés fonder Mistook à pied. Y ont marché trente-trois milles de long, dans le bois pis dans des petits chemins de terre. Depuis ce temps-là, on l'a jamais revue par chez nous.

— Ouais… Une vraie femme forte de l'Évangile, celle-là! remarque Georges. Vous êtes pas des p'tites natures dans votre famille, j'cré ben!

— Non, non, répond Rose, un peu gênée. Pas tant qu'ça.

Elle rit un peu :

— Moi, en tout cas, j'suis pas aussi forte que ça.

— Ah… Des fois, on est plus forte qu'on pense, affirme Emma en déposant sa tasse sur le plateau. Voulez-vous visiter un peu la maison ? demande-t-elle à Rose. Ti-Louis ! Fais-y donc faire le tour ! Vous allez voir qu'on a une grande maison.

— Ah oui ! J'aimerais ben ça.

— Allez-y ! On va vous attendre icitte. Soyez pas partis trop longtemps, par'xemple !

Louis et Rose se lèvent et vont vers la cuisine qui fait tout l'arrière de la maison. Machinalement, Rose se dit que, si elle était chez elle, elle diviserait un peu tout ça, elle ferait deux coins, la cuisine comme telle et un coin salle à dîner au lieu de laisser la table en plein milieu de la pièce. *Ce serait mieux,* pense-t-elle. Louis lui montre ensuite l'entrée par-derrière avec le vaste *backstore* qui fait également toute la largeur de la bâtisse. Aussitôt, elle imagine la porte au milieu et non au fond de la pièce avec un *backstore* à moitié moins grand pour faire entrer plus de lumière dans la pièce. Il lui montre rapidement la chambre de ses parents avec sa toilette attenante et l'autre grand salon double. Il l'amène ensuite en haut où elle découvre les sept chambres et la grande pièce qui sert de chambre à Louis et qui ressemble à un appartement indépendant. Elle se voit bien ici, avec la salle de bain tout près, la grande baignoire et ce bain d'orage étonnant qu'elle aimerait tant essayer.

— C'est beau chez vous! C'est grand! dit-elle en riant un peu. C'est quasiment plus grand que chez mon oncle Ovide.

— Ben oui, répond Louis en riant aussi un peu. Viens! Approche!

Elle avance vers lui, un peu gênée.

— Ça me fait tout drôle de te voir icitte avec moi. C'est comme dans un rêve.

— Moi si tantôt, c'est comme ça que je me sentais. Comme dans un rêve.

Ils rient tous les deux et s'embrassent, un peu mal à l'aise d'être tout seuls en haut.

— Viens! fait Louis. On va retourner en bas avant que maman s'inquiète.

Ils marchent vers l'escalier et descendent quelques marches côte à côte. Naturellement, Rose met son bras sous celui de Louis. Elle se sent bien ici. Est-ce ainsi que va se décider son destin? *Il y a des possibilités*, se dit-elle. *De bien belles possibilités.*

Chapitre 15

Louis travaille de plus en plus fort à sa clinique. Ses amis Richard Warren et William Tremblay lui envoient des clients, surtout William qui, en sa qualité de médecin, diagnostique souvent des problèmes de vision chez ses patients, jeunes et moins jeunes. Le bouche-à-oreille donne également de bons résultats. Évidemment, le local accueillant avec vitrine sur la rue Racine fait en sorte que bien des gens entrent en passant, quelques-uns acceptant l'invitation de se faire ajuster la vue. Louis aide encore sa mère de temps en temps. Il doit aussi parfois courir après quelques mauvais payeurs pour son père et s'occuper de paiements à faire, mais heureusement Georges veille encore au grain car, bien que doté d'une excellente volonté, Louis est en réalité beaucoup plus doué pour dépenser que pour générer et surtout gérer des entrées d'argent.

Depuis quelques semaines, Louis a encore plus la tête ailleurs. À tout moment, le jour, le soir, la nuit, une grosse bouffée de bonheur lui explose dans le cœur quand il pense à Rose, à son existence sur terre, au fait qu'il l'ait connue, qu'elle soit pratiquement venue se jeter devant lui, qu'il lui ait parlé, qu'il soit allé ensuite la reconduire, qu'il l'ait embrassée. Cette histoire, qui lui revient à l'esprit régulièrement, tient du miracle selon lui et représente à ses yeux la chose la plus précieuse qui existe actuellement sur terre. Ce que Rose a raconté aussi l'autre jour à sa mère – à propos de sa naissance et de la mort presque au même moment de son petit frère d'une méningite, cette maladie foudroyante qui a emporté Angéline – lui est apparu comme une grande compensation divine à son égard. *Si elle est restée en vie,* se dit-il, *ce n'est que justice, c'est pour être avec lui, pour faire partie de sa vie, pour qu'il puisse l'aimer et la chérir tout au long de son existence.*

C'est ainsi que, l'autre matin, il a décidé d'aller porter son jonc chez le bijoutier pour le faire complètement remodeler. Ce dernier lui a promis quelque chose de spectaculaire. Il lui a montré des bagues aussi, pour les fiançailles. Spontanément, il en a acheté une avec un beau diamant. Il a son plan. Plus tôt cette semaine, il est allé chercher trois billets pour une croisière sur le Saguenay qui se rendra jusqu'à la statue de la Vierge érigée en haut du cap Trinité. Un beau samedi passé sur l'eau à pénétrer toujours plus profondément dans le fjord au milieu des caps et des impressionnantes murailles de roc pour ensuite revenir lentement vers l'estuaire de Chicoutimi. Cette croisière est exceptionnelle à ce temps-ci de l'année. Tout Chicoutimi, ou presque, devrait y être. Il a invité Rose, ainsi que Mimine comme chaperon bien sûr, à l'accompagner. *Est-ce trop vite pour la demander en mariage?* Il ne se pose pas la question. *Est-ce un peu fou? Peut-être.* Mais tout à sa passion, il ne ressent en lui aucune hésitation. En réalité, il n'a qu'une seule envie et c'est de se marier avec Rose. Et rien ni personne ne pourra l'en empêcher.

* * *

Ce samedi-là, Rose et Mimine ont pris un taxi pour descendre jusqu'au traversier. Il était entendu que Louis les attendrait au quai de la traverse de Chicoutimi et qu'ils se rendraient ensuite tous les trois en taxi jusqu'au quai de croisière situé au pied de la côte Salaberry. Depuis le matin, tout se passe comme prévu. L'embarquement se fait dans les règles. Nos trois croisiéristes sont judicieusement vêtus d'une bonne couche de laine et d'un pardessus qu'ils pourront enlever ou remettre selon la force et la froidure des vents. Au beau milieu du fjord, dehors sur le pont, la température peut surprendre. Surtout lorsqu'on est presque à la fin de septembre comme aujourd'hui.

Embarqués tôt sur le bateau, ils s'installent sur le pont pour regarder les gens arriver et traverser la passerelle. Plusieurs sont en famille, avec femme et enfants. L'arrivée du député Delisle crée un certain émoi. Celle de Jean Grenon et d'Héléna, accompagnés de leurs quatre plus vieux et de leur bonne, ne passe pas non plus inaperçue. Des médecins, des notaires, différents notables se présentent à tour de rôle sur la passerelle. L'arrivée du maire Joseph-Dominique Guay survient également sous les applaudissements d'une foule de badauds venus voir l'embarquement. Il faut dire que c'est un maire très apprécié de tous. Il a fondé le journal le *Progrès du Saguenay*, a participé à la fondation de la Compagnie de Pulpe qui fournit du travail à au moins mille hommes, en plus d'avoir été maire une première fois pendant sept ans déjà. Facilement réélu l'année précédente, il a fait beaucoup pour la ville et les gens lui en sont reconnaissants.

Vers neuf heures, le bateau largue enfin les amarres.

— Venez! lance Louis. On va entrer en d'dans un peu.

Passant devant ses compagnes, il leur ouvre le passage vers la porte.

— Bon! Icitte y fait chaud. Ça fait du bien. Venez! On va aller s'asseoir dans le p'tit salon. Y a des grandes fenêtres, on va pouvoir observer Saint-Fulgence en passant tantôt.

Ils se frayent tous les trois un chemin jusqu'à une table vide.

— Bon ben! C'est que vous allez boire? demande Louis.

— On va prendre deux limonades, dit Rose en esquissant un petit sourire vers sa sœur.

— *Of course!* fait Louis en se dirigeant immédiatement vers le bar.

Les deux jeunes femmes sont un peu à court de mots. Impressionnées, elles ne savent plus vraiment où regarder tant il y a de monde sur place.

— As-tu d'jà vu une affaire de même? lance Rose à sa sœur. Une chance que Louis nous a trouvé une table.

— Oui, une chance, répond Mimine, tout excitée de se retrouver parmi tout ce monde chic.

— Je me demande si on connaît quéqu'un, déclare Rose dont le regard curieux scrute les visages autour d'elle.

Elle croise alors le regard d'un cousin qu'elle n'a pas vu depuis quelques années. Il lui sourit aussitôt et se dirige vers elle d'un pas ferme:

— Mais si c'est pas les deux petites filles de ma tante Louise, déclare-t-il d'une voix forte en s'avançant vers elles.

— Bonjour, Ti-John! répondent Rose et Mimine en chœur. Ça fait longtemps qu'on t'a pas vu!

— Trois ou quatre ans. J'sais pus. Je travaille tout le temps.

Il éclate de rire. Il se penche et les embrasse toutes les deux sur les joues :

— Eille ! Vous êtes ben rendues belles femmes, toué deux. Pis, comment vont ma tante pis mon oncle ?

— Y vont très bien. Pis toi ? On a vu ta mère, ma tante Josette, c't'été. Avec c't'affaire-là de l'élévation de la croix su'l cap, y a eu ben du monde qui sont passés par chez nous. Ètait avec ton père. Je te dis ! On dirait qu'y vieillit pas, lui.

Louis arrive alors avec les verres de limonade qu'il dépose sur la table. Il se présente :

— Bonjour ! fait-il en tendant la main. Louis Bergeron. C'est moi le chanceux qui'es accompagne.

— John Murdock, leur cousin, répond l'autre en lui serrant la main. Chus venu tu-seul. Ma femme était pas ben, pis j'avais du monde à voir.

— Ben, assoyez-vous donc que'ques minutes !

— Oui, oui ! dit Rose. Assis-toi un peu, Ti-John ! On va jaser. Ça fait tellement longtemps qu'on s'est pas vus. Pis, as-tu encore ta concession de bois su'a rivière du Moulin ?

— Ben sûr ! répond-il. Chus fournisseur pour la Pulperie de Chicoutimi.

— Avez-vous peur que ça ferme ? questionne Louis. V'là deux ans… ça avait l'air de mal aller c't'effrayant !

— C'était la crise dans le papier, répond-il. Les prix avaient ben qu'trop baissé. Crisse! Ça valait quasiment pus a peine de produire.

— Pis là, c'tu mieux? interroge Louis.

— Ben j'sais pas… Y en a qui disent que Dubuc a trop investi pour s'agrandir. Mais moi, je dis que c'est pas ça le vrai problème.

Il marque un temps en les regardant tous les trois, puis reprend:

— Le vrai problème, c'est qu'y est allé vendre des parts à Price. C'est que tu veux? Lui, ça fait longtemps qu'y veut reprendre le contrôle de la place. Là y vient de finir de construire son nouveau barrage su'a rivière Chicoutimi…

— Pis, c'pas une bonne affaire ça, le barrage?

— Heu… Pas vraiment.

John hésite, puis il se lance:

— J'vas l'dire comme je le pense. En fait, j'ai quasiment peur qu'y mette Dubuc en faillite.

— Batinse! Ça serait terrible, ça! Y fera pas ça. Aussi ben dire qu'y ferme la ville.

— Ah! Mais t'sais, eux autres, sont pas d'icitte. Tout ce qu'y veulent dans le fond, c'est le bois. Si y ont pas d'concurrence, y vont juste faire plus d'argent. C'est toute.

— Ouais… Pis toute l'argent va s'en aller à Londres, pis à Montréal. Pis le monde d'icitte, y vont crever.

— Ben, c'est sûr que si la Pulperie ferme, ça va faire mal en estie. Mais moi, t'sais, je devrais pas trop pâtir de ça. Du bois, je peux en vendre autant à Price qu'à Dubuc. Pis en plus, ben... Y a pas juste le bois.

Son regard s'illumine, puis il poursuit :

— J'ai d'autres plans. Depuis quequ'temps, j'ai commencé à acheter des maisons à logements. Ça va être ben payant, ça, à longue. Pis je veux me lancer dans les assurances aussi. Pas tu-suite là, mais y a de l'argent à faire là'dans c'est sûr. Entouècas, c'est pas les idées qui manquent, ajoute-t-il en se frottant les mains.

— Ouais... J'savais pas ça que Rose avait un cousin qui avait autant d'ambition !

Louis fait un clin d'œil à Rose.

— Dans notre famille, y en a de toutes les sortes, répond-elle fièrement.

John se lève et les salue chaleureusement. Il vient de voir arriver Delisle dans le petit salon et il a des choses à lui demander.

— Salut ben, les cousines ! Un beau bonjour à ma tante Louise pis à mon oncle François. Enchanté de vous avoir connu, monsieur Bergeron.

— Moi de même. À une prochaine !

Ils le regardent s'éloigner dans la foule d'un pas décidé et s'adresser au député comme s'il le connaissait très bien. Quel homme ambitieux, visionnaire, aussi à l'aise avec les grands qu'avec les petits ! *Il ira loin,* prédit Rose.

Pendant ce temps, défile à l'extérieur le paysage coloré de l'automne. Beaucoup de jaune, de l'orangé qui brille de mille feux, encore quelques rares touches de rouge flamboyant. La saison est déjà avancée, la chute des feuilles va bientôt se terminer. Ils ont maintenant dépassé Saint-Fulgence. Déjà, les hautes montagnes du cap Jaseux commencent à imposer leur saisissante beauté.

— Faudra pas manquer Sainte-Rose-du-Nord, rappelle Louis. C'est tellement impressionnant de voir c'te p'tit village de rien du tout bâti en bas des grosses falaises abruptes du fjord. Quand on le voit d'un bateau, on dirait qu'on peut pas croire à ça.

Louis regarde à nouveau autour de lui dans le petit salon. Il aperçoit sa sœur Héléna un peu plus loin. Ils se font un signe de la main. Il sourit aux enfants et salue de la tête son mari, Jean Grenon, qui semble discuter à bâtons rompus avec le maire. Héléna s'avance maintenant vers lui.

— Bonjour, Louis ! lance-t-elle, visiblement très curieuse de connaître ses deux jeunes compagnes.

— Héléna ! répond-il en se levant à demi de sa chaise. Il se tourne vers Rose. C'est ma sœur Héléna. Héléna ! Je te présente Rose Gauthier et sa sœur Hermine.

— Enchantée, fait Héléna, avec un sourire à la fois cordial et quelque peu distant.

— Enchantée, répond Rose, un peu mal à l'aise devant cette dame d'une rare élégance en qui elle reconnaît l'une des trois femmes figurant sur l'immense photo vue dans le salon chez Louis.

— J'ai pas le temps de rester, précise Héléna aussitôt. J'étais juste venue vous saluer.

Souriant aux deux jeunes femmes, elle se tourne avec une certaine emphase vers son frère.

— Tu comprends, Ti-Louis, je suis avec Jean et les enfants, et nous sommes avec le maire.

— Pas de problème! Tu salueras Jean de ma part, déclare Louis, habitué aux manières un peu hautaines de sa sœur.

Sans rien laisser paraître, il se tourne vers Rose et Mimine:

— Bon ben, nous autres, si on allait faire un tour su'l pont? Y fait beau soleil dehors!

— Pas moi, coupe Mimine. Allez-y tu-seuls vous autres! Moi je vas rester ici. Chus ben au chaud, le paysage est beau, pis j'vas garder la table.

— OK! On restera pas longtemps.

Rose et Louis se lèvent et se dirigent vers la porte qui donne sur le pont. Louis est fébrile. Il se demande s'il pourra mettre son plan à exécution. Avant de sortir, il aide galamment son amie à mettre son manteau.

— Bon! Attache-le bien astheure! Ça se peut qu'y vente fort dehors.

Ils sortent et une première bourrasque les surprend, leur donnant l'heure juste sur le climat qui règne au milieu du fjord. Riant aux éclats, tenant leur chapeau à deux mains, ils font rapidement quelques pas pour se mettre à l'abri du vent près de la cabine de la capitainerie.

— Ah… Icitte on est mieux ! s'exclame Louis. Viens encore plus proche ! Tiens ! Place-toi contre le mur. Tu vois ! Sans le vent, on est vraiment bien au soleil.

C'est vrai qu'ils sont bien maintenant, tout près l'un de l'autre, comme dans un doux cocon inondé de lumière. Louis passe son bras autour des épaules de Rose :

— J'ai quequ'chose pour toi, Rose, dit-il en hésitant. C'est quequ'chose à quoi je pense quasiment depuis que je te connais.

Il la regarde avec beaucoup de sérieux.

— D'abord, je veux te dire que je t'aime, Rose, que je t'ai aimée la minute que je t'ai vue, pis que j'vas t'aimer toute ma vie si tu le veux.

Il la serre plus fort contre lui pendant un moment. Puis il s'éloigne un peu et glisse la main dans sa poche. Il en ressort une petite boîte facilement reconnaissable. Il ouvre la boîte et la lui tend :

— Veux-tu me faire le grand honneur, Rose, de bien vouloir devenir ma femme ? demande-t-il en faisant mine de se mettre un genou par terre.

Même si Rose s'y attendait un peu, elle se sent subitement très émue. Elle y a pensé, elle aussi, bien des fois, depuis presque le premier jour, dans le fond. C'était du sérieux avec Louis, elle l'a tout de suite su. Chaque fois, elle se voyait répondre oui. C'est tout de même avec des papillons dans l'estomac qu'elle lui donne sa réponse :

— Oui, Louis, répond-elle en souriant. Oui, je veux être ta femme.

Louis sort la bague de son coffret et la passe au doigt de sa bien-aimée. La mesure est bonne. Il avait bien remarqué comment Rose avait les doigts longs et fins. Celle-ci tend sa main devant elle, impressionnée par sa nouvelle bague.

— T'es fin, Louis, dit-elle en le regardant, un peu gênée. Moi aussi, t'sais, j'ai des sentiments pour toi. Pis on dirait que je l'ai toujours senti qu'on allait se marier vite, dès que je t'ai connu j'ai pensé ça.

Elle lui sourit en faisant miroiter le diamant à son doigt.

— Chus vraiment contente, ajoute-t-elle en riant un peu. Imagine tantôt, quand Mimine va voir la bague. A n'en reviendra pas certain !

Il rit avec elle, tout fier :

— Astheure que j'sais que tu veux, on va pouvoir le dire à tout le monde, qu'on se marie.

— Oui, certain ! lance Rose en faisant briller sa bague encore une fois. Pas plus tard qu'à soir, j'vas le dire à mon père, pis à ma mère, qu'on se marie toué deux.

— J'vas aller te voir demain après-midi, pis j'vas quand même y demander ta main pour la forme.

Ils s'appuient un moment au mur tous les deux, bras dessus bras dessous, et aperçoivent au même instant, juste devant eux sur la rive nord du Saguenay, le petit hameau de Sainte-Rose-du-Nord blotti au creux des montagnes. *C'est un signe,* pensent-ils tous les deux. *Un bon signe.*

— On va être comme ce p'tit village-là, explique Louis, comme nous autres icitte, toué deux su'l pont…

Il lui passe un bras autour des épaules, avant de poursuivre :

— Ensemble, on va être à l'abri des bourrasques pis des tempêtes qui pourront pas faire autrement qu'arriver. Ensemble, toué deux, on va être plus forts. On va être un foyer, une famille où la chaleur pis le bonheur vont toujours pouvoir se vivre. Tu vois-tu ça comme moi Rose ? ajoute-t-il en la serrant contre lui.

— Oui, Louis. Je vois ça comme toi. Je vois ça ben beau en avant de nous autres.

Chapitre 16

Fiancée depuis deux semaines, Rose ne porte plus à terre. Le seul fait d'y penser fait tressaillir son cœur de joie et de fierté. Sa vie va complètement changer. Finie la campagne ! Finie la vie de jeune fille ! Elle sera bientôt une femme mariée, une vraie dame de la haute, en plus. Elle habitera une grande maison directement sur la rue Racine en plein cœur de la ville. Elle sera Mme Louis Bergeron. Cet après-midi, elle retourne pour une seconde fois chez son fiancé, dans sa future maison. Peut-il y avoir quelque chose de plus excitant à vivre ? Elle se promet d'examiner encore mieux toutes les pièces, les meubles, la décoration, les rideaux pour mieux pouvoir s'imaginer vivre là. Toute la semaine, elle a songé à sa toilette d'aujourd'hui, robe, bijoux, coiffure, tout doit être parfait. Hier, samedi, elle est descendue en ville, jusque chez Carrier en haut de la côte pour s'acheter de vrais beaux souliers. Comme il ne neige pas encore, elle pourra les porter dès aujourd'hui. Fini les bottines de mémère ! Pas assez chic. Pas assez beau. Démodé. Sa nouvelle vie doit commencer en grand !

Tantôt, Louis va lui présenter un de ses frères, Albert, que tout le monde appelle Pitou, et sa femme, Jeanne. Une de ses sœurs, Marie-Louise, sera là elle aussi avec son mari, Aimé. Louis et elle se sont entendus pour qu'elle prenne un taxi de chez elle jusqu'au traversier où il va venir la chercher. Ils vont prendre le bateau ensemble. Mon Dieu qu'ils en auront

vécu des choses sur le Saguenay! En réalité, c'est le traversier qui a pesé le plus lourd dans leur décision de se marier
dès le mois prochain. Il n'était pas question que Louis passe
des semaines sans voir Rose. «Impossible», lui a-t-il déclaré
sur un ton péremptoire. Cette semaine, il s'est informé des
disponibilités à l'église de Sainte-Anne et ils ont appris que
tous les samedis étaient réservés quasiment jusqu'à la fin de
novembre. En homme d'action, il a demandé une déroga-
tion pour pouvoir se marier un dimanche, le 11 novembre,
avant que la neige prenne au sol. La cérémonie aura lieu en
après-midi et la réception suivra. Ils prendront ensuite le train
avec couchette de nuit jusqu'à Montréal où ils passeront leur
voyage de noces, une semaine à l'hôtel Mont-Royal.

Ce n'est pas de gaieté de cœur que, plus tôt cette semaine,
Rose s'est enfin décidée à écrire une dernière fois à Patrick,
à Québec. Ne serait-ce que par politesse, il le fallait bien.
Elle lui a dit les choses simplement. Quoi de mieux que la
vérité? Elle se marie le mois prochain et tout est évidemment
terminé entre eux. Point. Elle n'a jamais évoqué cela avec
Louis. À quoi cela aurait-il servi? Le destin a parlé. Ce fut
toutefois plus crève-cœur pour elle de donner sa démission
à la commission scolaire. Elle qui aime tant faire l'école, elle
devra se résoudre à abandonner ses élèves, dès la semaine
prochaine, en pleine année scolaire! Pas le choix! Impossible
de se marier et de continuer à enseigner. Elle s'est toutefois promis de continuer à apprendre toute sa vie, au moins
quelque chose de nouveau chaque jour, en lisant, en observant, en questionnant, en voyageant, en s'impliquant et ce,
jusqu'à sa mort. Pour le moment, sa nouvelle vie l'appelle,
son trousseau et sa robe de mariée ont besoin de toute son

attention. Tout va si vite! Tout est si exaltant! Avec Louis, si attentionné, si amoureux, si riche… C'est comme un rêve ou un roman d'amour. Et cela lui arrive à elle, Rose Gauthier, une héroïne, un personnage, bientôt Rose Bergeron.

***

Ce jour-là, comme la première fois, Rose et Louis sont chaleureusement accueillis par Emma et Georges à la maison familiale. L'atmosphère est à la fête. On souligne l'anniversaire d'Albert, vingt-cinq ans cette semaine, et celui de Marie-Louise, trente-huit ans le jour même. On fête également une excellente nouvelle. Jeanne est enfin enceinte, après un an de mariage. Satisfaction et soulagement se lisent sur le visage du jeune couple. Pendant que tous sont rassemblés dans le salon double, Louis s'emballe et se met à parler de Rose comme s'il s'agissait de la huitième merveille du monde. Belle, gentille, intelligente, talentueuse, dégourdie : les qualificatifs s'additionnent, se multiplient, se renforcent, aucun ne semblant trop élogieux pour décrire celle qu'il va bientôt épouser. Il n'est pas dans la nature de Rose de recevoir un tel hommage avec modestie. Très souriante, elle se reconnaît assez bien dans ce portrait flatteur. N'a-t-elle pas toujours su qu'elle était spéciale et pleine de qualités? Albert, qui connaît bien son frère, sait que celui-ci se laisse parfois aller à de grands élans d'enthousiasme. Il l'écoute, le sourire aux lèvres : il en prend et il en laisse. Il est content pour son frère – qui est un émotif, un romantique, un grand sensible au fond –, et il comprend son engouement qui fait suite à sa grosse déception de l'hiver dernier. Lui aussi, il est très amoureux de sa femme, Jeanne, et s'il avait le verbe aussi facile que son frère, il pourrait brosser un portrait tout aussi flatteur de cette merveilleuse jeune femme qu'il a mariée, belle, adroite, douce, bonne, vaillante et si affectueuse.

La situation est différente pour Marie-Louise qui, après quelques minutes, en a déjà suffisamment entendu pour se faire une idée. D'après elle, son frère s'est fait embobiner par cette fille de Sainte-Anne et il a visiblement perdu tout entendement, tout comme son autre petit frère, berné lui aussi par cette pauvre fille de Saint-Charles-Borromée. Deux filles de la campagne, qui auraient dû y rester, quant à elle.

— Bon, bon, bon, on a compris! le coupe-t-elle soudainement en se levant de son fauteuil. Maman, avais-tu préparé quequ'chose pour cet après-midi? poursuit-elle comme si de rien n'était en s'éloignant vers la cuisine.

Mal à l'aise, Emma la suit après avoir distribué quelques sourires à ses deux brus. *Pauvre Tite-Vise, a peux-tu être assez mal avenante des fois, c'est pas croyable,* songe-t-elle. Dans la cuisine, elle la retrouve en train de sortir le gâteau de la dépense.

— Voulais-tu servir du thé avec le gâteau? demande-t-elle à sa mère, inconsciente du froid qu'elle a pu causer.

— Oui. J'vas faire chauffer de l'eau. Mais toi!

Emma fixe sa fille, mécontente:

— C'est qu'y t'a pris de te lever comme ça, bête comme tes pieds?

— Ben là! Woh minute! riposte Marie-Louise. Y a une limite à être pâmé!

Elle regarde sa mère, les yeux ronds :

— Franchement ! Tu trouves pas que j'ai raison ? Ti-Louis, on dirait qu'y est reviré en enfance. Moi, j'ai dit ça pour le réveiller. S'il continue de même, tout ce qu'on va savoir, c'est qu'a va te l'avoir enfirouapé ben raide.

— Voyons donc ! Quand on tombe amoureux, c'est normal d'être un peu fou. Pis Rose, c'est une très bonne fille, tu sauras. Prends le temps de la connaître, tu parleras après.

— C'est tout vu ! tranche Marie-Louise. Vaniteuse, arriviste. À vingt ans, a viendra pas essayer de nous en montrer ! Maîtresse d'école tant qu'a voudra !

— Mon Dieu Seigneur ! murmure Emma, navrée. T'es pas contente que Ti-Louis ait trouvé quéqu'un ? Avec ce qui y'est arrivé l'hiver passé, y me semble que c'est plaisant pour lui ce qui y'arrive !

— Plaisant, plaisant... Tu l'as-tu vue celle-là examiner partout ? On dirait que la maison y appartient déjà.

— Tu serais-tu jalouse, Tite-Vise ? questionne Emma, attristée.

— Moi, jalouse ? Jamais !

— J'espère ben.

Elle regarde sa fille tristement :

— Mais ça me fait de la peine quand même de te voir fâchée comme ça. Tu devrais pas te laisser aller à penser des affaires de même, ma fille. Tu sauras qu'on est ben chanceux, moi pis ton père, que Ti-Louis pense vivre avec nous autres, icitte, avec sa p'tite femme. Tu sauras que ça fait des mois que je prie pour que le bon Dieu nous exauce.

Emma se sent fatiguée. Il n'y a rien de pire qu'une chicane pour lui saper ses forces. Elle a toujours tout fait pour que ses enfants s'entendent bien et voilà que la discorde semble entrer à présent par une porte insoupçonnée. Elle se laisse choir dans sa chaise. Marie-Louise la rejoint aussitôt. Même si celle-ci peut être un peu snob, irascible, frustrée par moments, elle a quand même bon cœur et, surtout, il lui est totalement intolérable de faire de la peine à sa mère.

— Excuse-moi, maman, j'ai pas voulu te faire de peine, dit-elle en lui prenant la main maladroitement. Mais t'sais, c'est toujours moi qui vous a aidés, papa pis toi. Moi pis Tetitte, pis Alida pis Héléna. Notre maison, on l'aime, tu comprends. On aime ça pouvoir y revenir tant qu'on veut. J'espère juste que ça changera pas.

— À cause que ça changerait? murmure Emma. Rose, a va avoir ses bébés, pis a va en avoir pas mal à faire dans maison. Y a rien qui va pouvoir t'empêcher de venir toué jours si tu veux. Pis ton père, y va continuer d'aller te voir pour se faire lire le journal comme avant.

— J'espère ben que ça sera pas elle qui va y lire astheure! s'emporte de nouveau Marie-Louise.

Devant le visage peiné de sa mère, elle se ravise aussitôt:

— T'as raison, maman. Oublie ça! Pis arrête de t'en faire, là! C'est fini. Pense pus à ça!

Elle fait une pause, puis fixe sa mère d'un regard oblique :

— Dans le fond, ce que je voudrais c'est ben simple, je voudrais qu'a m'appelle Mme Savard. Tu comprends, ça montrerait qu'on n'est pas du même âge.

— Comment ça, Mme Savard ? Mais ça va être ta belle-sœur !

— Alida pis Héléna, on s'en est parlé depuis qu'on sait que Ti-Louis va se marier, pis on pense qu'a devrait nous appeler *madame*. Ce serait mieux, tu penses pas ? Ça montrerait tu-suite qu'on est plus vieilles qu'elle, pis qu'on est à part.

— Un rang à part, tu veux dire ? ironise Emma, un peu découragée.

— Peut-être ben ! Mais pourquoi pas ? T'as-tu pensé qu'on a quasiment le double de son âge ? On pourrait être sa mère ! Si a nous appelle *madame*, ça va être comme une marque de respect, c'est tout.

Emma se lève et finit de préparer le thé en silence. Sur un plateau, elle dépose les assiettes à dessert, les tasses, les soucoupes et les ustensiles, le sucre et le lait :

— Bon ben, OK d'abord, mais c'est ben parce que tu me le demandes. J'vas essayer d'y montrer à vous appeler *madame*, toué trois, même si je trouve ça pas mal simpe si tu veux mon avis.

Elle lève les yeux au ciel en soupirant :

— Mais si c'est pour avoir la paix dans famille, moi, c'est toute ce que je demande. Astheure, apporte le gâteau ! Y doivent commencer à se demander ce qu'on fait…

Chapitre 17

Le jour du mariage de Louis et de Rose arrive enfin. Il s'agit probablement de l'un des mariages les plus curieux survenus dans le village de Sainte-Anne et des alentours cette année-là. D'abord, parce que cela se passe un dimanche, au beau milieu de l'après-midi, le jour de l'Armistice en plus, et certainement aussi en raison de la disparité des invités présents. Du côté de Rose : tous les oncles et tantes, frères et sœurs de sa mère sont là, les Tremblay Cornet, Boucher, Gauthier, Murdock, Dufour. Sont également présents toutes les sœurs de Rose et leurs maris respectifs, Tremblay, Harvey, accompagnés de tous leurs enfants. Mimine et le jeune frère Gonzague sont évidemment de la fête. Du côté de Louis : un seul membre de la famille présent, le père, Georges – Emma a dû renoncer à l'idée d'être là se sentant trop faible pour quitter la maison et, comme si cela allait de soi, le reste de la famille a suivi. Le plus étrange a été de voir surgir sur le perron de l'église ces deux hommes seuls, Georges et Louis, aussi chics et distingués que des *gentlemen*, l'air de vrais étrangers dans la paroisse. Ce sont pourtant eux qui doivent jouer le premier rôle de la pièce, le père conduisant fièrement son fils jusqu'au pied de l'autel.

Ce jour-là, Louis porte le très beau costume qu'il avait fait confectionner sur mesure en janvier dernier, mais qui n'avait finalement jamais été porté. Au départ, il a hésité, réfléchi puis, finalement, il a décidé que ce ne serait pas la peur et quelques vieilles superstitions qui allaient l'empêcher de le porter. Son pardessus d'automne en cachemire noir, un foulard blanc écru et un chapeau de feutre gris souris à larges rebords complètent sa toilette. Avec ses alliances dans sa poche, il se sent nerveux, mais bien décidé à plonger dans sa nouvelle vie.

Pour Rose, tout est nouveau et merveilleux. Peut-il y avoir en effet un moment plus exaltant pour une jeune femme que celui où elle épouse l'homme qu'elle aime? Heureusement, elle a été tellement occupée depuis un mois par les préparatifs de toutes sortes qu'elle n'a pas eu le temps de trop s'en faire à l'avance. Grosse dormeuse, portée à lire et à scénariser sa vie, elle a passé les dernières semaines comme dans un rêve. C'est en se réveillant le matin du mariage qu'elle a tout à coup vraiment pris conscience de l'importance de ce qui allait se passer l'après-midi. Sa vie va changer du tout au tout, et ceci est la seule et unique vraie réalité. *Se sent-elle prête? Oui et non.* Elle ne connaît pas beaucoup son fiancé. Plusieurs membres de sa famille sont hautains, un peu snobs, «péteux», comme on le dit des gens de la haute de Chicoutimi. Elle se voit, toute jeune et inexpérimentée – elle ne sait même pas faire cuire un œuf –, comment va-t-elle réussir à se sentir acceptée dans ce nouveau milieu de vie si différent? Par contre, Louis et ses parents l'aiment. Ils sont gentils et chaleureux avec elle. Elle va disposer d'une grande pièce où elle pourra se réfugier en cas de besoin. Surtout, elle est forte de caractère et elle a le bonheur facile. Et puis, comment pourrait-elle ne pas être heureuse avec un homme aussi amoureux, prévenant et affectueux que Louis?

Lorsqu'elle remonte finalement l'allée centrale sous les regards admiratifs de tous, elle se sent vraiment belle avec ses jolis souliers à la dernière mode et sa robe beige très seyante qui dévoile ses fines chevilles. Une garniture au cou en crêpe Georgette d'un beige plus foncé et d'un beau bleu profond met son visage en valeur. Un magnifique collier de perles offert par Louis ajoute à sa prestance. Frisés naturellement, ses cheveux sont remontés et attachés sous forme de chignon évasé avec quelques mèches bouclés tombant librement sur ses oreilles. Elle avance lentement au bras de son père vers ces deux hommes qui l'attendent au pied de l'autel. Est-ce là sa nouvelle famille? Va-t-elle devoir laisser derrière elle tous ces gens qui l'aiment et l'observent en ce moment même? Le regard enveloppant de son fiancé a tôt fait de la rassurer. Elle ne s'en va pas loin, juste de l'autre côté de la rivière. On parle déjà d'un pont qui va un jour, pas si lointain, relier les deux rives. Sa bonne étoile l'appelle. Comment pourrait-elle ne pas y répondre?

— Oui, je le veux, prononce-t-elle solennellement, après avoir entendu les mêmes mots de la bouche de Louis qui la regarde, ému.

Louis est en effet envahi par toutes sortes de sentiments qui se bousculent en lui. Son cœur bat fort dans sa poitrine et une série d'images s'agitent dans sa tête. Il se revoit en janvier en route vers La Malbaie, assister à des funérailles déchirantes, puis à Manchester, accablé par la perte, puis lors de son retour inattendu, sa rencontre tant espérée avec Rose qui l'a guéri de tout, et cet engagement qu'il prend maintenant de la chérir, elle et pas une autre, de l'assister et de lui être fidèle jusqu'au dernier jour de sa vie. Soudain, il sent en lui un grand élan de joie et de gratitude, qui mouille ses yeux et fait taire son tumulte intérieur. Tout son être s'apaise.

Un des neveux de Rose s'avance alors avec le plateau des alliances. Le curé Lemieux les bénit :

— Que le Seigneur bénisse vos alliances et vous garde tous les deux dans l'amour et la fidélité, qu'elles soient pour chacun de vous le rappel de votre amour et de votre engagement.

Louis prend la main de Rose et lui glisse délicatement l'alliance au doigt :

— Rose, je te donne cette alliance, signe de notre amour et de notre fidélité.

À son tour, Rose prend doucement la main de Louis, un peu intimidée par la solennité du moment :

— Louis, je te donne cette alliance, signe de notre amour et de notre fidélité, dit-elle en glissant le jonc à son annulaire.

— Vous pouvez maintenant embrasser la mariée, ajoute le curé Lemieux.

Rires et félicitations remplissent ensuite l'arrière de l'église pendant une bonne quinzaine de minutes. Puis, Rose et Louis revêtent leurs manteaux et sortent les premiers de l'église, accompagnés de Georges et de François, les deux pères des mariés, pendant que le pâle soleil de novembre commence déjà à disparaître à l'horizon. Ce qui s'ensuit sort une fois encore de l'ordinaire. Tous les quatre se dirigent rapidement vers un taxi qui les attend devant l'église pour les amener au traversier. Ils sont invités à un souper formel chez la sœur de Louis, Alida Duperré, en l'honneur de leur mariage, alors que de ce côté-ci de la rive, tous les invités se rendent chez la mère de Rose, Louise, qui a préparé une grosse réception avec musique, buffet et boissons en abondance pour les nombreux convives qui devront malheureusement se passer des mariés.

C'est ainsi que la nouvelle vie de Rose commence dans une atmosphère passablement différente de tout ce qu'elle a toujours connu. Dès son arrivée à la maison cossue des Duperré, située juste devant la petite baie formée par l'embouchure de la rivière Chicoutimi, elle aperçoit l'immense galerie couverte et les larges colonnes blanches qui la bordent. En entrant, elle a un choc devant l'opulence et l'aménagement raffiné des pièces. Tapis, meubles en bois précieux, toiles sur les murs, boiseries foncées, horloge immense, foyer qui flambe, escalier en bois sculpté, Rose n'a pas assez de ses deux yeux pour tout voir. Impressionnée, elle voit Alida venir vers eux, souriante. Elle est la sœur aînée de Louis, ainsi que sa marraine. Elle en a pris soin lorsqu'il était petit et elle a conservé un attachement sincère pour son petit frère. A-t-il fait le bon choix de se marier aussi vite après une aussi grosse déception ? Certains ont pu en douter, mais Alida croit pour sa part que ce n'est pas à elle de répondre à cela. Pourquoi ne pourraient-ils pas être heureux tous les deux ? L'avenir saura bien s'écrire de lui-même. Pour le moment, en ce qui la concerne, elle et son mari Thomas sont leurs hôtes, et tout sera fait pour que ce souper devienne un souvenir mémorable.

— Papa, Louis ! Venez ! Entrez !

Elle regarde Rose :

— Hé Rose, viens, entre ! C'est ton père ?

Elle salue celui-ci d'un signe de tête respectueux.

— Enchantée, monsieur Gauthier.

Thomas mêle sa voix à la sienne :

— Bienvenue chez nous ! Entrez ! Donnez-moi vos pardessus, vos chapeaux !

Rose entend des enfants s'amuser un peu plus loin. Elle se
sent un peu moins gênée. Elle les voit courir vers eux.

— Mon oncle Ti-Louis ! Grand-père ! crient-ils en leur
enlaçant les jambes.

L'un d'eux, Jacques, le plus vieux semble-t-il, environ onze
ans, s'adresse à Rose :

— C'est toi, notre nouvelle tante ?

— Oui, répond-elle. C'est moi. Je m'appelle Rose. Ma
tante Rose.

— T'es belle, lui dit ce dernier, en rougissant aussitôt.

Alida s'adresse à eux avec amabilité :

— Je veux pas vous bousculer, mais votre train part à sept
heures, explique-t-elle. Venez ! Passons tout de suite à table si
on veut avoir le temps de manger.

Elle fait quelques pas vers la salle à manger suivie de ses
invités et ouvre deux portes en fer forgé aux ornementations
artistiques très élégantes. En entrant, Rose découvre un décor
spacieux digne d'un conte de fées. Pendant un instant, son
imagination s'emballe et elle se demande sincèrement si, sans
le savoir, elle n'aurait pas marié un prince. En s'approchant,
elle aperçoit une table immense recouverte d'une nappe

entièrement brodée à la main. Verre taillé, porcelaine, argen-
terie, coutellerie sont disposés avec art. Trois chandeliers
à cinq branches, allumés, l'un au centre, les deux autres à
chaque bout de la table offrent un éclairage scintillant. Rose
n'a jamais rien vu d'aussi beau. Elle prend machinalement le
bras de son père et le garde auprès d'elle. *Comment se dépêtrer
avec tous ces ustensiles, verres, assiettes et accessoires ?* se demande-
t-elle. Comme si elle avait suivi le cheminement de ses pensées,
Alida vient vers eux et leur indique des places en face d'elle.
Avec un geste de la main, elle fait signe à Rose de ne pas s'en
faire, qu'elle va les guider.

Les quatre invités s'assoient du même côté, les mariés
au milieu avec leur père respectif de chaque côté. Alida
et Thomas s'installent en face des mariés et les enfants
ensemble, à un bout de la table. Crème de légumes, entrée de
coquille Saint-Jacques, rôti de bœuf avec pommes de terre
en escalopes et légumes assortis, gâteau des anges avec crème
anglaise et confiture de petits fruits composent un menu
délicieux. La bonne, Alma, sert et dessert comme une professionnelle pendant qu'Alida, avec un sourire complice, guide
subtilement Rose et son père dans le choix du bon usten-
sile correspondant à chaque plat. Rose se sent de mieux en
mieux. Louis et Georges discutent avec Thomas de la situation financière inquiétante de la Pulperie et d'Alfred Dubuc
qui vient tout juste de démissionner comme président de la
compagnie. Si plus de mille hommes perdaient leur emploi
d'un seul coup, que lui resterait-il à lui, comme médecin, de
sa clientèle payante ? Ce serait un vrai problème. Ils parlent
également du barrage de Price dont la construction est enfin
terminée. Alida en avait assez du bruit, de la poussière et de
la machinerie juste à côté de la maison depuis le printemps.

Un vrai chantier tout l'été! Mais cet investissement n'est-il pas un bon signe pour la suite des choses? Tout le monde le souhaite. Rose écoute les conversations distraitement tout en observant ce qui l'entoure.

Puis, Louis se met à raconter comment Rose et lui se sont connus, l'exposition, le fils du bonhomme Simard qui les suivait, elle et sa sœur, puis elles qui couraient pour se cacher et lui qui se trouvait là au bout de leur course comme un miracle. Rose l'écoute et rit avec tout le monde. Il raconte encore comment la décision de se marier n'a jamais fait aucun doute, comment ils se sont tout de suite imaginé faire leur vie ensemble. Rose sourit et acquiesce du regard. Elle a bu un peu de vin en mangeant et elle se sent comme sur un nuage. Elle est si fière d'être la femme d'un homme comme Louis. Elle se sent en sécurité à ses côtés.

— Bon bien! Si vous voulez pas manquer votre train, c'est le temps d'y aller! intervient Alida, qui se fait la gardienne du temps.

— Ben oui, c'est vrai! s'exclame Louis en déposant sa serviette sur la table. Faudrait téléphoner à un taxi.

— Non, non, pas de taxi. J'vas aller vous mener tous les quatre là où y faut. J'vas d'abord aller vous reconduire au train, vous deux, les tourtereaux, pis en revenant, j'vas vous laisser, vous le beau-père, à maison, pis vous, monsieur Gauthier, au traversier. C'est-tu correct comme ça?

— Tiguidou! Nos valises sont déjà rendues à gare, dit Louis. On a organisé ça de même hier pour pas se bâdrer avec ça à soir.

Tous revêtent leurs manteaux et se préparent à quitter la maison.

— Merci, Alida. C'tait fameux comme souper, déclare Louis avant de partir.

— C'est vrai ça, ma fille! C'tait parfait! renchérit Georges.

D'une voix forte, le père de Rose en rajoute:

— Je pense que j'avais jamais été si ben reçu…, dit-il en souriant. De toute ma vie, j'sais ben.

Rose souhaite elle aussi remercier sa belle-sœur, mais elle se sent un peu embarrassée de l'appeler par son prénom. Le dimanche précédent, sa belle-mère parlait de ses trois plus vieilles devant elle, les nommant avec insistance Mme Duperré, Mme Grenon, Mme Savard. C'était sûrement une leçon qu'elle lui faisait.

— Merci, madame Duperré, déclare-t-elle finalement. Vous avez été vraiment gentille.

— Bon voyage là! lance Alida en les regardant descendre les quelques marches qui mènent à la rue. Vous saluerez Tetitte pour moi. Vous lui direz qu'on a ben hâte de la voir!

* * *

Une fois installés dans le train, Louis et Rose ont l'impression de se retrouver pour la première fois vraiment seuls tous les deux. Après avoir regardé défiler le paysage pendant un bon moment en partageant leurs impressions de la journée, ils constatent que l'heure de se mettre au lit arrive. Instant embarrassant pour Rose, qui ne sait trop comment s'y prendre pour se déshabiller et revêtir la jolie chemise de nuit achetée pour l'occasion. Louis se fait discret et l'attend, assis sur le bord de la couchette. Rose le rejoint enfin.

— Veux-tu dormir sur le bord ou au fond ? lui demande-t-il.

Avec humour, il tend le bras comme pour mesurer la largeur du petit lit et ajoute en riant :

— Au bord, tu risques de tomber, au fond, tu risques d'étouffer. C'est que tu préfères ?

Rose éclate de rire et se sent tout à coup un peu moins tendue :

— Au fond, répond-elle en montant dans la couchette et en se collant contre le mur.

Louis s'étend à côté d'elle. Il a enlevé ses lunettes pour la nuit et, dans la pénombre, son visage lui apparaît soudain totalement nouveau. Elle n'a jamais autant remarqué la fossette qu'il a en plein milieu du menton, qui lui semble aussi plus proéminent. Son nez, ses yeux, son front, tout est différent. C'est comme un nouveau visage qui se dévoile à elle. Louis a étendu son bras et l'invite à venir se blottir sur son épaule. Il lui murmure quelques mots affectueux. *Oui, c'est bien lui,* se dit-elle, reconnaissant sa voix, ses mots, son odeur. Ils se donnent quelques baisers et en restent là pour le moment. Louis se sent confiant et patient. Ils sont partis pour une semaine. À quoi cela servirait-il de presser les choses ? C'est ainsi qu'ils dorment simplement, collés l'un sur l'autre, bercés par le roulement régulier du train, jusqu'au lendemain matin, à la gare de Montréal.

***

Surpris et heureux d'avoir aussi bien dormi ensemble dans leur petite couchette, ils se lèvent aussitôt, s'habillent, ramassent leurs bagages et descendent du train sans perdre un instant. Leur hôtel est tout près. Un taxi les y amène. Une fois enregistrés et débarrassés de leurs bagages, ils commencent par prendre un bon déjeuner. Ils ont décidé que ce premier jour serait consacré à faire les magasins de la rue Sainte-Catherine, dans l'est de la ville.

Un tramway les emmène tout près du grand magasin Dupuis Frères qu'ils souhaitent d'abord visiter. Une vaste rallonge vient d'être construite offrant des milliers de produits, de la marchandise jamais vue comme de la lingerie féminine parisienne, des parfums et des produits importés. Rose regarde partout, les tissus, les objets, les vêtements, les étalages d'accessoires. Même à Québec, elle n'a jamais vu de magasin aussi grand. Devant eux passent tout à coup un groupe de jeunes prêtres guidé par un vieux vendeur affable qui les salue distraitement. Devant leurs regards étonnés, un second vendeur qui se tenait tout près d'eux leur explique que ces prêtres sont de gros acheteurs, une clientèle recherchée du magasin qui leur offre 10 % de remise sur tout achat. Tous les ans, explique-t-il, ce sont des centaines de jeunes prêtres qui viennent au magasin pour se constituer un trousseau religieux complet.

— Ouais, ça doit être payant vrai ! remarque Louis.

— C'est sûr ! Mais c'est pas juste pour l'argent qu'y fait ça M. Dupuis, explique le vendeur, c'est aussi pour la renommée que ça lui apporte. Y leur a même construit une salle à manger juste pour eux autres. Y nous a expliqué qu'avec le clergé comme client, c'est comme si le magasin devenait sacré, un genre d'œuvre économique oui, mais aussi religieuse, pis nationale itou.

— C'est vraiment impressionnant de voir des Canadiens français se mettre en valeur de même, remarque Louis. Vous féliciterez votre *boss* de ma part si vous en avez l'occasion, ajoute-t-il avant d'aller rejoindre Rose qui essaie des chapeaux un peu plus loin.

Lorsqu'il arrive près d'elle, elle en est aux écharpes et aux manchons. Excitée, elle semble ne plus savoir où donner de la tête.

— Viens, on va aller voir les meubles en haut ! lui suggère-t-il.

Après avoir parcouru tous les étages du magasin, ils finissent par se sentir épuisés.

— C'est que tu dirais d'aller manger astheure ? lance Louis en se dirigeant vers le coin restaurant. Après, on ira marcher un peu dehors su'a rue. Tu vas voir, y a plein d'autres magasins dans le coin, c'est vraiment beau !

* * *

Plus tard, dehors, le vent de novembre est frisquet et ils réalisent assez vite qu'ils ne souhaitent ni l'un ni l'autre s'y éterniser. Arrivés devant l'enseigne Archambault musique, ils entrent et découvrent une grande variété d'instruments de musique. Rose se dirige immédiatement vers les pianos.

— Si j'ai une fille un jour, je vais lui faire apprendre le piano, déclare-t-elle très sérieusement à Louis.

Heureux à l'idée qu'il pourrait un jour avoir une petite fille bien à lui, il explique :

— Des fois, mon père, y reprend des pianos en échange de remise de dettes. On pourrait y dire de nous en garder un.

— Ah que t'es fin! s'exclame Rose, tout heureuse. Chez mon oncle Ovide, y avait un piano l'hiver qu'on a passé là. Je te dis que je commençais à être bonne. En tout cas, j'avais pas peur d'essayer de jouer.

— Tu pourrais l'apprendre, toi si !

— C'est vrai, constate-t-elle. J'aimerais tellement ça !

Ils s'approchent spontanément l'un de l'autre et s'embrassent. Mais que vont dire les gens? Ils s'éloignent aussitôt à une distance respectueuse et portent leur regard sur le mur derrière les pianos pour découvrir tout un étalage de musique en feuilles et de cahiers de piano classique. Rose en choisit un contenant tous les morceaux les plus populaires, lui assure le vendeur : *Sonate au clair de lune*, *Für Elise*, *Rhapsodie hongroise*, *Sérénade polonaise* et bien d'autres. Elle le feuillette avec envie. Louis fait aussitôt signe au vendeur qu'ils le prennent. Ils ressortent du magasin, enchantés.

Un peu plus loin, ils entrent dans la boutique d'un chapelier. Voir autant de chapeaux impressionne grandement Rose, qui enlève le sien et commence à en essayer quelques-uns. Louis choisit pour elle un modèle d'un beau beige foncé presque brun avec des rebords étroits qui forment un pli serré vers le haut sur un seul côté, une plume de même teinte ornant l'autre côté. Il descend assez bas sur son front et moule sa tête tout en rondeur. Rose n'a jamais vu un chapeau pareil à Chicoutimi.

— Batinse que t'es belle avec c'te chapeau-là ! On le prend ! déclare Louis au vendeur.

Rose fait mine de l'enlever pour le lui faire empaqueter.

— Non, non. Enveloppez plutôt celui-là !

Louis remet au vendeur le chapeau que Rose portait en arrivant :

— Garde-lé su toi le nouveau ! T'es trop belle de même.

Ils ressortent du magasin, encore une fois enchantés. Ils passent bientôt devant le magasin de meubles Valiquette sans s'arrêter. Un gros quincailler Omer DeSerres se trouve sur leur route un peu plus loin. Ils y entrent quelques minutes pour se réchauffer et ressortent bien vite :

— Eille ! fait Louis. As-tu pensé comment c'est gros icitte comparé à notre ferronnerie Jalbert su'a rue Racine ?

— On peut pas comparer Chicoutimi avec Montréal, c'est sûr.

Ils reprennent leur marche et passent devant le magasin de fourrure Desjardins, puis devant le nouveau magasin Sauvé Frères. Sur un coin de rue, ils découvrent l'édifice *La Patrie*, un journal que Louis et Rose connaissent tous les deux et qu'ils lisent de temps en temps. Ils se regardent, complices.

— Bon ben ! On a pas mal faite le tour ! T'es pas fatiguée, toi ?

— J'ai les pieds en compote, répond Rose avec une grimace.

— On rentre ! décide Louis.

Il lui prend la main et ils marchent vers un arrêt.

— On va prendre le tramway. C'est tellement le *fun*! Y va nous débarquer juste en face de notre hôtel.

* * *

Après un bon souper, ils se retrouvent dans leur chambre. Dans cette intimité, Rose se sent encore assez mal à l'aise. Elle ne sait pas grand-chose de ce qui l'attend. Qui lui en aurait parlé? Il aurait d'abord fallu qu'elle le demande, mais à qui? Tout ce qu'elle sait, c'est qu'il va se passer quelque chose et qu'il faudra laisser faire son mari.

— Viens Rose! Viens! dit Louis en lui tendant la main. Regarde, le lit est large icitte. On va être ben!

Rose marche lentement vers le lit, vêtue de sa chemise de nuit, les cheveux détachés.

— T'es belle, Rose. Viens me trouver!

Riant un peu nerveusement, elle s'assoit sur le bord du lit à côté de lui. Louis rit un peu lui aussi. Délicatement, il met ses mains de chaque côté du visage de Rose et la regarde amoureusement.

— J'ai le cœur plein de sentiments pour toi, ma belle Rose, ben plein. Des fois je pense que ça va déborder.

Louis place la main de Rose sur sa poitrine. Il met sa main à lui sur la poitrine de Rose. Celle-ci n'ose plus bouger.

— Je sens ton cœur battre, dit-il. Y bat fort fort. Tu sens-tu le mien?

Rose se sent un peu mal à l'aise :

— Faudrait fermer la lumière, dit-elle.

— OK ! Couche-toi ! J'vas y aller.

La pénombre tombe alors sur eux. Louis revient en tâtonnant et se couche près de Rose. Ils restent là tous les deux,
silencieux dans le noir.

— T'entends-tu les automobiles passer ?

— Oui.

— Y'a d'la vie icitte ! C'est plus bruyant que chez nous,
même la nuit !

— Moi, je me souviens la première fois qu'on a entendu
une automobile arriver à Sainte-Anne, raconte Rose à voix
basse. On était, Mimine pis moi, dans notre balançoire,
quand on a entendu un bruit étrange, un bruit qu'on avait
jamais entendu avant. On a couru pour voir ce que c'était.
Tout le voisinage était dans rue. Tout le monde était pâmé.
Après que'ques mois, mon cousin Onésime s'en est acheté
une. Y nous chargeait dix cents pour nous faire faire un tour.
On aimait tellement ça. Même l'odeur du gaz, on aimait ça.

— J'vas m'en acheter une, automobile, lance Louis fièrement, dans pas grand temps à part de ça, tu vas voir ! On
va se gâter, toi pis moi. On va aller partout où ce que tu vas
vouloir aller.

Louis passe son bras sous la tête de Rose :

— Viens ! Colle-toi un peu. On va se réchauffer !

Rose pose sa tête sur l'épaule de Louis. Celui-ci lui caresse les cheveux, l'épaule, le bras et il descend lentement sur l'un de ses seins. Rose se met à rire un peu. Il l'embrasse et les voilà partis pour une séance de baisers. Louis essaie bien d'aller plus loin, mais toutes ses tentatives restent vaines. Rose esquive, bloque, dévie, change de position. Au bout d'un moment, elle se met à bâiller.

— Je m'endors ! Tu t'endors pas, toi ?

— Ben oui, un peu c'est sûr. Mais on pourrait quand même continuer de se donner des petits becs. Tu trouves pas ça plaisant ?

— Oui, oui, mais là j'aimerais mieux qu'on dorme pour être en forme demain.

— Ouais, OK, répond Louis avec patience, n'a-t-il pas toute la vie devant lui ? OK ! On va dormir astheure, ajoute-t-il en lui donnant un dernier baiser. Bonne nuit là, ma chérie.

— Bonne nuit, Louis.

Chapitre 18

Le lendemain, Louis se réveille très excité. La proximité de Rose à ses côtés, son odeur, sa chaleur, sa moiteur, comment ne pas être troublé? N'est-il pas en voyage de noces? Spontanément, il se colle à elle, essayant de la réveiller en douceur. Encore tout endormie, Rose sursaute légèrement et tente de s'éloigner un peu.

— Y est quelle heure? demande-t-elle en s'étirant.

— Huit heures! L'heure de se réveiller, répond Louis.

— Ah! fait-elle en soulevant les couvertures. Faut que j'aille aux *closets*.

Assise sur le bord du lit, elle enfile ses pantoufles et s'éloigne vers la salle de bain. Louis reste derrière et l'attend. Sitôt qu'il la voit réapparaître, il l'invite:

— Viens Rose! Viens te recoucher un peu! On n'est pas pressés.

— Tu penses?

— Oui, oui. Viens!

Rose ne déborde pas d'enthousiasme. L'idée d'être au lit avec un homme en plein jour lui paraît tout à fait étonnante, inconvenante même. Elle acquiesce tout de même et vient se remettre au lit. Tout heureux, Louis étend son bras afin qu'elle y dépose sa tête. Ému, il l'embrasse sur les cheveux.

— On est mariés là, Rose. Tu sais-tu ce que ça veut dire ça? On est mari et femme, pis y a des choses qui arrivent entre un mari et sa femme. Des choses que tu connais pas mais, crois-moi, qui sont ben plaisantes.

Il la serre contre lui et lui caresse les seins, le ventre, puis il descend encore un peu.

— Je t'aime Rose, pis je te désire, dit-il en la serrant fort contre lui. Tu comprends-tu ce que ça veut dire, ma chérie?

— Ben oui, c'est sûr, je comprends, répond-elle en lui donnant un dernier baiser sur la bouche avant de s'asseoir promptement dans le lit. Y commence à être tard, tu trouves pas? Faut se préparer, déjeuner…

— Bon ben, OK d'abord, soupire Louis en la voyant déjà debout. On se lève!

Rose ouvre un peu les rideaux pour voir la température.

— On est chanceux! lance-t-elle avec bonne humeur. Y fait beau soleil à matin!

***

Un peu plus tard, pendant qu'ils mangent des œufs, du bacon et des *toasts*, ils revoient leur horaire de la journée. Deux activités sont au programme: les grands magasins sur la rue Sainte-Catherine autour de l'hôtel en avant-midi, la basilique Notre-Dame et le quartier du Vieux-Montréal en après-midi. Ils viendront manger et se reposer à l'hôtel sur l'heure du midi.

Ils commencent bientôt leur visite au magasin Morgan. Trois étages de vêtements, meubles, accessoires, fourrures de luxe, avec des ascenseurs électriques entre chacun des étages. La grosse différence avec la veille, c'est qu'ici tout se passe en anglais, ou presque. Rose s'attarde particulièrement au département de la décoration intérieure où elle note dans sa tête certains agencements de couleurs audacieux ou la disposition originale des cadres sur les murs. Ce qu'elle souhaite, c'est d'essayer de reproduire certains arrangements dans son nouveau chez-soi, comme éventuellement placer des carpettes sur le vieux tapis usé des salons, ajouter quelques bibelots sur les meubles, un vase ou une potiche, par exemple. Il lui faudrait aussi une petite bibliothèque pour ranger ses livres et une lampe torchère pour lire. Mettre le décor un peu à sa main, quoi! Ils montent finalement au troisième étage, qui est appelé « *Budget floor* ». S'y entassent dans différentes sections tous les types de marchandises déjà vus aux autres étages, mais à meilleur marché cette fois et généralement de moins bonne qualité. Ils ont vite fait le tour.

— Veux-tu encore aller voir chez Ogilvy's? demande Louis en ressortant dans la rue.

— Certain! On n'est pas près de revenir à Montréal. Faut en profiter pour voir le plus d'affaires possible!

Dès leur entrée dans ce chic édifice de cinq étages, le choc culturel est encore plus grand. Ici, plus aucun doute ne subsiste, il n'y en a vraiment que pour l'anglais. Et même si

Louis le lit et le parle couramment – ce dont il est fier –, il ne peut s'empêcher de penser qu'ils sont, lui et Rose, depuis le matin, comme des étrangers dans leur propre pays. La ville de Montréal est vraiment divisée en deux, se dit-il, hier ils étaient chez eux, aujourd'hui non. Malgré tout, ils visitent consciencieusement tous les étages où, cette fois encore, Rose observe le plus possible, essayant d'emmagasiner dans sa mémoire les plus belles choses, celles qui sauront l'inspirer ou qu'elle pourra un jour essayer d'imiter à sa manière.

Après un dîner agréable, quelques minutes de repos à la chambre arrivent à point nommé. Louis se dit qu'ils pourront peut-être en profiter pour se coller un peu, et qui sait, enfin aller un peu plus loin, côté intimité ? Mais ses espoirs sont vite déçus. Rose déclare tout de go souhaiter simplement s'étendre, fermer les yeux et peut-être faire une petite sieste avant de repartir de plus belle à la découverte du monde. Louis ne peut qu'accepter de bonne grâce la situation, dont il profite finalement lui aussi.

Bien reposés, ils entreprennent ensuite avec entrain leur randonnée dans le Vieux-Montréal. Après une visite au marché Bonsecours, ils remontent vers le palais de justice et l'hôtel de ville. Tournant à droite, à gauche, sur de petites rues, ils découvrent l'édifice de la Banque de Montréal ainsi que celui de la Sun Life, où des dizaines d'ouvriers s'affairent en hauteur à ériger plusieurs étages supplémentaires sur le toit de cette bâtisse pourtant déjà fort imposante par ses dimensions et son architecture.

Épuisés par leur longue randonnée, ils entrent finalement à la basilique Notre-Dame pour s'asseoir et se reposer un moment. Mais les voilà aussitôt saisis d'émotion par la splendeur du lieu. Le décor somptueux qui s'offre à eux dépasse en effet tout ce qu'ils ont pu voir ou imaginer jusqu'à maintenant. Les motifs à feuilles d'or se retrouvent partout dans la voûte et sur les colonnes polychromes – dans les tons de bleu, de rouge bourgogne, de violet et de noir –, avec des dorures qui unifient et magnifient le tout. Ils avancent lentement dans l'allée centrale, émus par tant de beauté, et découvrent dans le chœur le maître-autel composé d'une scène de crucifixion au centre avec Marie d'un côté et l'apôtre Jean de l'autre. La croix est entourée de dizaines de statues à droite et à gauche représentant saint Paul, saint Pierre, les quatre évangélistes, Moïse, Abraham, la dernière Cène et bien d'autres. Louis indique un banc et fait signe à Rose de s'y asseoir. Devant eux s'élève la chaire sculptée et ornementée de plusieurs statues et tableaux rappelant encore des saints et des images inspirées de la Bible. Tant de grandeur et de splendeur leur apportent à la fois calme et ravissement. Et comme pour parachever leur enchantement, un musicien, répétant probablement pour une cérémonie future, commence au même moment à jouer des airs religieux sur un orgue à la sonorité parfaite.

— Si le ciel existe, chuchote Rose à l'oreille de Louis, ça doit être comme ici.

Celui-ci hoche la tête en silence. Et ils restent là, tous les deux, main dans la main, comme enivrés de joie, le cœur et l'âme en paix.

* * *

Plus tard, après un bon souper pris au restaurant, Louis et Rose passent une partie de la soirée dans le hall de l'hôtel confortablement assis, Louis sirotant un cognac et fumant un bon cigare acheté plus tôt chez un marchand de tabac, Rose observant tout à son aise les toilettes, les coiffures et les bijoux portés par les clientes riches de l'hôtel, étouffant ici et là des fous rires à la vue de quelques tenues incroyables. *Mon Dieu que je vais en avoir des choses à raconter à Mimine en revenant!* songe-t-elle à plusieurs reprises.

— On monte à la chambre ? demande Louis en lui prenant la main.

— Oui, répond-elle.

Ils se lèvent et marchent jusqu'à l'ascenseur en silence, chacun encore un peu absorbé par ses réflexions.

Puis, c'est la troisième séance de déshabillage à deux. Cette fois encore, Rose ne se sent pas très à l'aise. Elle tourne le dos à Louis et fait ça vite. Une fois sa chemise de nuit enfilée, elle le rejoint debout à la fenêtre, alors qu'il s'apprête à fermer les rideaux :

— Regarde ça, Rose ! Regarde ça comment c'est beau la vue d'icitte avec les réverbères allumés dans rue pis les phares des voitures qui passent !

— C'est vrai que c'est beau, acquiesce Rose.

Louis passe son bras autour des épaules de Rose.

— On est ben, hen ! On fait un beau voyage de noces, trouves-tu ?

— Oh oui ! Un vrai beau voyage.

Louis embrasse Rose tendrement sur les lèvres. Rapidement, il y met plus de passion et de fougue. Toute la journée, il n'a cessé de penser à ce moment de rapprochement tant espéré. Il laisse courir ses mains sur ses fesses, ses seins, sa taille :

— Viens ! On va aller dans le lit.

Sitôt couché, Louis continue d'embrasser sa femme avec ardeur, essayant d'éveiller son corps à l'amour charnel. Rose se montre plus réceptive. Peut-être le temps est-il enfin venu d'aller jusqu'au bout ? Il s'enhardit et remonte la chemise de nuit de Rose jusque sur son ventre. Surprise, celle-ci la rabaisse aussitôt.

— Ma belle, ma belle ! Faut que tu te laisses faire là ! On est mariés toué deux.

— Oui, mais c'est que tu fais ?

— Juste ce qui faut, répond Louis, juste ce que doit faire un mari avec sa femme quand y sont mariés.

Rose s'éloigne un peu :

— Pas tout de suite, OK ? J'suis trop fatiguée, on dirait.

Louis roule sur le dos, respirant bruyamment, essayant de garder son calme et sa patience. Sur le coup, il ne peut s'empêcher de penser qu'il aurait eu moins de misère à coucher pour de bon avec Angéline qu'avec Rose. Pensée qu'il se reproche aussitôt amèrement d'avoir eue.

— Faut que j'aille à toilette, murmure-t-il en se levant.

Il se sent coupable. Comment a-t-il pu penser une telle chose ? Oui, mais c'est tellement compliqué aussi, se justifie-t-il. *Entouècas c'est impardonnable, y faut jamais que Rose sache que j'ai pensé ça.* Pour refroidir ses sens, il s'asperge le visage avec les mains, jetant aussi un peu d'eau froide sur son pénis. *Est-ce que tous les hommes en voyage de noces ont autant de misère?* se demande-t-il quand même. *Ou ben c'est-tu moi qui sais pas comment m'y prendre?* Il se regarde dans le miroir, se dévisageant presque. *Ça peut pas faire autrement que finir par se faire,* se dit-il à lui-même pour s'encourager. *Demain peut-être ben!* Il secoue la tête, dubitatif. *Ben oui! Pourquoi pas demain?*

À son retour, il est plus calme. Il retrouve Rose couchée sur le dos, les bras croisés sous la tête. Un peu inconsciente, celle-ci se sent plutôt bien:

— C'tait plaisant tantôt, au début, dit-elle.

— T'as trouvé ça?

Louis se sent soulagé tout à coup. Il se couche à ses côtés.

— Ma chérie, tu vas voir, demain, ça va être encore plus plaisant.

Ils s'embrassent et se serrent une dernière fois l'un contre l'autre.

— On va dormir astheure. Notre voyage de noces est pas fini. On a encore ben des affaires à faire.

— À demain là!

— Oui. À demain!

* * *

Lorsque Louis se réveille au matin, Rose est déjà levée. Assise en robe de chambre devant une petite table près la fenêtre, elle semble bien concentrée.

— C'est que tu fais là de bonne heure de même? lui demande-t-il en s'étirant.

— J'écris mes cartes postales, répond-elle, appliquée. Faut ben, si on veut qu'y les reçoivent avant qu'on revienne, précise-t-elle en lui lançant un coup d'œil enjoué. J'en envoie une à mes parents, une à Mimine, pis une troisième à ma sœur Annette qui reste à Valin. T'a connais pas celle-là.

— Était pas au mariage?

— Oui mais, tu y as pas parlé vraiment. Bonjour, bonjour, pas plus. Non, une bonne fois, on va aller les voir, elle pis son mari, Thomas Harvey. Y ont une p'tite ferme à Valin sur le bord d'un ruisseau avec un moulin à scie. T'auras jamais vu une belle place de même. Y ont une petite fille aussi. A s'appelle Rita. En tout cas, j'ai ben hâte que t'es connaisses.

— Pis mes parents? Tu leur envoyes pas de carte à eux autres?

— Ben, j'ai pensé qu'ça serait mieux qu'ce soye toi qui l'écrives. C'est que t'en penses?

Louis la fixe, hésitant.

— Si t'aimes mieux que je l'écrive, j'vas le faire, reprend-elle. J'ai juste à marquer un peu la même chose que j'ai écrit sur celle à mes parents. Tu signeras avec moi. D'ailleurs, on va toutes les signer de nos deux noms.

— En attendant, viens donc te recoucher un peu! suggère Louis. Y me semble qu'on serait ben collés toué deux ensemble.

— J'ai ben qu'trop faim! Ça fait au moins une heure que j'suis réveillée. Mon estomac m'fait mal.

— Envoye donc! Juste deux minutes.

Devant son indifférence, il diminue ses attentes:

— Bon ben… Viens juste me donner un p'tit bec d'abord.

— OK! Juste un p'tit bec.

Rose se lève et vient s'asseoir sur le bord du lit. Elle se penche, l'embrasse et se relève aussitôt. Louis bougonne un peu:

— C'tait quoi ça? Un vrai p'tit bec de sœur!

Rose s'éloigne vers la fenêtre et ouvre tout grand les rideaux. Louis s'avoue vaincu:

— Bon ben, j'vas me lever d'abord, si c'est de même.

— Oh! Y a neigé! s'écrie Rose, tout heureuse. Viens voir, Ti-Louis! Vu d'en haut c'est tellement beau! La rue, les trottoirs, les toits des magasins, les chars, tout est blanc. Mon Dieu Seigneur que ça fait drôle de voir Montréal de même. On dirait que ça y adonne pas, la neige, à c'te ville-là. J'sais pas trop, me semble que ça fait drôle.

— Ben oui, c'est vrai que ça fait drôle! dit Louis en se collant le nez sur la fenêtre. Y en a juste que'ques pouces, fait-il remarquer. Ça va fondre d'icitte une heure pas plus.

— Bon ben, finissons de nous habiller d'abord, pis descendons déjeuner ! lance-t-elle.

— OK, on s'habille ! À matin, ajoute Louis, on s'en va à l'oratoire Saint-Joseph ! On va passer une partie de la journée là. On peut dîner sur place, ç'a l'air. Après, on va s'rendre chez Tetitte qui va nous garder à souper.

* * *

À l'Oratoire, ils visitent d'abord la petite chapelle sur un site boisé surélevé qui est, selon les écriteaux, son deuxième emplacement. La petite chapelle est modeste, un peu sombre, sans grand éclat. Elle inspire pourtant le recueillement et la dévotion à saint Joseph dont la statue, qui le représente comme d'habitude portant Jésus à gauche et tenant une branche d'olivier à droite, trône dans le chœur. Ils pensent au frère André qui, selon les histoires qu'on entend, coucherait parfois encore ici, au deuxième étage.

— J'ai déjà entendu dire que des fois, quand y a trop d'malades, y couche même ici, en pleine chapelle, avec eux autres toute la nuit.

— Ça doit être pour ça que le monde dit que c't'un saint, remarque Louis. Eille ! Paraît qu'y fait rien que ça prier pis recevoir des malades.

Impressionnés, ils ressortent et marchent ensuite vers l'immense crypte, inaugurée et bénite en 1917, en pleine guerre mondiale, rapporte l'écriteau.

— T'es-tu allé, toi, à guerre ? demande Rose, curieuse.

— Non! J'ai eu une dispense, répond-il en frappant ses lunettes avec son index. J'tais myope, c'est pour ça.

— Y en a-tu qu'y ont faite la guerre chez vous?

— Y en a deux, le plus vieux, Pit, pis le plus jeune, Pitou. C'qu'y est drôle, c'est qu'y se sont battus toué deux avec l'armée américaine. Pitou, imagine-toi donc qu'y était sergent dans un bataillon de cent cinquante mille hommes, tout seul de Canadien français.

— Ouais, c'est spécial.

Cessant de parler, ils entrent dans la crypte et demeurent un moment saisis devant la dimension des lieux, immenses et dépouillés, fort différents de la basilique Notre-Dame. Seuls des vitraux représentant les étapes de la vie de saint Joseph enjolivent un peu les murs en hauteur. Ils commencent à marcher dans l'allée, se rapprochant peu à peu d'une immense statue dorée de saint Joseph qui trône, tout illumi-née, dans le chœur. *N'importe qui serait impressionné par cette statue*, se dit Louis, *on dirait qu'est vivante, on dirait qu'a va parler.* Rendu presque en avant, il fait signe à Rose de se diriger vers un banc. Il la laisse passer devant lui et il se met ensuite à genoux, la tête légèrement baissée, les yeux fermés et il reste ainsi quelques minutes. Pendant ce temps, Rose s'est assise. Elle regarde autour d'elle. Elle se sent toute petite dans ce très large espace. Elle regarde Louis qui semble tout en dévotion. *Comme c'est étrange de se marier et de se retrouver ainsi vingt-quatre heures sur vingt-quatre avec un homme qu'on ne connaît presque pas, dans le fond.* Louis s'assoit à côté d'elle. Il lui prend la main et la garde sur ses genoux quelques minutes sans parler. Au bout d'un moment, il se penche à son oreille:

— T'as-tu faim ?

Elle fait signe que oui. Il se lève, fait son signe de croix.

— Viens ! On va aller manger.

Ils sortent au grand jour sur le parvis et sont accueillis par une foule de pèlerins qui arrivent tous ensemble pour visiter le lieu saint.

— Vite ! Courons à cafétéria avant l'invasion !

Louis prend la main de Rose et l'entraîne vers un genre de grand kiosque en bois situé en avant de la petite chapelle. Ils entrent et se dirigent immédiatement vers l'arrière. Voyant son hésitation en passant devant le magasin d'objets pieux, il se veut rassurant :

— On reviendra au magasin sitôt qu'on aura fini de manger.

* * *

Attablé devant une assiette de pâté chinois, Louis demande :

— Toi Rose, tu y crois-tu à saint Joseph, la Sainte Vierge, le p'tit Jésus pis toute ça ?

Rose le regarde sans répondre. Elle lui retourne la question :

— Toi, tu y crois-tu ? T'avais l'air de prier tantôt.

— Je pense ben que oui. Je crois au bon Dieu, oui, ça j'y crois.

Il s'appuie au dossier de sa chaise et sourit :

— Mais moi, ce que j'aime le plus, c'est de le remercier. Comme tantôt, je priais pas, je faisais juste y dire que chus vraiment heureux pis reconnaissant d'être icitte aujourd'hui avec toi. Pis c'est drôle après, j'tais encore plus heureux pis reconnaissant en dedans de moi qu'au début.

— Ben moi, j'sais pas trop, déclare Rose à son tour. Des fois j'y crois, des fois j'y crois pas. Souvent je me dis que si une personne est le moindrement intelligente, a peut jamais croire à des niaiseries comme ça. Mais d'autres fois, quand je vois ma sœur Annette, par exemple, qui adore le bon Dieu pis qu'y est tellement une bonne personne – est comme une vraie sainte ma sœur – dans ce temps-là, je me dis qu'y doit ben y avoir des affaires de vraies là-dans.

— Ce que je pense moi, reprend Louis au bout de quelques secondes, c'est qu'on sait pas toute, pis qu'on comprend pas toute non plus. C'est ça l'affaire.

Il hésite, puis poursuit :

— Dans le fin fond là, ce que je pense, c'est que le bon Dieu c'est un mystère, autant que la vie, pis la mort c'est des mystères itou.

Il la fixe, l'air interrogateur :

— Pis c'est quoi le propre d'un mystère, hen ? C'est d'être inexplicable, secret, inaccessible à la raison comme les prêtres disent. Ça fait que… Y en a qui pensent que, si on peut pas le prouver, ça veut dire que c'est pas vrai, pis y en a d'autres qui pensent que, comme c'est un mystère, c'est donc complètement inutile d'essayer de le prouver, qu'y suffit simplement d'croire pis de vivre sa religion de son mieux.

— Ç'a du bon sens ce que tu dis. Moi, dans le fond, j'suis un peu les deux…

Rose demeure pensive quelques secondes, puis secoue la tête avec légèreté :

— Bon ben, astheure, on y va-tu au magasin ? demande-t-elle en se levant de table.

Elle marche aussitôt d'un bon pas vers la sortie de la cafétéria, suivie de Louis :

— C'est ici que j'vas acheter mes cadeaux pour maman, papa, Mimine, raconte-t-elle. Une médaille, une image sainte, un chapelet, j'vas voir. Pis j'vas prendre aussi un saint Joseph pour Annette.

Elle s'arrête avant d'entrer :

— Pis toi, tu vas-tu acheter quequ'chose ?

— Un saint Antoine, lui répond-il, la main sur la poignée. T'sais ben, le saint qui trouve toute. J'vas l'acheter pour nous autres, pour le mettre dans maison, pour qu'y nous aide tout le temps à retrouver toute ce qu'on va avoir perdu.

***

Plus tard, Louis est vraiment heureux de revoir sa petite sœur, Tetitte, et son mari, Jos Lafontaine. Il leur présente Rose, sa femme, avec fierté. Après quelques phrases d'usage, encore debout dans la cuisine, Jos leur offre à boire. Sans attendre la réponse, il sort la bouteille de gin et il en verse quatre verres.

«Pour fêter ça», dit-il. Il ajoute beaucoup de jus d'orange dans ceux destinés aux deux femmes et une larme seulement dans le sien et dans celui de Louis.

— À votre mariage! lance-t-il en frappant son verre sur celui des autres.

Ils s'assoient enfin tous les quatre. Tetitte dépose son verre sur la table et reprend naturellement son tricot. Un beau petit chandail en laine pour bébé.

— Y va être ben habillé c'te bébé-là, lance Louis à sa sœur.

Sans lâcher son tricot des yeux, celle-ci murmure:

— J'ai tellement hâte d'être enceinte Ti-Louis. Je me prépare, ajoute-t-elle en esquissant un sourire. Ça se peut même que je l'soye déjà… On sait jamais…

— Rose aussi, a va peut-être ben tomber enceinte betôt, fait Louis en regardant sa femme, qui lui répond par un sourire.

Curieuse, celle-ci s'approche de sa belle-sœur avec qui elle s'est tout de suite sentie à l'aise. Elle est jeune et facile d'approche. Il semble que les choses vont se passer plus simplement avec elle. Rose regarde le petit chandail orné de deux élégantes torsades. Il est parfait, il n'a aucun défaut. Rose est impressionnée.

— Veux-tu voir toute ce que j'ai tricoté jusqu'astheure?

— Si tu veux.

Tetitte se lève et marche vers le passage. Elle ouvre les portes d'une armoire et prend plusieurs morceaux dans ses bras qu'elle apporte avec elle. Des couvertures au crochet, des petits bonnets de laine, un chandail avec motifs dans des tons de bleu et boutonné sur le devant, des pattes de toutes les couleurs, une robe de baptême toute blanche au tricot très fin, vraiment remarquable. Rose sait reconnaître le travail bien fait.

— Moi si, je tricote, déclare-t-elle. Mais t'es meilleure que moi.

— Si tu tricotes tout le temps, tu vas voir que tu vas venir aussi bonne. C'est pas dur. On travaille toutes de nos mains dans famille, moi, Alida, Héléna. Mais la meilleure, c'est Marie-Louise. Elle, c'est la broderie. Si tu voyais ce qu'a fait. C'est tellement beau ! Les nappes d'autels pis les costumes des prêtres de la cathédrale, pis ben d'autres accessoires religieux. Tu y demanderas qu'a te montre ça.

— J'sais pas trop, ça me surprendrait, répond Rose en retournant s'asseoir, un peu refroidie au souvenir de cette belle-sœur avec qui elle ne s'est pas vraiment sentie à l'aise. Assez mal à l'aise même, pour dire vrai.

Une fois les vêtements rangés dans l'armoire, Tetitte revient :

— J'ai faite du bœuf à mode avec des patates pilées pour souper. J'espère que vous aimez ça ? Comme dessert, j'ai faite le gâteau préféré de Ti-Louis, au chocolat. On va le manger avec de la crème fouettée.

— T'es fine, ma sœur, d'avoir pensé à ça.

Jos se verse un deuxième verre de gin, oubliant cette fois le jus d'orange :

— Ça tombe su'l cœur c'te jus-là. C'est ben mieux de le boire direct de même.

Il lève son verre en regardant Louis, dont il vient aussi de remplir le verre :

— À toi pis Rose ! lance-t-il en buvant une bonne rasade.

Les deux beaux-frères se mettent à parler de hockey. Selon eux, les Canadiens sont dus pour gagner la coupe Stanley cette année. Sans faute. Avec un bon gardien de but comme Georges Vézina et une équipe solide, c'est leur tour, c'est sûr.

— Les Vézina, y restent juste en arrière de chez nous, raconte Louis. Quand y vient voir ses parents, l'été ou ben aux Fêtes, on peut le voir pis y parler. C't'un gars ben correct. Y est marié, y a deux enfants.

— Ah ben ! J'savais pas ça qu'y était de par chez vous. Entouècas, y a pas gagné la coupe Stanley depuis 1916. Là, c't'année, faut absolument qu'y gagne. Ça serait juste sa deuxième. Pis rendu à trente-six ans, ça serait peut-être ben sa dernière.

— Tu sais-tu comment ça se fait qu'y est devenu le goaleur des Canadiens ? demande Louis.

— Non, j'sais pas ça.

— Ben dans ce temps-là, y avait plein d'équipes qui venaient jouer contre notre équipe à Chicoutimi. Les Canadiens sont venus en 1910, pis c'tait Vézina qui goalait. Moi, j'avais seize ans, pis j'tais allé les voir avec mes frères Edgar pis Pitou. Si t'avais vu ça ! Toute une *game* ! Les Canadiens, y avaient même pas réussi à compter un batinse de but ! Après, on avait su que les propriétaires étaient revenus voir Vézina par deux fois à Chicoutimi. Y voulaient le décider à jouer pour eux autres.

— Y avait pas le choix d'accepter. Eille ! Y fait toute une carrière de goaleur avec les Canadiens ! Moi pis Tetitte, c'est certain qu'on va aller le voir jouer c't'hiver, hen Tetitte ?

— Comme tu voudras Jos, répond Tetitte en mettant son tricot de côté.

— Bon ben envoye ! lance Jos à Louis en versant un peu de gin dans leurs verres. Tiens, encore une dernière p'tite lampée avant le souper !

— OK ! Mais enlevez vos verres astheure, que je mette la table, ordonne Tetitte.

Elle y dépose aussitôt une belle nappe blanche tricotée au crochet. Elle place ensuite les ustensiles, des verres, du sel, du poivre, des serviettes de table. Puis, elle fait un clin d'œil complice à Rose :

— Bon ben, c'est le temps de manger là ! Avancez votre chaise ! J'vas vous servir. J'ai pas faite d'entrée ni de soupe, s'excuse-t-elle à Rose. Je trouvais pas ça nécessaire, ajoute-t-elle en cherchant l'approbation de son frère. Hen Ti-Louis !

Tetitte sert tout le monde, et ils commencent à manger. Après quelques bouchées, Rose pignoche dans son assiette.

— Tu manges pas, Rose ?

— Ah ! J'ai pas ben faim. On a beaucoup mangé à midi.

Louis se sent un peu mal à l'aise. Pour alléger l'atmosphère, il se met à donner des nouvelles de ses parents et de la famille restée à Chicoutimi. Le repas se termine dans la bonne humeur. Sitôt le dessert terminé, Rose se lève et montre des signes évidents de fatigue. Compréhensif, Louis explique :

— La journée a été longue pour nous autres. On a pas arrêté de marcher depuis trois jours. Depuis le mariage dimanche, en fait, on n'a pas arrêté une minute. On commence à être pas mal fatigués, Rose pis moi. Je pense qu'on va s'en retourner à l'hôtel tu-suite.

— Y a pas d'problème. On comprend ça, le rassure Tetitte. Nous autres aussi, quand on s'est mariés, on était ben fatigués. Tiens, j'vas vous appeler un taxi !

***

Une fois à la chambre, Rose bâille et se plaint du repas. Selon elle, ce n'était pas très bon. Quelle idée aussi de faire du bœuf à mode pour recevoir ! Même le gâteau n'était pas assez moelleux, la crème fouettée pas assez sucrée. Devant cette série soudaine de critiques, Louis se sent mal à l'aise. Depuis trois jours qu'il vit à ses côtés, il commence à deviner que si Rose est vraiment une très belle femme, elle possède également, à n'en pas douter, tout comme la rose, quelques épines qui piquent à l'occasion.

— Ça fait pas longtemps que Tetitte fait à manger, explique Louis, cherchant à justifier sa sœur. Pis a l'a appris tu-seule, maman était tout le temps malade. Moi, j'ai trouvé ça pas si pire quand même. C'est l'intention qui compte, tu trouves pas ? ajoute-t-il finalement pour amadouer le cœur de sa femme.

— Ouais peut-être ben! dit Rose en s'adoucissant. Excuse-moi là. Je pense que chus pas mal fatiguée avec toute ce qu'on a faite depuis que'ques jours.

Elle commence à se déshabiller pour la nuit. Au bout de quelques minutes, elle revient vers lui vêtue de sa chemise de nuit :

— En tout cas, je trouve que Tetitte est pas comme tes autres sœurs. Est plus ordinaire je dirais, plus simple, plus jeune c'est sûr. Je pense que j'vas ben m'entendre avec elle.

— Tant mieux ma belle! Tant mieux! dit Louis en lui tendant la main. Viens te coucher là! Viens! Viens, on va se coller toué deux.

Rose s'étend près de son mari qui l'invite à poser sa tête au creux de son épaule.

— T'es-tu bien là? murmure-t-il en l'embrassant douce-ment. T'es belle, Rose, tu sens bon, t'es douce.

Il respire dans son cou :

— Ah que tu sens bon! Ta peau est chaude, sucrée, délicieuse, ajoute-t-il en la caressant.

Il la regarde :

— Je veux qu'tu soye ma femme pour vrai à soir, Rose. Chus pus capable d'attendre.

Les deux ou trois petits verres de gin aidant, Louis s'enhar-dit et l'embrasse passionnément en faisant courir ses mains partout sur son corps. Lentement, il lève sa chemise de nuit :

— Laisse-toi faire, dit-il doucement en glissant la main dans son entrejambe.

Rose sursaute.

— C'est bon, Rose, murmure-t-il, c'est bon, laisse-toi faire, je te dis, ça va être plaisant.

En quelques secondes, il enlève son haut de pyjama, puis son pantalon :

— Enlève ta jaquette toi si, dit-il. On va être ben, toué deux tout nus, tu vas voir.

Hésitante, mais sentant qu'elle n'a plus vraiment le choix, Rose commence à remonter sa chemise de nuit un peu plus haut. Louis l'aide ensuite à la faire glisser au-dessus de sa tête.

— T'es belle, lui dit-il en la voyant nue pour la première fois.

Prestement, il écarte ses jambes et se place au-dessus d'elle.

— Regarde comme on est ben comme ça toué deux tout nus.

Il l'embrasse avec fougue pendant qu'à l'aide de sa main, il pousse lentement son pénis dans son vagin. Rose est sous le choc. À quoi devait-elle s'attendre d'autre ? On lui a dit de se laisser faire, mais comment pourrait-elle faire autrement ? Louis fait quelques mouvements de va-et-vient en elle tout en l'embrassant dans le cou en respirant très fort, puis il éjacule en lâchant un cri sourd.

— Ma femme, t'es ma femme, enfin, t'es ma femme, commence-t-il à répéter, ému aux larmes.

Après un dernier baiser, il roule sur le dos à côté d'elle, encore un peu essoufflé :

— Ah que ça fait du bien ! soupire-t-il.

À ses côtés, Rose se sent un peu déboussolée. Quelque chose coule de son vagin.

— Faut que je me lève, dit-elle, je coule.

— C'est pas grave, lui explique Louis. Va voir aux toilettes, j'vas t'attendre.

Une fois rendue dans la salle de bain, Rose découvre du sang. Est-ce qu'elle aurait commencé ses menstruations ? Elle ne sait trop. Il lui semblait qu'elle devait les avoir seulement dans une semaine. Elle s'essuie et se lave de son mieux.

— C'tait rouge, dit-elle à Louis en revenant se coucher.

— C'est à cause que c'tait la première fois, dit-il. Paraît que ça fait toujours ça aux femmes quand c'est la première fois, ça saigne un peu. Tu vas voir, la prochaine fois, ça saignera pas. Viens ! Colle-toi un peu encore ! Maudit que j'aime ça toucher ta peau.

Rose se laisse caresser docilement. Dans la pénombre, la peau de Louis lui semble d'une blancheur laiteuse, pas très belle, bien différente de sa peau à elle, plus hâlée, plus mate, beaucoup plus jolie. Elle ferme les yeux. Elle se sent triste tout à coup, comme désillusionnée. Louis lui a tant fait la cour depuis deux mois, multipliant les compliments, les cadeaux, les visites, les fleurs, faisant tout cela avec une telle classe, un tel romantisme. Un véritable conte de fées. Et maintenant, voilà qu'elle découvre l'autre côté du rêve.

Cette réalité plus concrète de la vie à deux avec laquelle il lui faudra bien apprendre à vivre. Elle est déçue, bien sûr, mais en même temps, elle se sent soulagée. *C'était pas si pire que ça,* se dit-elle en fin de compte. Comme s'il l'entendait penser, Louis renchérit :

— Tu vas voir, la prochaine fois, ça va être encore mieux. Pis toutes les autres fois, ça va tout le temps être de mieux en mieux.

Il étend son bras pour qu'elle y dépose sa tête :

— T'es ma femme Rose, murmure-t-il, ma femme à moi. Tu vas voir, on va être heureux ensemble. Betôt, on va avoir un p'tit bébé, juste à nous autres, pis un autre, pis un autre. On va se faire une belle famille toué deux. Pis y a personne qui va nous en empêcher.

Rose l'écoute et elle sent son cœur s'apaiser lentement. Elle est mariée pour la vie et son avenir, le sien et celui de Louis, leur avenir à tous les deux se trouve entre ses mains, entre leurs mains. Louis sera sûrement un bon mari. Il est généreux, drôle, intelligent et assez riche pour lui offrir une belle vie sans soucis financiers. Rien ne pourra surpasser cette cour assidue qu'il lui a faite depuis leur rencontre à l'exposition agricole, mais rien non plus ne pourra jamais l'effacer. Cela lui appartient pour toujours. Elle ouvre les yeux, le regarde et constate qu'il est déjà à moitié endormi. Oui… C'est son mari maintenant et elle se promet de faire tout son possible pour le rendre heureux et y trouver, elle aussi, son bonheur.

— Bonne nuit, Ti-Louis.

— Bonne nuit, là, ma femme. Fais de beaux rêves !

Chapitre 19

Six mois plus tard.

— Regarde ben comment ce que je fais, dit Emma à Rose. Après, ça va être à ton tour de le faire.

— Oui, oui, madame Bergeron, je vous lâche pas des yeux.

— Comme d'habitude, j'vas essayer en même temps de t'expliquer un peu ce que je fais pour que ça soye ben clair.

— OK, chus prête.

Rose a déposé près d'elle son cahier de recettes pour éventuellement prendre des notes. Depuis six mois qu'elle vit ici avec Louis et ses beaux-parents, elle ne compte plus les nombreux cours de cuisine que lui a donnés sa belle-mère. Jusqu'à maintenant, elle a surtout appris à préparer des repas au fil des jours, des soupes, des rôtis, du poisson, des sauces, des légumes, différents desserts. Une nécessité quand on est marié comme elle avec un vrai gourmand. Aujourd'hui, c'est une leçon spéciale. Sa belle-mère va lui apprendre sa recette de pâte brisée. Jusqu'à maintenant, elle s'était jalousement gardé cette spécialité, confectionnant encore elle-même, comme en secret, toutes les abaisses devant servir pour les pâtés à la viande, les tartes, les pets-de-sœur et les tourtières de la maisonnée. Maintenant, le moment est venu de transmettre son savoir à sa bru.

— Bon ben, je commence là, lance Emma en versant de la farine dans un grand bol. Pour une recette mettons, t'en mets une tasse et demie environ, pis après, avec tes mains comme ça, tu fais un genre de puits au milieu. Dans le puits, tu mets le beurre, trois quarts de tasse à peu près. C'est toujours deux pour un, tu comprends, explique-t-elle en se tournant vers Rose. La plupart du monde mettent du *shortening*, mais pas nous autres. Nous autres, dans famille, on met du beurre, c'est plus goûteux, plus crémeux, plus riche tu comprends.

D'une main sûre, Emma dépose le beurre déjà coupé en petits carrés au milieu du bol :

— Mais par exemple, précise-t-elle, faut absolument que ton beurre soye coupé en dés pis à température de la pièce avant de le mettre. C'est ben important.

— Oui mais si, mettons, j'oublie de le sortir de la glacière avant, c'est que je fais ? demande Rose.

— Dans ce temps-là, tu le laisses reposer de même en p'tits morceaux un p'tit bout de temps pour qu'y ramollisse, répond Emma en frottant ses mains pleines de farine. Une fois que t'as faite ça, t'ajoutes un peu d'eau, environ un quart de tasse, pis tu mélanges ben comme faut avec tes mains… Comme ça.

Emma commence à faire des cercles dans le bol avec la main en partant du centre et en agrandissant peu à peu les cercles jusqu'aux bords pour intégrer toute la farine à la pâte. Elle malaxe ensuite la pâte en silence, l'aplatissant et la repliant sur elle-même plusieurs fois de suite.

— Faut que t'apprennes à malaxer ta pâte juste assez pour que le beurre soye ben mélangé pis qu'y reste pus de gros mottons, déclare-t-elle, mais en même temps faut pas que t'a malaxes trop non plus sinon a va devenir fragile pis a va toute se déchirer quand tu vas essayer de la rouler.

— Mais comment j'vas faire pour m'en apercevoir? s'inquiète Rose.

— Ça c'est une question d'expérience! Tu vas venir que tu vas le sentir quand a va être correcte ta pâte, juste ben molle, parfaite. Comme là, tu vois, est prête. Faut que j'arrête de la brasser sinon j'vas la rater. Touches-y!

Rose met ses doigts sur la pâte et la palpe délicatement.

— Tu vois la texture?

Emma façonne alors une belle boule de pâte bien ronde.

— Bon ben, est finie! déclare-t-elle en se dirigeant vers la glacière. Après, faut que t'a laisses reposer au frais au moins une heure avant de la rouler.

Elle revient ensuite vers Rose, un peu essoufflée.

— Veux-tu, Rose, on va attendre un peu pour faire la deuxième recette. Faut que je m'assoye un p'tit brin, j'cré ben, chus épuisée.

Elle se laisse tomber lourdement sur une chaise de la cuisine.

—Eille, c'est fatigant faire de la pâte, dit-elle en riant, un peu gênée. Faut que je te dise que j'avais quasiment peur de me tromper tantôt. T'sais comment ce que c'est quand quéqu'un te regarde travailler, on dirait que tu sais pus comment faire.

Rose rit un peu avec elle. Elle comprend exactement de quoi elle parle. Elle s'est sentie comme ça, observée et examinée dans presque tout ce qu'elle faisait ici-même dans la maison les premiers mois.

— Allez donc vous reposer un peu dans votre chambre, lui propose-t-elle.

Rose prend le bras de sa belle-mère et l'aide à se remettre debout :

— Venez ! J'vas aller vous reconduire jusqu'à votre lit.

— T'es ben fine, ma bru. Mais je resterai pas couchée longtemps. Dans que'ques minutes, j'vas me relever pis on va continuer la leçon. Comme les autres fois, là, c'est toi qui vas la faire.

— Prenez le temps qu'y faut ! La farine pis le beurre, y se sauveront pas, lance Rose, taquine. En attendant, j'vas aller lire un peu, déclare-t-elle en sortant de la chambre.

— Toi si, tu devrais en profiter pour te reposer, conseille Emma.

— Oui, oui, madame Bergeron. Soyez pas inquiète !

Rose est si contente d'avoir ce petit moment bien à elle. Elle se dirige vers le salon où elle a rangé ce midi le journal que lui a rapporté Louis, et qui contient son feuilleton préféré, celui qu'elle dévore, épisode par épisode, depuis quelques mois. Mouret, Denise, Pauline, des dizaines de personnages, vendeuses et clientes surtout, mais aussi des hommes riches, des petits propriétaires, des vendeurs. *Au bonheur des dames*, c'est le titre du roman et le nom du grand magasin fabuleux autour duquel toutes les intrigues se passent en plein cœur de Paris. Selon elle, Émile Zola, son auteur, est un génie. Il recrée si bien l'ambiance parisienne que c'est comme si elle y était. Un jour d'ailleurs, elle va voyager en Europe. Elle en rêve. Elle ira voir la France en premier, Paris surtout, mais aussi l'Angleterre, l'Italie, l'Espagne. Pour le moment, elle se contente de voyager à travers les mots de ce feuilleton, à raison de deux courts épisodes par semaine. C'est peu. Elle en prendrait bien davantage, mais c'est ainsi. Depuis son mariage, c'est d'ailleurs mieux comme cela. Avant, elle avait l'habitude de lire pendant des heures et des heures, sans rien faire d'autre, parfois même des jours entiers, ce qui serait bien sûr totalement inapproprié ici, dans sa nouvelle vie, avec sa belle-famille ! En tout cas, pas de danger d'exagérer avec deux épisodes par semaine. Malgré tout, elle raffole de ce roman de Zola. Il fait suite à un premier, *Pot-Bouille*, qui mettait en scène le même personnage principal, Octave Mouret, un jeune homme ambitieux entouré de femmes. Au départ simple employé du magasin, il finit par épouser la veuve du propriétaire sans l'aimer vraiment. Selon Rose, *Au bonheur des dames* lui est supérieur. D'emblée, on sent qu'une histoire d'amour impossible va se vivre entre Mouret, le nouveau grand patron devenu veuf, et la petite vendeuse Denise, une jeune fille de la campagne, intelligente, courageuse et fière à qui Rose s'identifie. Comme toujours dans les livres de Zola, on présente en même temps un enjeu social actuel important, une lutte sans merci entre les petits commerçants et ce très grand magasin qui s'agrandit constamment au détriment des autres commerces sur la rue. Rose en a parlé à Louis l'autre jour, pour qu'il en dise un mot à son père. Est-ce possible que les petits magasins du rez-de-chaussée soient condamnés à disparaître dans peu de temps? Que feront-ils alors? Louis a bien ri devant ses inquiétudes, lui certifiant qu'ils seraient tous morts de leur belle mort depuis longtemps avant que, ici à Chicoutimi, des grands magasins puissent finir par faire fermer les boutiques de la rue Racine.

À présent bien installée dans son coin préféré du divan, éclairé par la lampe torchère qu'elle a obtenue de son beau-père, Rose dépose quelques instants son journal. Elle vient de sentir quelque chose bouger en elle, un léger mouvement, comme des bulles d'air. Elle place ses mains sur son ventre arrondi et demeure attentive. Aussitôt, le même mouvement se répète, comme un roulement feutré, cotonneux. *C'est sûrement mon bébé qui bouge,* se dit-elle. C'est son beau-frère, le Dr Duperré, qui la suit depuis le début de sa grossesse, qui lui a suggéré d'être attentive à cela lors de sa dernière visite. «Ton bébé a-t-il commencé à te donner des coups de pied?» lui a-t-il demandé, très sérieux. Des coups de pied? Sur le coup, Rose avait craint le pire, mais la voilà maintenant rassurée. Non seulement cela n'est pas douloureux, mais sentir la vie bouger en elle se révèle une expérience très impressionnante. Sa belle-sœur Tetitte est elle aussi enceinte. Elle devrait accoucher environ un mois avant elle. Songeuse, Rose demeure encore un moment concentrée, une main à plat sur son ventre, puis elle se remet à lire.

Un bruit de casseroles dans la cuisine la détourne soudainement de sa concentration.

— Rose, ma p'tite fille! Viens-t'en! entend-elle. Viens, on va continuer la leçon.

— Déjà! soupire Rose, alors qu'elle en est seulement à la moitié de sa lecture.

De bonne grâce, elle replace le journal là où elle l'a pris et se dirige vers la cuisine où Emma l'attend. *Ce n'est que partie remise*, se promet-elle. Elle finira ce soir dans sa chambre.

Au même moment, au rez-de-chaussée, bien installé dans un fauteuil près de la vitrine, Louis attend des clients qui se font rares. Il pleut depuis quelques heures et, en ce vendredi après-midi, la clinique est très tranquille. Il pourrait décider de fermer et d'aller rejoindre sa femme et sa mère en haut, mais il se sent si bien ici, tout seul, tranquille. Son père n'est pas à la maison lui non plus. Depuis leur retour, il a pris l'habitude d'aller se faire lire le journal par Marie-Louise dans l'après-midi plutôt qu'en soirée. Il fait ensuite la tournée de l'un ou l'autre de ses enfants selon son humeur, laissant Emma s'en donner à cœur joie dans l'enseignement des tâches de la maison qui vont ensuite revenir graduellement à Rose. Un peu de ménage, de lavage et de repassage bien sûr, mais surtout beaucoup de cuisine! *Dire que Rose ne savait même pas faire bouillir une patate au départ*, se rappelle Louis, et la voilà qui cuisine déjà presque aussi bien que sa mère, les mêmes recettes, le même bon goût, la même abondance sur la table! Louis s'en réjouit tous les jours, mais jamais autant que de la venue de ce merveilleux petit bébé que Rose porte dans son ventre et qui devrait naître autour de la troisième semaine de septembre, dans quatre mois à peu près. Cette attente le comble de bonheur et lui permet du coup de passer par-dessus quelques petites contrariétés. Pas très graves, mais quand même… Comme le fait que Rose peut parfois manquer de tact et de délicatesse, qu'elle peut être très dure aussi, prendre un ton tranchant et sec quand les choses ne font pas son affaire. Surtout, il sent toujours chez elle une certaine réticence à donner et à recevoir de l'affection, ce qui n'a pas changé depuis leur retour de voyage de noces. Le fait de tomber enceinte quasiment tout de suite a probablement même accentué ce manque de disposition naturelle. Il s'est bien demandé à quelques reprises si ce n'était pas lui qui n'avait pas le tour, mais à quoi bon ? N'y a-t-il pas toujours une certaine part d'illusion lorsqu'on tombe amoureux et qu'on s'unit pour la vie ? Au début, c'est le jeu de la séduction. Chacun tente de montrer son meilleur visage, dirigeant la lumière sur la meilleure partie de sa personne et laissant dans l'ombre certaines faiblesses ou quelques défauts qui seraient à son désavantage. De là à vivre une certaine décep- tion une fois marié, il n'y a qu'un pas, que Louis a franchi à quelques reprises, il faut bien le dire. Mais si ce jeu d'ombre et de lumière ne repose pas sur une vraie tromperie – comme Louis a toutes les raisons de le croire en ce qui les concerne, lui et Rose –, la réalité peut alors reprendre ses droits. La connaissance plus vraie que l'on acquiert de l'autre au fil du temps, avec ses défauts, certes, mais avec ses qualités tout autant, peut ouvrir la porte à un bonheur plus vrai et plus satisfaisant finalement que n'importe quelle illusion. Pourquoi en serait-il autrement pour Rose et lui ?

Tout à ses pensées, Louis aperçoit tout à coup son père passer devant la vitrine de la clinique. Il se dirige rapidement vers la porte et entre en coup de vent :

— Salut, mon garçon ! lance-t-il en secouant vigoureuse- ment son *trench* tout mouillé.

D'une main, il ôte son chapeau ruisselant de pluie et le frappe avec l'autre main. Louis ne peut s'empêcher de se moquer :

— Ouais… Toute une arrivée ! On dirait quasiment un saint-bernard qui sort de la rivière.

— Bon ben, rétorque Georges, prêt à revirer de bord, chus pas venu icitte çartain pour faire rire de moi.

Reprenant son sérieux, Louis se lève et s'avance vers lui :

— Voyons donc, papa ! Prends pas ça d'même, batinse. T'sais ben que je disais ça pour rire.

Il lui indique le fauteuil à côté de lui :

— Envoye ! Assis-toi un peu !

— Ben j'sais pas trop, là.

— Bah… Arrête de faire simpe là, pis assis-toi ! D'où ce que tu viens astheure, pressé de même ?

— J'arrive de chez Marie-Louise, finit-il par répondre en s'assoyant. Je te dis que c'est pas drôle de lire toute ce qui s'écrit su'a Pulperie ces temps-citte.

Georges s'anime sur le bout de sa chaise :

— Depuis qu'y ont déposé leur bilan pis liquidé tous leurs avoirs, le monde s'inquiète. C'est Price qui reprend pas mal toutes les installations, mais y en a qui se demandent si y va s'en occuper comme du monde. Les installations ont besoin d'investissements. Y ont peur que Price laisse aller ça pis qu'y ferme d'icitte que'ques années.

— Le gouvernement va pas laisser faire ça! rétorque Louis. Aussi ben dire qu'y fermerait la ville. Delisle va nous défendre auprès de Taschereau. Faut penser aussi que notre nouveau maire, Desbiens, y va toute faire pour empêcher ça.

— Entouècas, une chance que Pitou travaille déjà chez Price, soupire Georges. Y a-tu été assez *bright* c'te p'tit gars-là de se faire engager à Kénogami! Au moins, avec les Anglais, y est sûr de pas perdre sa *job*.

Georges hausse les épaules, puis il poursuit d'un air un peu méprisant:

— Les Canadiens français, Guay, Dubuc, Jalbert, c'tait pas faite pour gérer des grosses *business*. C'est les Anglais qui l'ont l'affaire!

Louis se lève d'un bond:

— Hé que j'aguis ça quand tu parles de même, papa! s'écrie-t-il. Tu veux-tu me faire fâcher là, crisse? Les Anglais! Sont pas meilleurs que nous autres certain! Y'ont juste plus d'argent.

— Ben justement! À cause tu penses qu'y en ont autant, de l'argent?

— Facile! Y profitent des ressources de quasiment toué pays du monde pis y se *backent* entre eux autres, rétorque Louis qui gesticule en parlant, énervé. Tu connais pas ça le colonialisme, batinse papa? En Inde, en Afrique, en Europe, partout au Canada, surtout icitte dans province de Québec. C'est pas pour rien qu'y nous appellent les colons, nous autres les Canadiens français. Y nous colonisent, maudit batinse. Pis quand on essaye de jouer dans leurs plates-bandes, y nous serrent la vis jusqu'à ce qu'on s'étrangle pis qu'on ferme.

Georges regarde son fils d'un air obstiné :

— Oui mais, bon-yenne de bon-yenne, si Dubuc y avait été si bon que ça, y'aurait pas toute perdu.

— Y était trop bon justement, la médaille d'or en 1900 à Paris, le premier rang des producteurs de pulpe au Canada en 1910, trois gros moulins, des lots de terre à bois à pus finir. Les Anglais étaient jaloux. Non, moi je dis que Dubuc, y a surtout été trop naïf de penser que les banques le *backeraient* même quand ça irait moins bien.

Georges lève les deux bras en l'air :

— Oui mais Ti-Louis, t'as l'air de penser que chus content que la Pulperie soye dans misère. Pauvre toi, s'y ferment, moi aussi j'vas en avoir de la misère, pis tout le monde dans ville, y vont en avoir itou.

— C'est sûr… Mais on aurait pas dit ça tantôt à t'entendre déblatérer contre les Canadiens français.

Louis regarde son père fixement :

— Dans le fond, t'es comme Pit, lui aussi y aguit les Canadiens français.

— Pis toi, t'avais ben sacré ton camp aux États-Unis !

— C'est pas pareil…

À ce moment, Louis aperçoit un inconnu qui s'arrête devant sa clinique, lève la tête et regarde le numéro au-dessus de l'entrée. Il le voit vérifier quelque chose dans un calepin qu'il tient à la main, puis avancer hardiment vers la porte.

— Monsieur Bergeron? demande-t-il une fois entré.

— Oui, répondent Georges et Louis en chœur.

— Monsieur Louis Bergeron? précise-t-il.

— C'est moi, répond Louis en se redressant très droit. Est-ce qu'il y a un problème?

— Je me présente: Joseph Landry, fonctionnaire, inspecteur pour le gouvernement. Permettez!

L'homme se penche et sort aussitôt de sa serviette un dossier.

— Voilà!

Georges et Louis se regardent, interloqués, ne sachant comment interpréter l'arrivée impromptue de ce fonctionnaire.

— Le problème, le voici! déclare l'homme. Nous avons ici une adresse professionnelle de clinique, 112 rue Racine Est, et le nom d'un optométriste et opticien d'ordonnances, Louis Bergeron.

— Oui, oui. C'est moi, je vous l'ai dit. On n'a rien à cacher.

— Voudriez-vous s'il vous plaît, monsieur Bergeron, me faire voir votre diplôme d'optométriste?

Louis va à l'étagère du fond et en revient avec son diplôme encadré. Il le remet au fonctionnaire qui l'examine aussitôt.

— Voilà ! fait-il en pointant du doigt le nom du collège où Louis a fait ses études. C'est sûrement regrettable, déclare-t-il d'un air solennel, mais votre diplôme vous donne pas le droit de pratiquer au Québec. Vous avez pas de permis légal. Je vais devoir vous demander de fermer votre clinique dès maintenant.

Lui laissant à peine le temps de finir sa phrase, Georges se lève, énervé :

— Quoi ? Êtes-vous en train de revirer *su'l top* vous là ? proteste-t-il. Vous saurez que mon fils a fait les meilleures études qui existent aux États-Unis pour devenir optométriste. Y a toutes les instruments qui lui permettent d'ajuster la vue pis de vendre des lunettes.

Il le pointe de son index :

— Je voudrais ben vous voir essayer de lui faire fermer sa clinique, vous là.

— Inutile de vous énerver comme ça, monsieur Bergeron père, je suppose, dit-il en le regardant et en inclinant respectueusement la tête. Moi, poursuit-il d'une voix se voulant conciliante, c'est pas de ma faute vous savez. C'est la loi qui est faite de même. Votre fils a fait son cours aux États-Unis, vous venez de le dire pis c'est écrit su'l diplôme qu'y vient juste de me montrer. Ça fait que, c'est bien malheureux mais c'est la loi, y a juste le droit de pratiquer aux États-Unis. Pas au Canada. Pas au Québec. Pas à Chicoutimi. C'est le règlement ! Que voulez-vous que je fasse ? C'est pas moi qui l'a faite.

— Ah le gouvernement! lance Georges, dont la colère vient de monter d'un cran. Sont innocents des fois, ç'a pas de bon sens. Des yeux c'est des yeux, sacrament, ajoute-t-il en levant les mains au ciel. Vous voyez là, vous me faites sacrer, moi qui sacre jamais.

— Mon père a raison, renchérit Louis. Des yeux, c'est des yeux, pis des appareils pour ajuster la vue, c'est des appareils pour ajuster la vue. Une fois que tu l'as ben appris, avec un diplôme pis toute, tu peux ajuster la vue de n'importe qui su'a planète.

— J'sais ben mais…

— Pis au prix que ç'a coûté ces cours-là! le coupe Georges. Pis au temps que ç'a pris! Ça vaudrait pus rien? Bon-yenne de bon-yenne, c'est de la folie certain c't'affaire-là! On dirait qu'vous pensez que mon fils a étudié pour le *fun*.

— C'est pas ça que j'ai dit.

— Pis qu'y saurait pas comment ajuster la vue des Canadiens… Juste la vue des Américains.

— Oui, mais…, balbutie le fonctionnaire, un peu dépassé.

— Y a pas de oui mais, monsieur, c'est quoi votre nom déjà?

— Landry. Joseph Landry.

— Ouais ben monsieur Landry, regardez-moi ben comme y faut là.

Georges lui fait signe que ce qu'il va dire est très sérieux:

— Bon ben écoutez-moi ben là, monsieur Landry! répète-t-il. Va falloir me passer su'l corps à moi son père, comprenez-vous ça, si vous essayez de sortir mon fils de sa clinique. C'est-tu clair, là! Astheure, j'vas vous demander ben poliment de sortir d'icitte.

Le pauvre homme éconduit remet son dossier dans sa serviette pendant que Georges continue de le vilipender.

— On a des relations nous autres icitte, on connaît du monde important. On se laissera pas faire. S'y nous faut un permis, on va s'organiser pour l'avoir.

Un pied dans la porte, le fonctionnaire se retourne :

— Vous allez réentendre parler de moi, messieurs. La loi c'est la loi. Pis c'est pas vous autres certain qui allez changer ça. À bon entendeur, salut !

Une fois l'homme sorti, Georges se laisse choir sur le fauteuil.

— T'as-tu déjà vu une affaire de même, toi ! s'exclame-t-il.

Face à l'étagère, Louis replace lentement son diplôme, dont il était si fier quelques minutes auparavant.

— T'sais papa, Pit m'en avait déjà parlé une fois de ça, dit-il un peu embarrassé en se retournant.

— Comment ça, Pit t'en avait parlé ? Y le savait, lui ?

— Pas vraiment. Mais t'sais, y m'avait expliqué une fois que son diplôme de spécialiste était pas reconnu icitte au Québec. Y m'avait conté ça, pis y'avait ajouté que ça se pouvait que ça soye la même affaire aussi pour mon diplôme à moi.

— Pis tu t'étais pas informé ?

— Non… Ben t'sais… C'est tu-suite après ça que tu m'as téléphoné pour que je revienne. Une fois icitte, j'ai pus repensé à c't'affaire-là pantoute.

Louis s'assoit, l'air découragé :

— Pis là, on dirait ben que mon diplôme vaut rien. Ah papa ! Pis Rose qu'y est enceinte !

— C'est pas encore faite. Eille ! On va se battre, mon garçon.

— Oui, mais contre le gouvernement… Me semble que si la loi dit ça…

— Qu'y aille aux bines le gouvernement ! Tu vas voir, j'vas en parler à Jean Grenon pour qu'y en parle à Delisle. T'es le premier pis le seul opticien icitte dans toute la région capable d'ajuster la vue. C'est pas rien ça ! Y vont p't-être ben en tenir compte pis te donner un permis pareil.

Louis regarde dehors quelques secondes, puis il se tourne vers son père :

— Entouècas, on n'en parlera pas à Rose OK ? Je veux pas l'inquiéter. Ni à maman.

— Ben d'accord mon garçon. Pas un mot à personne, sauf à Jean pour voir ce qui peut faire.

Louis regarde son local si bien aménagé et s'imagine en train de le fermer. Incapable de rester impuissant, il se met à penser à une solution :

— Au pire, pire, pire, là papa, si personne peut rien faire pis que chus vraiment obligé de fermer, j'vas déménager mes équipements dans une chambre en haut pis j'vas continuer d'ajuster la vue, en dessous de la couverte comme on dit. William, Richard pis ben d'autres vont continuer de m'envoyer leurs patients, pis ça finira là. Si c'est ça qui veulent le gouvernement, que je travaille au noir, ben y vont l'avoir.

— C'pas à cause ! murmure Georges, qui réfléchit depuis tantôt à ses chances réelles de faire plier le gouvernement. Je pourrais louer mon local, pis faire de l'argent avec.

Chapitre 20

Un mois s'est écoulé depuis la visite de l'inspecteur et personne, pas même Jean Grenon en qui Georges avait placé tous ses espoirs, n'a pu changer quoi que ce soit à la situation sans issue de Louis. Le verdict est implacable. Le gouvernement ne lui octroiera aucun permis de pratique sans qu'il reprenne l'entièreté de ses cours, à l'extérieur de la région bien sûr, ce qui s'est vite révélé impossible compte tenu, entre autres, des facteurs éloignement, temps et argent. Louis a été très déçu sur le coup, certes, mais il a rapidement mis son plan B à exécution. En fin de semaine dernière, il a vidé les lieux et fermé officiellement sa clinique en bas et, depuis le début de la semaine, il est prêt à exercer sa profession à partir de la maison familiale. Au noir, comme de raison, avec les clients que ses amis vont bien vouloir lui envoyer. *Que le gouvernement aille aux bines,* s'est-il répété tout le temps qu'il installait son équipement dans l'une des nombreuses chambres à l'étage, la première à droite en montant. «Y en a ben manque de la place dans maison», s'exclamait son père en l'aidant à transporter les boîtes. «Y en a ben manque», répétait-il nerveusement, comme pour se consoler. À la fin de la journée, Rose est venue égayer l'atmosphère et mettre son grain de sel, proposant de changer quelque peu la disposition des fauteuils, «pour que les clients se sentent plus à l'aise», a-t-elle précisé tout en ayant l'air de prendre plaisir à les faire forcer encore un peu.

Ce matin, il est tôt, et elle se trouve encore au lit. Elle en est maintenant à six mois de grossesse et, hormis quelques inconvénients relatifs à sa condition physique, tout se déroule normalement. Se plaint-elle pour des riens ? Peut-être. Elle se lamente par moments pour tant de choses que Louis a jugé, il y a quelques jours – alors qu'en l'aidant à transporter une boîte, elle a craint, après un faux mouvement, s'être démis un poignet –, qu'il avait probablement marié sans le savoir une princesse, genre Cendrillon, cachée sous les dehors d'une pauvre fille de la campagne. Mieux encore, il a aussi pensé que Rose, si douillette et si sensible à la douleur, était peut-être la réincarnation de la princesse au petit pois qui, après une seule nuit passée sur un épais matelas sous lequel on avait placé un minuscule petit pois, s'était levée courbaturée et couverte de bleus. Une image bien sûr, une façon de parler pour lui, car s'il y a une chose que la grossesse de Rose ne semble pas avoir perturbé jusqu'à maintenant, c'est son sommeil. Elle dort dur et profondément. Et heureusement ! Car pour le reste, c'est plus compliqué. Elle a de l'eczéma sur les mains, ce qui lui occasionne des démangeaisons l'empêchant d'effectuer certaines tâches dans la maison, elle éprouve d'inquiétants frissons sitôt qu'elle essaie de boire ou de manger quelque chose de froid, elle est toujours essoufflée, ce qui la contraint à limiter ses efforts, elle digère très mal, ce qui la rend de plus en plus incertaine et difficile à table, et c'est sans compter les autres petits malaises, pieds et mains glacés, mal de tête, point au foie, douleur au genou, à l'épaule, à la hanche et même aux dents. « Toujours une vesse de travers », a tranché Louis une fois pour toutes il y a trois semaines, sans malice aucune, en l'obligeant finalement à en rire avec lui afin de dédramatiser un peu la situation.

Voici maintenant l'été arrivé! pense Rose en s'éveillant. Ce n'est certainement pas elle qui va s'en plaindre. Elle a gelé tout l'hiver, au moins va-t-elle passer les trois derniers mois de sa grossesse à la chaleur! Rose jette un regard au petit moïse qui se trouve dans un coin de la chambre. Elle sera bientôt mère et cela, elle ne peut plus l'oublier avec ce ventre qui gonfle sans cesse et ces petits coups qu'elle perçoit maintenant de plus en plus souvent. *Comme c'est mystérieux de porter ainsi la vie en soi!* songe-t-elle en plaçant ses mains sur son ventre. Au début, elle était incapable d'imaginer qu'un petit être grandissait en elle. Elle croyait qu'il s'agissait d'une espèce de masse informe de tissus tout mélangés qui allait tout à coup, à la fin, comme par magie, s'amalgamer et devenir un bébé. En fait, tout cela était tellement irréel pour elle, donner la vie, être l'hôte passive et aveugle de cet impressionnant développement intérieur. Y avait-elle même déjà réfléchi avant de se marier? Pas vraiment. C'est son beau-frère, le Dr Duperré – qui la guide et l'accompagne dans sa grossesse –, qui lui a fait réaliser concrètement que c'est un petit être humain complet qui se forme jour après jour dans son sein. *Mon Dieu qu'elle est donc chanceuse d'avoir un si bon docteur dans la famille!* se dit-elle fréquemment. Un homme simple, sans prétention, généreux dans ses commentaires et si disponible. Dans trois mois, elle va enfin découvrir si c'est une fille ou un garçon qu'elle est en train de fabriquer.

Un bruit la détourne soudain de ses pensées. C'est Louis qui entre dans la chambre avec un plateau à déjeuner dans les mains.

— Comment va ma princesse préférée à matin? demande-t-il en s'avançant vers le lit.

— Attends ! Attends ! Faut que je m'assois comme y faut avant !

Louis pose le plateau sur la table de chevet et aide Rose à placer ses oreillers.

— Bon ben tiens maintenant, ton déjeuner ! dit-il en déposant le plateau sur ses genoux. Un café, des *toasts* et ton petit pot de confitures aux fraises comme d'habitude.

Louis s'assoit de l'autre côté du lit et regarde manger sa femme. Depuis quelques mois, elle mange des fraises avec appétit chaque matin. Un vrai goût de femme enceinte !

— C'est le temps que la saison des fraises arrive parce que maman est rendue au bout de sa réserve de confitures de l'année passée. D'icitte dix jours, même pas, y va en avoir pour les fous pis les sages, des fraises. Des confitures, maman va en faire une tonne, pis je te jure que tu vas pas en manquer.

Tout en mangeant, Rose se tourne légèrement vers son mari :

— Je pensais à ça là, Ti-Louis, avant que t'arrives ! dit-elle entre deux bouchées. Je pensais au bébé, pis je me demandais si ça allait être une fille ou ben un garçon. C'est que t'en penses, toi ?

— J'sais pas trop…

Prenant un air sérieux, Louis se penche vers le ventre de Rose, les deux mains en porte-voix.

— T'es-tu une fille toi là, ou ben si t'es un garçon ?

Il place ensuite une main en cornet sur son oreille au-dessus du ventre.

— J'entends rien pantoute, constate-t-il après quelques secondes, les yeux fixés sur Rose, avant d'éclater de rire.

— Bah! Niaiseux! Voir si le bébé va répondre! Non, non, je voulais juste savoir ce que t'en pensais.

Reprenant son sérieux, Louis esquisse finalement un petit sourire énigmatique:

— Des fois, je pense qu'on va avoir une fille. C'est drôle hen? Ça veut probablement rien dire, là, mais on dirait que je me vois avec une fille.

Rose lui tend le plateau qu'il dépose machinalement par terre à côté de lui.

— Pis toi? Tu penses-tu à une fille ou ben à un garçon? questionne-t-il.

— J'sais pas trop, des fois c'est un, des fois c'est l'autre. On verra ben, hen! dit-elle en replaçant ses oreillers et en s'allongeant de nouveau.

— Si c'est une fille, ajoute Louis en se collant contre elle, on pourrait l'appeler Lucille, comme la fille de mon parrain, Pit.

— Ouais, Lucille, c'est un beau nom mais... J'sais pas trop..., répond-elle en hésitant. On va attendre, OK, avant de décider?

Louis se sent bien à côté de Rose, juste collé comme ça contre elle sans penser plus loin. Il n'a surtout pas le goût d'essuyer un refus. Ils commencent à se connaître tous les deux. Ils ont développé un petit rituel, quelques baisers, des caresses, un peu d'affection, mais pas trop. Rose a peur de la pénétration, encore plus qu'avant, si c'est possible. Et si le pénis blessait son enfant? Et si elle le perdait? Elle ne peut s'enlever ça de la tête. Louis en a pris son parti pour le temps qu'il leur reste à faire.

— T'as-tu des clients à matin?

— Non. Pas un chat. C'est que tu veux? Je peux toujours ben pas le crier su'é toits que je travaille encore. Même si on peut pas comprendre leur affaire au gouvernement, la loi, c'est la loi. Si je me fais pogner…

— Arrête de dire ça! Tu vas m'inquiéter.

— Ah! Excuse-moi! Non, non. Je me ferai pas pogner, c'est sûr. Y a juste les gens en qui j'ai vraiment confiance qui vont le savoir.

— Oui, mais, comme ça, tu travailleras pas ben ben.

— Ça se peut, mais j'vas travailler plus avec mon père. De toute façon, on n'a pas à s'inquiéter de rien. Y va toujours prendre soin de nous autres pis de nos enfants.

Rose se tourne vers Louis et le regarde franchement:

— Toi, Ti-Louis, dans le fond, t'es un vrai fils à papa.

— Pourquoi tu dis ça? demande Louis, un peu vexé.

— Ben, c'est pas un peu vrai que t'es un fils de riche?

Il ouvre la bouche, prêt à protester, mais il se tourne plutôt sur le dos, les bras croisés derrière la tête:

— Un peu, c'est vrai, se sent-il obligé d'admettre. Mon père a de l'argent, pis y est généreux, c'est que tu veux que je te dise ? C'est ma vie qui s'est faite de même, poursuit-il. J'sais pas pourquoi mais ç'a toujours été comme ça. Peut-être parce que chus le seul de la famille qui a voulu étudier à part de Pit ? Maman, autant que mon père dans le fond, y m'ont toujours vu comme étant celui qui allait rester avec eux autres, qui allait prendre la relève. C'est que tu voulais que j'fasse ? Même quand chus parti à Manchester, y m'ont demandé de revenir.

Rose le regarde d'un air moqueur :

— Fait que c'est vrai pareil ce que je te disais tantôt, t'es un fils à papa.

Louis se tourne vers elle :

— C'est que tu cherches à matin Rose ? On dirait que tu veux te chicaner.

— Non, non, pantoute, répond-elle en soulevant les couvertures. Je disais ça de même. Faut pas être trop susceptible dans vie, ajoute-t-elle d'un ton réprobateur en s'assoyant sur le bord du lit.

Louis soupire :

— Hé que tu peux donc être choquante des fois, c'est pas croyable.

— Comment ça ? proteste Rose.

— Bah ! laisse tomber ! C'est pas tant ce que tu fais ou ce que tu dis qui est choquant, c'est c'te manière que t'as de nous revirer ça toute de travers…

Il s'assoit lui aussi sur le bord du lit et soupire de nouveau :

— Ah pis, oublie ça ! dit-il en ramassant le plateau.

À quoi ça servirait de se chicaner ? pense-t-il en faisant quelques pas vers la porte.

— Bon ben je descends là, annonce-t-il, revenant finalement sur ses pas pour embrasser Rose. J'vas aller faire un tour chez Richard, pis j'vas revenir pour dîner.

— À tantôt ! répond distraitement Rose qui, déjà centrée sur elle-même, se tient debout devant son garde-robe en se demandant comment elle va s'habiller aujourd'hui.

Chapitre 21

Depuis le matin, Georges sent que la journée sera encore très chaude. Chaleur, lourdeur, moiteur depuis deux jours, ce n'est pas l'envie de se plaindre qui fait défaut. Mais l'été est si court, il faudrait manquer de jugement pour se lamenter d'une ou deux brèves canicules estivales en juillet qui passent toujours trop vite. Il trouve qu'il en a eu bien assez d'avoir enduré plus tôt les lamentations de sa bru mélangées aux inquiétudes légitimes de sa femme qui, après moult tergiversations et supputations, ont décidé de renoncer à la petite marche de santé qu'elles font tous les après-midi depuis quelques mois pour se dégourdir les jambes, prendre l'air et voir du monde. Elles avaient peur de défaillir dans la rue à cause de la chaleur. Rose a plutôt décidé de demander à Louis de faire le tour des deux étages et de fermer toutes les fenêtres et les rideaux afin d'empêcher la chaleur de pénétrer dans la maison. Après avoir exécuté cette tâche pour faire plaisir à sa femme – que ne ferait-il pas pour elle? –, Louis est parti se promener du côté de la plage où la brise se fait rafraîchissante. Il portait son maillot de bain en dessous de son pantalon et avait apporté une serviette, sûrement pour se baigner. En tout cas, ce n'est pas lui, Georges Bergeron, qui à son âge se tremperait le bout d'un orteil dans l'eau froide du Saguenay! Pourtant, quand il était enfant dans son village de Petit-Saguenay, il plongeait au bout du quai avec ses frères en plein milieu du fjord, là où l'eau est aussi profonde et sombre qu'un abysse. L'eau glaciale était si saisissante et lui pinçait tant la peau que celle-ci bleuissait malgré le court laps de temps nécessaire pour revenir au quai. Il se revoit ensuite en train de courir à la ferme de ses parents, jouer un peu, certes, mais surtout travailler, jour après jour, à nourrir les bêtes, aller chercher les vaches, les traire, sarcler le potager, faire les semences, les récoltes, les foins, aider ses parents, à longueur d'année, comme tous les autres membres de la famille engagés dans le grand projet du père de faire fructifier la ferme de la compagnie Price Brothers qu'il avait achetée avec toutes ses économies. Envoyé des années plus tard à Saint-Alphonse-de-Bagotville pour acheter une pièce d'équipement pour son père, Georges n'avait pu s'empêcher de saisir l'excellente occasion d'acheter pour lui-même une fromagerie, qu'il avait fait prospérer. Il l'avait revendue une dizaine d'années plus tard avec un bon profit dans le but d'aller s'installer à Chicoutimi près de la famille de sa femme, là où son intuition lui dictait de s'établir pour y prospérer tout à son aise. Son intuition ne l'avait pas trompé.

Cet avant-midi, Georges se dirige vers la maison de sa fille Marie-Louise où il sait qu'il pourra se faire lire les dernières nouvelles au frais. Il marche d'un bon pas malgré la chaleur, encore droit et énergique à soixante-cinq ans bien sonnés. Lorsqu'il arrive, Marie-Louise est assise sur la galerie d'en avant, une vaste plate-forme de planches sans garde-corps à laquelle on accède en montant deux courtes marches sans rampes. Georges sent immédiatement la fraîcheur que dégagent l'ombre du gros érable en avant de la maison et la petite rivière qui coule tout près.

— T'as pas chaud de te promener de même à grosse chaleur ? lui demande sa fille.

— Bah ! C't'affaire ! Faut en revenir de la chaleur. Chus pas venu icitte pour me lamenter ! T'as-tu les journaux ?

— Sont en d'dans. Mais mon Dieu Seigneur, t'es ben à pic à matin !

— Pantoute !

— Bon ben, si c'est de même…

Avec un air un peu guindé, Marie-Louise se lève et entre dans la maison. Elle en ressort presque aussitôt avec le *Progrès du Saguenay*. Elle s'assoit près de son père, déjà installé dans la balançoire en train de s'allumer une pipe.

— Pis, c'est quoi les nouvelles ?

— Ben depuis que'ques jours, ça parle encore en masse des inondations au lac Kénogami, répond Marie-Louise.

Elle parcourt la nouvelle rapidement et résume comme d'habitude.

— Y expliquent que c'est les barrages Pibrac et Portage-des-Roches, pis les trois autres ouvrages de retenue des eaux qui ont provoqué les inondations considérables qui ont eu lieu au lac Kénogami ce printemps. Y ajoutent que le gouvernement a été obligé de donner un contrat de reconstruction pour un nouveau chemin de fer et une nouvelle ligne téléphonique tellement ç'a débordé.

— Pour moi, c'est le gendre, Jean Grenon, qui a eu le contrat, suppose Georges avec un air complice. Mais c'est drôle qu'on n'en aille pas entendu parler.

— Oui mais t'oublie que la famille à Héléna, y sont déménagés au chalet depuis que'ques semaines.

— C'est sûr que l'été, on les voit pas ben ben eux autres, dit Georges en donnant quelques poussées avec son pied pour faire osciller la balançoire. Envoye! Continue! commande-t-il.

— Ben y a les familles qui restaient à Saint-Cyriac qui se plaignent d'avoir été chassées de leur village injustement par la construction des barrages et par les inondations qui ont englouti leurs maisons. Y a une photo de la chapelle, paraît que c'est la seule bâtisse qui reste sur les lieux. Tiens, regarde!

Marie-Louise passe le journal à son père. Sur la photo, Georges peut voir la petite église toute blanche qui se dresse joliment sur une péninsule de terre avec l'immensité du lac Kénogami en arrière-plan.

— Pitou, y connaît un gars à son travail qui connaissait un gars qui restait là. Paraît qu'y est pas de bonne humeur, mais qu'y peut même pas actionner le gouvernement. Y a été exproprié, y a eu son argent, pis ça finit là. Entouècas, Pitou dit qu'y est ben malheureux, pis qu'y est pas tu-seul à l'être. Le monde de Saint-Cyriac, y y'ont cru jusqu'à fin que leur village allait pas disparaître.

— C'est triste c'est sûr, mais moi je trouve qu'y faudrait ben en revenir de c't'affaire-là, lance Marie-Louise en reprenant le journal des mains de son père.

Georges hausse les épaules :

— Pis ? Y a-tu d'autres choses dans le journal ? demande-t-il.

— Les petites nouvelles ordinaires. Le fils Bouchard qui vient encore passer ses vacances chez ses parents. L'homme d'affaires Tremblay qui est parti à Québec. Ah oui ! fait-elle. Y a l'ami de Ti-Louis, le dentiste Warren, qui va engager un assistant pour l'aider tellement y a de l'ouvrage. Y va aller au lac Saint-Jean pour offrir ses services d'art dentaire là-bas au début de septembre. Ça marche son affaire, hen !

Marie-Louise soupire fort en déposant le journal sur ses genoux :

— C'est-tu pas drôle, hen papa, que Ti-Louis aille faite ses études aux États ? C't'idée aussi d'aller étudier dans un autre pays !

Se sentant visé, Georges se lève d'un bond :

— T'es donc ben mal avenante de me dire ça d'même en pleine face à matin !

— Ben, c'est rien que la vérité papa. Pas plus pas moins.

— Ouais ben, tu sauras que des vérités d'même, on a ben assez d'es vivre, pas besoin de s'es faire mettre su'l nez à tout bout d'champ.

— Ben voyons donc ! C'est la première fois que je t'en parle, se défend-elle.

— Ben, c't'une fois d'trop, rétorque vivement Georges qui descend les marches et s'engage sur le trottoir de bois. Fait que, c'est ça ! Salut ben là !

Marie-Louise reste seule sur la galerie, marmonnant entre ses dents : *C'est donc pas drôle mon Dieu Seigneur de parler avec lui des fois!* Avec de petits gestes saccadés, elle replace son col de dentelle, haut jusqu'au cou en toutes saisons, ce qui lui a valu dans son entourage le surnom de «Collet monté», ce qu'elle ignore. *Mal avenant lui-même*, se dit-elle finalement en se réfugiant dans la maison.

***

Ce jour-là, le temps semble s'étirer. Vers quatre heures, après une petite sieste et une longue séance de lecture, Rose s'est mise au travail. Il le faut bien! Assise à la table de la cuisine, elle écosse une quantité qui lui semble astronomique de gourganes pour la soupe que sa belle-mère va faire de bonne heure demain matin, quand il ne fera pas encore trop chaud. Rose s'exécute lentement, une cosse à la fois, sans se presser, pendant que sa belle-mère, assise de l'autre côté de la table, lave et coupe de la salade et des légumes frais pour le souper. Avec une telle chaleur, pas question de partir le four, ont-elles décidé à l'unanimité. Ils vont manger froid : des tranches de jambon, du fromage, du pain de ménage et une salade de légumes crus taillés finement arrosée de crème sure et de mayonnaise. Un gros panier de fraises trône au milieu de la table. Elles les serviront au dessert avec de la crème épaisse saupoudrée de cacao et de sucre en poudre, accompagnées des galettes d'hier.

— C'est décidé là! Tetitte va venir accoucher icitte, annonce Emma à Rose en se levant pour rincer ses légumes. Elle va arriver le 6 août, ajoute-t-elle, c't'un mercredi, son bébé est supposé venir au monde le 12. Après ça, a va rester un gros mois avec nous autres pour ben partir son bébé. Tu devrais accoucher une semaine ou deux après son départ.

Rose dépose quelques fèves dans un bol et s'essuie le front avec le dos de la main :

— Ça va me faire comme une pratique, hen, madame Bergeron ?

— Ben oui, c'est vrai, répond Emma. Tu vas pouvoir voir comment ça se passe. Vu que c'est le Dr Duperré qui va vous accoucher toué deux icitte dans, c'est ben que trop vrai que ça va te faire comme une pratique.

— En tout cas, j'espère que ça va ben aller !

— À cause que ça irait pas ben ? C'est ben allé le mois passé pour Jeanne qui a eu sa petite. C'est vrai que c'est pas Thomas qui l'a accouchée, mais toute s'est ben passé pour elle. Tu vas voir, ma p'tite fille, toute va ben aller pour Tetitte, pis pour toi aussi. Inquiète-toi pas !

Rose reprend une gourgane dans le panier et l'écosse lentement sans parler. Elle est inquiète, bien sûr. Avec toutes ces petites douleurs qu'elle ressent depuis des mois, bien plus intensément que n'importe qui elle en est persuadée, elle est de plus en plus convaincue qu'il en sera de même au moment d'accoucher. Elle souffrira davantage, à quoi bon essayer de s'en faire accroire ?

Emma revient à la table et la regarde, un peu découragée, devinant le fil de ses pensées. *Ah! Ces petites femmes d'aujourd'hui!* songe-t-elle. *Elles arrivent à vingt ans sans avoir appris à rien faire, sans même avoir appris à souffrir on le dirait bien.*

— Je voulais te dire une chose, Rose. Tu sais la servante que je t'ai parlé l'autre jour, Gémina Dufour…

Rose lève la tête, allumée tout à coup.

— Ben, c'est décidé. A commence dans une semaine. Lundi prochain, le 7. Au début, a va venir les avant-midi, pis a va rester jusqu'après dîner, pour faire la vaisselle pis toute. Mais rendu au mois d'août, a va rester icitte avec nous autres pour au moins trois mois, peut-être ben jusqu'aux Fêtes s'y faut, entouècas jusqu'à ce que tu soyes vraiment revenue de ton accouchement ma fille, pis que le bébé soye ben parti. T'es-tu contente?

— Certain que j'suis contente madame Bergeron. Avec Tetitte qui arrivait betôt, pis votre autre garçon, Pit, qui vient en septembre avec sa famille, pis moi qui vas accoucher, on y serait pas arrivées certain, vous pensez pas?

— C'est ben ça qu'on s'est dit Georges pis moi. On n'est pas fous!

— Vous êtes ben fins en tout cas.

Elle hésite, puis ajoute:

— C'est pas de ma faute si j'ai toujours mal en quequ'part, vous savez. Ti-Louis dit que j'ai toujours une vesse de travers, y dit ça en riant, mais des fois je pense que…

— Commence pas à t'inquiéter ma p'tite fille. Arrête-moi ça tu-suite! Ti-Louis, c'est un bon mari, pis toi t'es sa femme. Y sait ben que t'es enceinte pis que c'est pas facile.

Elles entendent le bruit de la porte du *backstore* qui s'ouvre. Georges surgit dans la cuisine d'un pas vigoureux.

— Où ce que t'étais passé coudonc? Par une chaleur pareille! l'interpelle sa femme.

— J'tais chez Alida. J'avais des affaires à voir dans le coin.

Georges se dirige vers le fond de la pièce, ouvre les portes du buffet, attrape une bouteille de whisky et en verse un peu dans trois petits verres. Il se retourne ensuite vers les deux femmes:

— Bon ben, slaquez un peu là, toué deux! lance-t-il joyeusement. On va prendre un p'tit verre ensemble.

Il tend à chacune un verre:

— Envoyez! Ça va vous faire du bien. Envoye, envoye, Rose! lance-t-il à sa bru en la pointant du menton. Lâche les gourganes deux menutes! Un p'tit boire de même, tu vas voir que ça va te renforcir.

Sur ce, il prend une bonne lampée, se secoue un peu la tête en grimaçant et se verse un deuxième verre aussitôt. Après avoir refermé les portes du buffet, il revient s'asseoir avec elles autour de la table.

— Pis Rose! Penses-tu qu'on va réussir à te sauver? reprend Georges d'un air moqueur.

Faisant un clin d'œil à sa femme, il ajoute :

— Entouècas, tu retiens pas de ta tante certain, celle-là qui était partie à pied fonder Mistook.

— Je vous ai jamais faite accroire que j'tais comme elle, répond Rose du tac au tac. Pis j'ai jamais dit non plus que j'tais Samson.

— Ni la femme forte de l'Évangile si j'ai ben compris, poursuit Georges, pince-sans-rire.

— Veux-tu ben laisser Rose tranquille, toi là, mon agaceux ! intervient Emma qui craint que son mari aille trop loin.

— Ah laissez-le faire, madame Bergeron ! Je commence à être habituée. Y aime ça me faire fâcher. Mais, c'est que vous voulez, ajoute-t-elle en regardant son beau-père en souriant, aujourd'hui y fait trop chaud pour que je me fâche. Vous comprenez, ça serait trop fatigant.

Elle trempe doucement ses lèvres dans son verre et prend une petite gorgée en grimaçant.

— C'est ça Rose ! Prends un p'tit coup ! Ça va te remonter le canayen !

Le bruit de la porte d'en avant les interrompt. Louis arrive, tout excité :

— Eille ! Je viens juste de rencontrer Georges Vézina au coin de la rue. Y est icitte en vacances dans sa famille pour la semaine.

Louis se dirige vers le buffet et se verse lui aussi un verre de whisky.

— T'as-tu pu y parler un peu? demande Georges.

— Ben! Tu peux être sûr que j'y ai parlé! répond-il en s'assoyant à la table. Eille! Y ont gagné la coupe Stanley! C'est pas rien.

Louis prend une gorgée de whisky, s'essuie la bouche avec le dessus de sa main et continue son histoire:

— Y ont battu les Sénateurs d'Ottawa, les Maroons de Vancouver pis les Tigers de Calgary. Vézina a quasiment pas accordé de buts pendant tout ce temps-là. C'est vrai qu'y avait terminé en tête des gardiens, mais quand même…

— Tu y as-tu dit qu'on avait suivi ça à radio pis din journaux? demande son père.

— Ben sûr que j'y ai dit, répond Louis en prenant une deuxième gorgée. Eille! Je l'ai félicité, pis j'y ai dit qu'on était ben fiers de lui, icitte à Chicoutimi, ben fiers de le voir réussir de même avec les Canadiens de Montréal. Y m'a dit que la prochaine saison, en novembre j'sais ben, y allaient déména-ger dans un gros aréna ben neuf, su'a rue Sainte-Catherine, dans l'Ouest. Le Forum qu'y m'a dit.

Il regarde sa femme et lui fait un clin d'œil complice:

— Pas loin de l'hôtel où ce qu'on est allés en voyage de noces, Rose.

Rose lui sourit, bien appuyée au dossier de sa chaise.

— Bon ben, c't'assez là le placotage, coupe Emma. Faut qu'on avance dans notre travail nous autres.

— C'est que vous êtes en train de préparer là? questionne Louis. De la soupe aux gourganes? Me semble qu'y est ben qu'trop tard pour faire une soupe.

— C'est pour demain, répond Rose.

— J'vas a faire de bonne heure en me levant, précise Emma.

— Pis à soir? C'est qu'on mange?

— Du jambon froid, de la salade, du pain, du fromage, des fraises, énumère Rose.

— J'espère qu'y en a en masse parce que j'ai faim en batinse.

— Inquiète-toi pas! rétorque Emma. On connaît ton appétit de *galafia*. Y va en avoir ben d'reste.

— Bon ben, en attendant j'vas aller me changer, lance Louis en se levant. J'ai eu ben chaud su'a rue. Vous m'appellerez quand ça sera prêt! lance-t-il en se dirigeant vers l'escalier.

Chapitre 22

Juillet avance rondement. Tout comme les grossesses de Rose et de Tetitte. Ce matin-là, Louis s'est levé de bonne heure et il a quitté sa chambre sans faire de bruit afin de laisser sa femme dormir encore quelques heures. En bas, son père s'affaire déjà dans la cuisine à partir un petit feu dans le poêle. Il a pour son dire qu'une attisée en se levant permet de chasser l'humidité de la maison, car les matins sont souvent frais, même à la fin du mois de juillet. On peut aussi y faire chauffer du café et rôtir quelques tranches de pain, si on le souhaite.

— Maman est pas levée?

— A dort encore un peu. A se réveille souvent la nuit, astheure.

Georges se verse une tasse de café et s'assoit à la table. Lentement il allume sa pipe pendant que Louis, debout près du poêle, surveille d'un œil son pain qui grille tout en disposant sur la table le beurre, le fromage, les cretons qu'il sort au fur et à mesure de la glacière.

— Pis toi, c'est que tu fais aujourd'hui? lui demande son père.

— J'sais pas trop. Rose va à Sainte-Anne pour la fête de la sainte mais, pour dire vrai, ça me le dit pas ben ben d'aller là.

— T'es pas obligé d'y aller. Voir !

— C'est sûr mais… Avait l'air de vouloir que j'aille avec.

Georges tire quelques touches sur sa pipe :

— Dis-y que j'ai besoin de toi, lance-t-il. D'ailleurs c'est vrai. Faut qu'on regarde les comptes toué deux. Y a des affaires qui marchent pas.

— Ouais…

Louis lève l'index en l'air et l'agite de gauche à droite comme un métronome :

— Sainte-Anne ou les comptes, répète-t-il deux fois en bougeant son doigt. Je me demande c'est que j'ai le plus envie d'faire…

Il regarde son père et se met à rire :

— OK, OK, ça va être les comptes. Ça adonne ben dans le fond, j'avais justement quequ'chose à te parler.

— J'espère que c'est pas pour me demander de l'argent.

— Inquiète-toi pas. Tu vas voir. Ç'a ben du bon sens mon affaire…

* * *

Un peu plus tard, Louis monte à sa chambre :

— Faudrait que tu te lèves, Rose ! lance-t-il en entrant. Y est tard là ! Si tu veux arriver à l'heure pour la messe de onze heures, t'as juste le temps.

— Oui, oui, je me lève là !

Rose rabat les couvertures et s'assoit sur le bord du lit. Une main sur le ventre, elle se met lentement debout. À sept mois et demi de grossesse, elle a l'impression de porter des jumeaux tellement elle se sent grosse.

— J'vas m'habiller avant de descendre, explique-t-elle. Comme ça, on va pouvoir partir tu-suite après déjeuner.

— C't'une bonne idée ça! répond Louis en s'assoyant sur le bord du lit. Mais t'sais, en fin de compte, c'est ben de valeur, mais je pourrai pas y aller avec toi.

— Comment ça? demande Rose, déçue.

— Ben mon père a besoin de moi, dit-il en hochant la tête, l'air désolé. Tu comprends, j'ai vraiment pas pu le faire changer d'idée. Y a des affaires pressantes à voir avec moi. C'est que tu veux?

Après quelques secondes, il ajoute d'un ton se voulant conciliant:

— Je me sus dit que tu serais ben mieux tu-seule dans le fond avec ta famille. Tu penses pas? T'es vois pas souvent, pis aujourd'hui, en plein été de même, je trouve que c'est une maudite bonne occasion d'être avec eux autres.

— C'pas à cause, répond Rose, qui n'est pas aussi déçue que ça finalement.

Elle se place un peu à l'écart et commence à s'enrouler une large bande de tissu autour de la taille pour l'aider à soutenir son ventre. Elle enfile son soutien-gorge et son jupon et revêt une jupe bleu pâle spécialement cousue pour laisser place au ventre et un ample chemisier blanc permettant de dissimuler au mieux son état. Un chapeau à larges rebords, des souliers et des gants blancs, ainsi qu'un petit sac à main de la même teinte compléteront sa toilette au moment de partir.

— Sais-tu que tu portes exactement les couleurs de la Sainte Vierge ? s'exclame Louis en la regardant.

— Ben oui, c'est vrai ! J'y avais pas pensé, s'étonne Rose. Mais c'est pas la fête de la Sainte Vierge aujourd'hui, c'est la fête de sainte Anne, sa mère.

— J'sais ben, répond Louis, mais t'es din bonnes couleurs pareil. Les couleurs du ciel, précise-t-il en levant les mains comme un prêtre.

— Merci. T'es ben fin. Mais t'sais, tantôt, j'ai failli changer d'idée pis pas y aller non plus, dit-elle en hochant la tête. Mais tu comprends, je fais c'te neuvaine-là depuis toujours… Comment tu veux ? J'serais jamais capable de pas y aller… Ça ferait trop de peine à maman.

— Ça va être plaisant, tu vas voir. Avec ta famille pis tout le monde de par chez vous.

— Ah ! J'vas être ben contente d'es voir c'est sûr, répond-elle en haussant les épaules. De toute façon, je pourrais pas manquer ça.

Non, malgré son état, Rose ne peut pas manquer la fête de sainte Anne encore cette année. Précédé des neuf jours de la neuvaine, le 26 juillet représente en effet, pour la majorité des habitants du village de Sainte-Anne, une fête religieuse importante et un rituel annuel incontournable. Cette année, Rose s'est contentée de quelques *Je vous salue Marie* chaque matin dans son lit pendant neuf jours, incapable de même imaginer l'effort qu'elle aurait dû déployer pour prendre le traversier chaque jour afin de se rendre jusqu'à l'église. Mais la journée de la fête, c'est différent…

Elle sort de la chambre au bras de Louis qui l'aide à descendre l'escalier :

— Inquiète-toi pas ! Tantôt, j'vas marcher avec toi jusqu'au traversier.

— Marcher ? T'es pas sérieux ! lance Rose en s'immobilisant. J'tais sûre de prendre un taxi.

— Voyons donc ! C'est juste à côté.

— Oui, mais t'as l'air d'oublier que j'suis enceinte, Ti-Louis.

— Ben non, t'sais ben. Comment je pourrais oublier ça ? Mais je pensais que ça te ferait juste du bien de marcher un peu vu que ton père vient te chercher au traversier de l'autre bord, pis qu'y t'amène direct à l'église, pis direct chez vous après la messe, pour dîner pis voir passer la procession.

— Ouais, c'est vrai… Mais t'sais, je me sens tellement pas forte. J'aimerais mieux y aller en taxi.

— Pas de problème. J'vas embarquer moi aussi pis j'vas aller attendre le bateau avec toi. C'est-tu correct de même ?

— Oui. C'est ben correct.

Rose l'embrasse sur la joue. Ils se remettent à descendre prudemment l'escalier.

— T'es ben fin, Ti-Louis. Pis au moins, j'suis chanceuse, y fait pas trop chaud aujourd'hui.

* * *

À l'église, Rose rejoint sa mère assise à l'avant avec Mimine, Gonzague et quelques-unes de ses sœurs qui habitent dans la paroisse. Comme chaque année, le curé Lemieux passe tout son sermon à parler de la bonne sainte Anne à qui il voue une dévotion particulière. N'est-ce pas le seul moment de l'année où il peut tout à son aise vanter la grand-mère de Jésus? Quand il évoque avec force détails l'existence de la jeune Marie aux côtés de sa mère Anne, puis celle du petit enfant Jésus baigné d'amour et de lumière auprès des deux femmes – selon lui, tous les trois aussi saints l'un que l'autre sous la bienveillance du Saint-Esprit –, il sent son âme s'élever dans l'espace et littéralement embrasser l'univers. Saint Joseph est là à leurs côtés, protecteur, pourvoyeur, humble chef terrestre de la Sainte Famille. Peut-on trouver sujet de prêche plus édifiant? Au sortir de l'église, chaque paroissien se sent emporté par un irrésistible élan – fugitif, il faut bien le dire – de devenir au moins aussi bon que cette grand-mère, cette mère, ce père et cet enfant dieu. Plus concrètement, pour la paroisse, cette fête, ce sont des messes toute la journée jusqu'à trois heures, des quêtes abondantes et une procession grandiose qui se met en branle sur le parvis de l'église pour se rendre jusqu'à la croix. Presque toute la population en état de marcher y participe, les prêtres en avant avec des vêtements liturgiques blanc et bleu, suivis d'une multitude d'enfants de chœur et d'enfants de Marie portant des banderoles et des images saintes, eux-mêmes suivis de la population en général, tous très chics avec chapeaux, gants, robes et costumes du dimanche. Près d'une centaine d'Indiens – pour la plupart de Pointe-Bleue et de la Côte-Nord, dont plusieurs campent depuis le début du mois près du presbytère –, auxquels s'ajoutent de nombreuses autres personnes venues spécialement pour la fête, ferment la marche chaque année. Vêtus de costumes d'apparat, les hommes arborant plumes et colliers, les femmes portant un petit bonnet noir brodé de rouge sur leurs cheveux séparés au milieu, tressés et attachés avec un long ruban également noir et rouge, ils apportent un caractère exotique à la parade.

Cette procession passe directement devant la maison des parents de Rose, qui est probablement l'endroit d'où on peut l'apercevoir le plus longtemps. D'abord, on la voit arriver d'assez loin du bas de la côte jusqu'à ce qu'elle passe juste devant la maison au moment de tourner sur la rue de la Croix où on peut encore l'apercevoir, en s'étirant un peu, pratiquement jusqu'à sa destination finale. Comme chaque année, il faut toutefois attendre quelques heures entre la fin du dîner en famille et le passage de la procession. Se sentant assez fatiguée à la suite du transport, de la messe et de ce dîner animé, Rose confie à sa mère vouloir monter s'étendre un moment dans son lit de jeune fille, avec un sac d'eau chaude pour son estomac si possible, afin de récupérer avant le grand moment. De se retrouver là, dans son petit lit à côté de celui de Mimine, partie à l'église pour participer à la marche, Rose se sent soudain submergée par une vague d'émotions incontrôlables. Elle n'a pourtant pas de raison de pleurer. Elle a fait un beau mariage, elle est à l'abri du besoin, elle va bientôt mettre un enfant au monde, puis d'autres par la suite probablement. Pourquoi alors ce brusque chagrin? Peut-être est-ce en raison de cette sensation d'étrangeté qui, sans qu'elle ne s'en rende vraiment compte, s'est peu à peu installée en elle lorsqu'elle se retrouve dans sa famille. À force de demeurer avec les Bergeron, si fiers, si sûrs d'eux-mêmes et si conscients de leur valeur, si snobs parfois, elle ne peut s'empêcher maintenant de voir les membres de sa famille avec un autre œil, plus sévère, plus critique, plus dur. Sa mère, pourquoi faut-il aussi qu'elle soit toujours aussi mal habillée? Rose lui a pourtant dit et redit d'être fière, de ne pas attendre d'être étendue dans sa tombe pour porter ses belles robes, mais cela semble inutile. Quant à son père, on dirait bien qu'il ne peut pas être autre chose qu'un charretier, rustre et mal accoutré, transportant ici et là pour quelque argent des colons trop pauvres pour prendre un taxi ou posséder une automobile! Et Mimine, qui vient de se fiancer avec ce Cyrias Pilote, le fils du capitaine du traversier, n'aurait-elle pas pu viser un peu plus haut dans l'échelle sociale? Elle s'en veut de les juger ainsi. Pourtant, elle ne peut s'empêcher par moments de leur faire un commentaire désobligeant, pas vraiment consciente de les blesser, cherchant maladroitement à susciter en eux le besoin de se corriger, le désir de voir plus grand, plus beau, mieux. Tantôt, elle n'a pas pu s'empêcher de comparer la cuisine de sa mère, fade, ordinaire, avec celle de sa belle-mère, si savoureuse et variée. Rose replace son sac d'eau chaude sur son estomac. Elle a le cœur gros, mais après tout, que peut-elle y faire si sa deuxième famille fait ombrage à sa famille à elle? Ne les aime-t-elle plus? Oh non, impossible! Mimine, Annette, Gonzague, sa mère, surtout, si douce, si affable, si généreuse, ayant toujours eu dans toutes les maisons où ils ont vécu un banc de quêteux dans son entrée pour accueillir les vagabonds pour la nuit, une portion de nourriture de plus pour un passant dans le besoin, plusieurs d'entre eux revenant la voir chaque année, attirés par sa bonté et par ses yeux qui ne les jugent pas. Pourquoi n'est-elle pas comme elle? Pourquoi a-t-elle cet œil qui voit tout en un instant, qui examine chaque petit détail, juge chaque petit défaut physique, condamne chaque imperfection? Un qui parle mal, un autre qui manque d'envergure, un autre qui ne sait pas s'habiller, un autre qui ne sait pas comment s'asseoir, se tenir, se présenter ou arranger sa maison. Elle soupire longuement et place ses mains sur son ventre. *Si j'ai une fille*, songe-t-elle, *je vais lui montrer à aimer le beau, à le voir, à le reconnaître, à le rechercher.* Je vais lui enseigner à être la plus parfaite possible, à connaître les bonnes manières, ce qui se fait, ce qui ne se fait pas. *Ma fille va posséder toutes les qualités*, se dit-elle encore en rêvant des plus belles choses à venir pour sa petite famille à elle. C'est ainsi qu'elle finit par s'assoupir.

* * *

Pendant que la fête se déroule à Sainte-Anne, Georges, installé dans son coin bureau en compagnie de son fils, tient devant lui le grand livre où tous les montants des sorties et des entrées d'argent sont consignés depuis des années. C'est son plus vieux, Pit, qui a accompli le travail pour lui pendant des années, le poussant à apprendre, lui enseignant les chiffres, les nombres, les additions, soustractions, multiplications, divisions. Qu'aurait-il fait sans lui? Il lui sera toujours reconnaissant de lui avoir montré à compter. Depuis des mois, il a remis cette tâche à Louis, mais il s'est rendu compte en parcourant son grand livre dernièrement, qu'il manque des entrées et des sorties d'argent. En tout cas, ce qu'il a vu ne correspond pas aux chiffres attendus.

— T'as-tu ben marqué toué revenus des loyers ? demande Georges, en essayant de parler d'un ton neutre.

— Oui, je pense ben, répond Louis en souriant.

— Faut pas que tu penses, Ti-Louis. Faut que tu soyes sûr.

— Oui mais…

Louis hésite :

— J'en ai p't-être ben oublié que'ques-uns, avec toute c't'histoire-là de clinique fermée pis toute.

Georges contient son impatience et continue son interrogatoire :

— Pis les taxes de la maison d'Arthur, pis celle d'Edgar, les as-tu payées ? Je vois rien là-dessus, pas une note, pas de reçu, pas de sortie d'argent.

Le sourire de Louis s'évanouit :

— Pour moi, je les ai oubliées…

Il se ressaisit aussitôt :

— C'pas ben grave papa, j'vas aller les payer lundi matin à première heure.

— On va être en retard ! déclare Georges, catastrophé. La ville va nous charger des intérêts !

— Ben voyons donc papa ! Décourage-toi pas de même ! Y pourront toujours ben pas nous charger ben cher, juste que'ques semaines de retard.

Georges regarde son fils d'un air consterné, les avant-bras reposant lourdement sur ses cuisses :

— Bon-yenne Ti-Louis ! C'est pas l'histoire des intérêts qui me décourage tant que ça…

Il se redresse et hausse les épaules :

— Mais si je peux pas me fier su toi pour marquer toute, pis payer les affaires au bon moment, c'est que j'vas faire ?

— Tu t'en fais ben qu'trop avec ça papa. J'vas toute arranger ça, pas plus tard que lundi à première heure. Tu vas voir…

— Pis les loyers que t'as pas marqués, où ce qu'est passé l'argent ?

Louis secoue la tête, avec l'air d'un enfant pris en train de voler des bonbons :

— Je le sais pas trop moi… J'ai dû en avoir besoin.

Louis hésite, il lève les mains en signe d'impuissance :

— Tu comprends, avec toute ce qui se passe… Rose a tout le temps besoin de quequ'chose à pharmacie, pis y a les taxis pour ci pis ça, les commissions pour maman. Je me plains pas là, mais avec la clinique fermée, je te dis qu'y rentre pas ben ben d'argent depuis quequ'temps.

— OK, OK, c'est beau, coupe Georges, résigné.

Il secoue la tête en silence. Il doit se rendre à l'évidence. Son fils n'a pas de talent. Il l'a toujours su dans le fond, mais il espérait qu'il allait se reprendre et apprendre. Mais non ! Il soupire. Ce n'est pas lui, Georges Bergeron, qui aurait oublié de payer les taxes! De qui Ti-Louis peut-il bien tenir, il se le demande. Il hausse les épaules. Au moins, se dit-il, ce n'est pas un voleur ni un menteur. Non, juste un insouciant, pas de talent. Georges se prend le visage avec la main gauche, sa main droite un peu figée à plat sur le grand livre. Il reste ainsi un petit moment.

— Toute va s'arranger, tu vas voir papa, répète Louis. Lundi matin, sans problème.

Il toussote un peu, hésitant :

— Justement, je voulais te parler de quequ'chose.

Georges le regarde, dépité :

— Quoi encore? fait-il en haussant les épaules, sceptique.

— Ben, on peut pas se cacher que les affaires, c'est pas mon fort, hen! dit Louis en souriant. Pis une autre chose qu'y faut ben voir c'est que mon cours d'opticien, y me servira pas à grand-chose icitte à Chicoutimi, hen!

Son père ne peut qu'acquiescer en silence.

— Dans le fond, ce que je pense, poursuit-il, c'est qu'y faudrait que je travaille pour quéqu'un, une entreprise, une compagnie, que je gagne un salaire, tu comprends?

Georges le regarde, étonné.

— Moi, chus bon avec le monde, continue Louis. Je pourrais être voyageur de commerce ou ben vendeur, quequ'chose comme ça. C'est que t'en penses?

— J'sais pas trop… Tu m'arrives avec ça après-midi.

Georges se lève et marche vers le buffet du fond. Il sort deux verres, y verse deux rasades de gin et tend l'un des verres à son fils :

— Si t'es pas capable de travailler comme y faut pour moi, ton propre père, veux-tu ben me dire comment tu ferais pour travailler pour un étranger ?

— Justement ! enchaîne Louis en déposant son verre sur le bureau sans boire. Ça serait une *job*, tu comprends, j'aurais des tâches à faire, ça serait clair, net et précis. Y me semble que je serais bon avec le monde !

Après avoir vidé son verre d'un trait, Georges s'en ressert un deuxième :

— C'est sûr, admet-il en revenant s'asseoir. T'es intelligent, pis c'est vrai que t'as le tour avec les gens.

— Y a une compagnie là, t'sais ben, Dominion Fish & Fruit, y se cherche quéqu'un pour être su'a route, genre voyageur de commerce dans la région, collecteur de compte aussi des fois, pis vendeur sur place à certains moments. C'est, t'sais ben, le gérant de J.B. Renaud, Amable Tremblay, qui m'en a parlé l'autre jour. Y a pensé à moi.

— Oui, mais t'as pas de char ! s'écrie Georges. Ça te prendrait un char pis t'en as pas.

— Justement, réplique Louis, qui n'attendait que cela pour développer son point. C'est pour ça que je voulais t'en parler. Le char, y servirait pour la *job*, c'est sûr, mais y servirait aussi pour voyager maman pour ses rendez-vous à l'hôpital, pis pour Rose qui en a tout le temps besoin, pour toi aussi quand tu voudrais aller quequ'part.

— Chus encore capable de marcher, tu sauras, mon p'tit gars, riposte Georges, orgueilleux.

— Ben oui, c'est sûr. Personne a dit le contraire. Mais t'sais des fois quand tu veux aller plus loin, comme dans le rang Saint-Thomas avec maman pour voir sa famille ou ben faire un tour. Batinse papa, penses-y, on arrêterait de prendre des taxis, pis on sauverait de l'argent c't'effrayant.

Georges ne peut s'empêcher d'éclater de rire en entendant ces mots :

— Pauvre petit gars ! Sauver de l'argent ! Tu sais même pas ce que ça veut dire.

Louis préfère ne pas répondre à cette remarque. Il continue plutôt :

— Bon ben entouècas, papa, c'est que t'en penses de mon affaire ? On pourrait aller voir les chars ensemble c'te semaine au garage. Pis moi, ben, j'irais voir le gars de Dominion Fish. Amable Tremblay, y m'a dit qu'y avait déjà parlé de moi pis qu'y voulait me rencontrer. Tu comprends, j'ai des études, de l'entregent, chus ben habillé, avec un char en plus, chus sûr qu'y va être ben content de me prendre.

— Pis les affaires icitte, tu vas-tu continuer à m'aider, au moins pour collecter les loyers ?

— C'est sûr papa. Voyons donc ! C'est que tu penses ? Que je vous laisserais tomber toi pis maman ? Y est pas question de ça. Moi pis Rose on est icitte pour rester. Mais t'sais, c'est ben dur pour moi de passer mes journées dans maison à rien faire. Depuis que la clinique est fermée, c'est quasiment pas endurable. Faut que je travaille. Faut que je sorte de la maison. Faut que je voye du monde. Tu comprends ?

— Pis si t'as du monde qui veulent se faire ajuster la vue ?

— J'vas leur donner un rendez-vous le soir ou ben la fin de semaine, pis ça va se faire sans problème. Ça va être un *side line*, c'est toute. C'est d'ailleurs ça que c'est devenu astheure, par la force des choses.

Un silence s'ensuit. Difficile pour Georges de ne pas être déçu qu'aucun de ses fils ne tienne de lui pour les affaires. Surtout Louis, dont il espérait beaucoup, même si, pour être honnête, son idée était déjà relativement faite à son sujet. Au moins Ti-Louis montre qu'il a de la fierté et de la vaillance ! C'est tout à son honneur !

— J'vas y penser jusqu'à demain, déclare Georges. Astheure, ajoute-t-il en frappant le grand livre du plat de la main, on va faire le ménage là-d'dans, pis on va décider de ce que tu vas faire lundi matin pour arranger ce qu'on peut arranger. Tu comprends, faut que ça balance notre affaire. Faut que ça balance tout le temps.

* * *

La pénombre du soir tombe finalement sur la maisonnée. De façon soudaine, le temps s'est alourdi. Emma s'est couchée tôt. Rose, épuisée par son périple de l'après-midi, est montée dans sa chambre pour se mettre au lit et poursuivre la lecture d'un nouvel épisode de son feuilleton *Au bonheur des dames*. Les deux héros, Denise et Mouret, se sont maintenant déclaré leur amour l'un à l'autre, mais il semblerait que, jusqu'à la fin, la situation demeurera compliquée. On entend soudain au loin un léger grondement de tonnerre. Louis est bien averti de venir la rejoindre si jamais il y a un orage. Il connaît sa peur irrationnelle du tonnerre. Elle l'entend monter rapidement l'escalier.

— Ah! Enfin! Ti-Louis! s'exclame Rose en voyant son mari pénétrer dans la chambre. Viens te coucher, vite! Viens! supplie-t-elle.

— Ouais… C'est plaisant d'être désiré de même! lance Louis, goguenard.

— Arrête de niaiser là, pis dépêche-toi de te déshabiller!

— Hum… Encore mieux…

Il la regarde, moqueur, en battant des paupières.

— Niaiseux! Envoye! Viens te coucher!

— En dessous du confortable de plumes, précise Louis. Ton paratonnerre.

Il enlève rapidement ses vêtements et la rejoint dans le lit où il la sent trembler légèrement.

— Pauvre p'tite Rose! fait-il en l'entourant de ses bras. Veux-tu ben me dire où ce que t'as pris ça c'te peur-là?

— Je le sais pas.

Un éclair embrase la chambre tout à coup. Rose se cache la tête dans l'épaule de Louis et arrête de respirer. Un énorme coup de tonnerre retentit dans le ciel.

— Mon Dieu Seigneur… Ça va-tu finir?

Louis rit un peu. Il peine à comprendre cette terreur maladive. Lui, c'est le contraire. Il adore les orages, le vent, la tempête. Il se baignait dans le Saguenay quand il était jeune et qu'il pleuvait très fort. Il faisait son brave et entrait dans l'eau hardiment. C'était une impression inégalable! Toute cette eau froide qui se déversait sur lui, lui coulant abondamment sur la tête, les cheveux, les yeux en même temps que son corps s'immergeait dans l'eau qui devenait alors, comme par miracle, si chaude. «È chaude comme d'la pisse!», criait-il alors à son petit frère Pitou qui, gaillard, le suivait de près dans l'eau. Il n'y avait rien de plus exaltant comme sensation que lorsque les éclairs et le tonnerre se déchaînaient autour d'eux. Mais c'est loin tout ça maintenant. À présent, il est bien au sec, il protège sa femme d'un danger qu'il perçoit comme bien peu menaçant, mais il se sent tout de même comme un genre de héros, fort et courageux, auprès d'une belle femme faible et éplorée. Louis tapote doucement le dos de Rose un bon moment, pendant que les éclairs et les coups de tonnerre diminuent et s'estompent peu à peu.

— Tu vois! C'est quasiment fini. Faut croire que des fois, on peut pas y échapper. L'humidité devient trop forte, pis faut que le ciel se dégorge de son eau.

Rose sort la tête de sous le confortable de plumes:

— C't'été, y me semble que de la pluie pis des orages, on en a plus que d'habitude.

— C'est vrai. Pis y paraît qu'on va en avoir encore de même jusqu'à l'automne.

— En tout cas, y fait chaud en dessous de ça! s'exclame Rose en rejetant le confortable par terre.

Elle se recouche lentement sur le dos, le haut du corps un peu remonté sur ses oreillers, afin de faciliter sa digestion :

— Quand j'étais petite, commence-t-elle à raconter, y avait juste une place où je me sentais en sécurité quand y avait un orage. C'était chez M. et Mme Petit.

— Le député?

— Oui, le député. C'étaient quasiment nos voisins dans le rang deux. Pis moi, vu que j'étais la filleule du responsable du bureau de poste, mon oncle Phydime Gauthier, ben M. Petit me chargeait chaque jour d'aller maller ses lettres pis de lui rapporter son courrier.

— Y avait vraiment confiance en toi!

— Ben, c't'affaire! J'tais responsable, pis y le savait.

Louis se tourne sur le côté et pose sa tête tout près de l'épaule de sa femme pour mieux la voir, en faisant attention de ne pas la toucher. Un rien la dérange.

— J'sais pas pourquoi, poursuit Rose, mais chaque fois que je rentrais dans c'te maison-là, je me croyais à l'abri de n'importe quel danger. C'est drôle hen! Fait que quand l'orage arrivait, je courais chez eux pis je restais là jusqu'à ce que ça finisse.

— Pis ta mère, était pas inquiète?

— Non, non. A le savait que je me sauvais là. Pis a savait qui pouvait rien m'arriver dans c'te maison-là.

Pris d'un élan d'affection, Louis tente de lui caresser le ventre, mais Rose sursaute, fébrile comme un lièvre :

— Eille ! Tu me chatouilles, fait-elle en lui enlevant la main machinalement. J'aime pas ben ça me faire toucher de même.

Louis se remet sur le dos, un peu triste, se consolant en pensant au bébé. *Au moins lui, le bébé, j'vas pouvoir le prendre à mon goût,* se dit-il, le cœur débordant d'amour comme chaque fois qu'il pense à ce petit enfant à venir. Faisant semblant de rien, il se met à raconter brièvement son après-midi, taisant les reproches de son père et la possibilité d'un futur emploi, insistant surtout sur l'achat éventuel d'une automobile pour bientôt. Une belle, là, avec laquelle ils vont pouvoir faire de longues randonnées. Rose se montre un peu anxieuse :

— Comment tu vas faire pour la payer avec ta clinique fermée ?

— J'vas m'arranger, tu vas voir, inquiète-toi pas, répond-il.

Louis se garde bien d'ajouter quelques détails de peur de provoquer toute une série de questions. Il change plutôt de sujet :

— Tetitte a téléphoné tantôt, commence-t-il. A disait qu'a avait eu des tranchées dans l'après-midi. Maman s'est relevée, était ben énarvée d'ça. Y ont décidé finalement de la faire descendre à Chicoutimi plus vite que prévu.

— Quand est-ce qu'a arrive ?

— Demain. Ou lundi au plus tard.

— Ça va faire du monde dans maison ça là, répond Rose en soupirant. Une chance qu'y ont engagé une bonne! Comment tu voudrais qu'on arrive à faire tout ce qui a à faire sans aide?

— Toute va ben aller, tu vas voir, dit Louis pour se faire rassurant. Faudrait dormir là! L'orage est passé. L'air est frais. On va être ben c'te nuit.

Il l'embrasse sur la joue:

— Bonne nuit, là, ma femme! fait-il en se tournant sur le côté opposé.

— Bonne nuit, Ti-Louis, répond Rose en demeurant sur le dos, un peu surélevée sur ses oreillers afin de prévenir les reflux d'estomac.

Chapitre 23

Arrivée deux jours plus tard en compagnie de son mari, Tetitte démontre rapidement qu'elle ne s'est pas alarmée pour rien. Dès le surlendemain, presque quinze jours avant le moment prévu, sans complication d'aucune sorte, elle met au monde un petit garçon prénommé Jean. Ses frères et sœurs passent ce jour-là, au moins quelques minutes, pour voir le bébé, féliciter l'heureuse maman et apporter un petit présent pour l'occasion. Héléna et Jean Grenon sont désignés comme parrain et marraine pour son baptême à la cathédrale.

Pour Emma, la présence de sa plus jeune fille à la maison pour plusieurs semaines représente un vrai bonheur. Elle souhaite pouvoir l'aider de son mieux, en tenant compte bien sûr de sa condition physique limitée. C'est ainsi qu'elle a fait installer des lits pour Tetitte et son bébé dans le salon double, juste à côté de la porte de sa chambre afin que la nouvelle maman et l'enfant soient le plus près possible d'elle et de Georges. Le jour, on transporte simplement le moïse dans la cuisine, où ce petit chérubin apprend à vivre au beau milieu du bruit et de l'animation familiale.

Pour Rose, les choses ne sont pas si simples. En réalité, l'accouchement de sa belle-sœur, loin de la rassurer, a plutôt nourri son anxiété. N'y a-t-il pas en effet quelque chose de dramatique dans le fait de voir un docteur accourir au secours d'une jeune femme en douleur, d'apercevoir les casseroles d'eau bouillante circuler d'une pièce à l'autre, d'entendre pêle-mêle les directives du médecin, les cris de la mère et les pleurs stridents du nouveau-né, de voir passer draps et serviettes tachés de sang? Rose trouve que tout cela est très saisissant, surtout lorsqu'on est soi-même une jeune femme enceinte de presque huit mois qui s'imaginait naïvement assister à un genre de répétition qui aurait dû être rassurante. Louis doit faire des pieds et des mains toute la soirée pour lui changer les idées, la faire sourire, la ramener à plus d'optimisme et de calme. Avec un certain succès, il faut bien l'admettre, car il commence à bien connaître sa femme. Certes, elle est très impressionnable, un peu hypocondriaque, mais Louis comprend maintenant que ces grands moments d'émoi ou d'inquiétude ne durent jamais longtemps, une impression forte chassant vite la précédente. Il sait surtout que Rose aime rire, qu'elle est moqueuse, ricaneuse, de nature heureuse, et qu'elle adore recevoir toute l'attention à laquelle elle est intrinsèquement convaincue d'avoir droit, du moins de la part de son mari.

Car, pour le moment, l'attention de tout le monde est plutôt tournée vers Tetitte et son nouveau-né. Certains jours, la maison est pratiquement envahie par les membres de la famille qui viennent à tour de rôle profiter de la présence de leur sœur pour un temps trop court. L'été est à son apogée, les chaleurs, le farniente, et depuis l'arrivée de la bonne Gémina dans la maison, Rose n'a pratiquement rien d'autre à faire que de lire et de se reposer dans sa chambre. Il reste bien les repas à cuisiner avec sa belle-mère, mais ces instants passés dans la cuisine en joyeuse compagnie la divertissent beaucoup… En attendant la délivrance.

* * *

C'est ainsi que le mois d'août s'égrène au fil des jours, sans histoire. Un soir que le temps est tout en douceur, Rose et Louis font une petite balade à pied à proximité de la maison. Louis a dû user de ses meilleurs arguments pour décider sa femme à venir se promener avec lui. Ils marchent à la vitesse d'une tortue, main dans la main, lorsque soudain Louis reconnaît devant eux, venant dans leur direction, son ami William et sa femme Charlotte, enceinte elle aussi, et presque à terme si l'on se fie à la taille de son ventre. Ils poussent un landau. Ils ont reconnu Louis et le saluent déjà de loin avec la main. Encore ému malgré lui au souvenir de la tragédie qui l'a tant remué il n'y a pas si longtemps, Louis s'avance résolument vers le couple.

— Bonjour, bonjour! lance-t-il tout sourire, un peu fébrile. William, je te présente ma femme, Rose. Imagine-toi donc que c'est ta petite-cousine, lui apprend-il, tout heureux.

— Enchanté, fait William, surpris, en se penchant poliment vers elle. Voici ma femme, Charlotte.

Les deux jeunes femmes se saluent, incapables de s'empêcher de jauger leur ventre, se demandant qui est la plus avancée dans sa grossesse.

— On est des vieux amis de Ti-Louis, poursuit William. Alors, comme ça, vous et moi, on est cousins?

— Des p'tits-cousins par nos deux grands-pères Tremblay, explique Rose aussitôt, les fils du vieux Jos Tremblay Cornet. C'est ma mère qui est une Tremblay, une cousine propre de votre père.

— Le monde est p'tit, résume-t-il en secouant la tête. Si je comprends bien, vous allez avoir un bébé, avance-t-il en souriant. C'est pour quand ?

— Pour le 20 septembre environ, répond Louis.

— Nous autres, c'est un peu plus vite. Charlotte devrait accoucher d'ici une quinzaine de jours, explique William.

— Ça fait qu'on est quasiment en même temps, déclare Charlotte à Rose avec un petit sourire en coin.

— Vous avez déjà un bébé à ce que je vois, dit Rose.

— C'est notre première fille, répond-elle sans dire son nom. Elle a quinze mois.

Pendant que Rose examine l'enfant qu'elle complimente à haute voix, la trouvant vraiment très jolie et bien habillée, Louis regarde Charlotte qu'il n'a pas revue depuis les funérailles de sa sœur. Il lui sourit et baisse lentement les yeux sur la petite Angéline. Il reste là un moment, songeur, comprenant soudain que même si la mort de son ex-fiancée et la vie de cette petite fille sont liées à jamais par leur prénom commun et que, même s'il était, lui, tout près d'eux au moment du drame, cette réalité familiale des Warren n'a maintenant plus aucune incidence dans sa vie présente. Cela le frappe comme une évidence. Cette petite Angéline est simplement la fille de son ami William. Rien de plus. Sa vie à lui est rendue complètement ailleurs.

— Vous avez une belle p'tite fille, déclare-t-il en souriant. Penses-tu d'avoir que'ques patients pour moi c'te semaine ? demande-t-il à William.

— Deux ou trois, je pense, répond celui-ci. Je vais essayer de te les envoyer.

— C'est ben beau comme ça d'abord, fait Louis. Nous autres, on va poursuivre notre p'tite promenade, ajoute-t-il en passant son bras sous celui de Rose. J'étais vraiment content de vous voir, ajoute-t-il en saluant ses amis. Viens, Rose! On y va!

Bras dessus, bras dessous, ils repartent lentement.

— Ça fait-tu longtemps que t'es connais? demande Rose, un peu plus loin.

— Ah! William? On a fait notre cours classique ensemble. On se tenait avec Chayer, t'sais, mon chum avocat.

— En tout cas, c'était vraiment un beau couple, fait Rose, songeuse. Penses-tu que nous autres, on est un beau couple aussi?

— Ben plus beau, voyons donc! répond Louis en la regardant. Ah! T'sais pas encore ça que t'es la plus belle femme au monde?

Rose glousse de plaisir. Elle se sent bien.

— T'es fin, Ti-Louis! lance-t-elle en l'embrassant sur la joue. T'es trop fin! Bon ben là, astheure, on rentre. On a assez marché.

* * *

Deux jours plus tard, Louis reçoit enfin de son père l'automobile tant désirée. Il s'agit d'une Ford modèle T, légèrement usagée mais en excellent état de marche, qu'ils ont fait venir spécialement de Québec. Une véritable occasion que

Pit leur a dénichée grâce à un frère de sa femme, Éva. Louis est évidemment pâmé. Il se promène sans cesse d'un bord à l'autre de la ville au volant de sa nouvelle voiture.

— Pour tes trente ans ! lui a lancé Georges en lui remettant la clé, tout en maugréant en lui-même pour la forme.

— Tu le regretteras pas papa, lui a promis Louis, extrêmement reconnaissant pour cet autre énorme cadeau.

Louis a en effet bien l'intention de démontrer à son père que, même s'il n'a pas le sens des affaires aussi aiguisé qu'il l'aurait souhaité, il est un homme plein de ressources, débrouillard, vaillant, instruit et qu'il existe une place à prendre dans la ville pour quelqu'un comme lui. Chez Dominion Fish & Fruit, ou ailleurs s'il le faut. Suivant la recommandation d'Amable Tremblay, Louis a rapidement contacté le gérant, M. Lortie, pour lui faire part de son intérêt. Une première rencontre, assez informelle, s'est d'ailleurs très bien déroulée, sans qu'il n'en parle encore vraiment avec Rose. Ce serait prématuré. Il préfère attendre la deuxième rencontre, cette fois avec le voyageur de commerce responsable du Saguenay–Lac-Saint-Jean, Narcisse Matte, du siège social de Québec. Son prochain passage au magasin de Chicoutimi est prévu pour le début d'octobre et une entrevue officielle avec lui est au programme. De prime abord, il a trouvé le délai trop long mais, à bien y penser, il s'est dit qu'au fond c'était pour le mieux, car Rose aurait ainsi le temps d'accoucher. Tout devrait donc bien aller. Louis se sent déjà à l'emploi de cette compagnie entièrement canadienne-française qui n'a d'anglais que le nom.

***

Avec Tetitte à la maison et la nouvelle automobile qui les mène aux quatre coins de la ville, le mois d'août passe finalement à toute vitesse pour Louis et Rose. Un dimanche après-midi, alors qu'Héléna est venue voir sa sœur et son petit filleul avec ses enfants, celle-ci se rend compte, en discutant avec Rose, que sa petite belle-sœur n'a pas encore de trousseau pour son bébé. Elle décide aussitôt de l'inviter à venir le faire chez elle.

— Oui mais…, balbutie Rose, hésitante.

— Oui, oui. Absolument. Mercredi qui vient, insiste Héléna. Je vais t'attendre.

Conscient du grand talent de couturière de sa sœur, de son goût sûr et de la valeur inestimable de son invitation, Louis tranche :

— J'vas aller te la reconduire mercredi sans faute, tout de suite après dîner, dit-il en faisant ensuite un clin d'œil complice à sa femme.

Le mercredi arrive, et Rose se sent encore bien incertaine. Elle se souvient du souper que les Grenon leur ont offert, à elle et à Louis, dans les jours qui avaient suivi leur retour de voyage de noces. Marie-Louise et Aimé étaient également présents. Elle s'était sentie si gênée, si intimidée. Il est vrai que Rose n'avait jamais vu quelque chose d'aussi fabuleusement excentrique que cette maison. Certes, elle avait été impressionnée également par la maison cossue et l'accueil d'Alida le jour de leur mariage, mais chez Héléna, tout était si différent, si original, si extravagant. En lui faisant visiter le rez-de-chaussée, sa belle-sœur lui avait expliqué que c'était un grand décorateur de Montréal qui avait réalisé l'aménagement complet des pièces, incluant meubles modernes, carpettes, papiers peints, tableaux et bibelots recherchés. Un décor unique, du jamais-vu à Chicoutimi. Rose n'avait pu qu'être fascinée par tout cela, de même que par le souper fin et succulent qui avait suivi.

C'est pourquoi ce mercredi-là, elle ne sait pas trop à quoi s'attendre de cette belle-sœur de la haute qu'elle appelle par ailleurs Mme Grenon avec déférence. Elle se demande avec une certaine inquiétude comment elle sera reçue, mais elle s'aperçoit rapidement que ses craintes ne sont pas fondées. Héléna l'accueille avec courtoisie et l'entraîne aussitôt à sa suite jusqu'à une salle de couture où elle s'installe immédiatement à la machine à coudre, après avoir fait un dernier sourire au passage à ses jeunes enfants qu'elle a confiés plus tôt aux soins de sa bonne, avec défense de la déranger. Adroite et rapide, Héléna travaille avec constance et détermination tout l'après-midi, sous les regards de plus en plus admiratifs de sa petite belle-sœur qui voit apparaître comme par magie devant ses yeux ébahis une douzaine de couches, quatre pyjamas, quatre camisoles, deux petits bonnets, huit bavoirs, six paires de chaussons, ainsi qu'une jolie petite couverture de laine blanche, taillée d'abord dans une plus grande, puis ourlée à la machine avec du velours d'un beau jaune très pâle.

— Comme cela, que vous ayez un garçon ou une fille, cela va faire, déclare Héléna dans son langage châtié.

Certains articles, comme les bonnets, les chaussons et deux barboteuses, proviennent de boîtes de vêtements et d'accessoires d'enfants qu'avait accumulés Héléna au fil du temps et de la naissance de ses six enfants.

Lorsque Louis vient chercher sa femme vers quatre heures et demie cet après-midi-là, c'est avec une grosse boîte remplie à ras bord qu'il ressort de la maison, remerciant chaleureusement sa sœur de s'être montrée si obligeante.

* * *

En réalité, tout le monde se montre généreux avec le jeune couple. Pas seulement la famille Bergeron, mais les Gauthier également. Lors du mariage en novembre dernier, les parents de Rose leur avaient en effet promis un mobilier de chambre complet comme cadeau de noces. Mais comme le temps avait passé et que Rose n'en avait jamais réentendu parler, elle avait peu à peu cessé d'y penser. Ce qu'elle ne savait pas, c'était que François, son père, brocanteur et coureur de ventes aux enchères partout au Saguenay, n'attendait en fait que la meilleure occasion pour s'exécuter. C'est ainsi qu'il vient de dénicher «les plus beaux meubles de chambre en bois d'acajou qu'il a jamais vus de sa vie», dit-il à Rose au téléphone. Il est maintenant prêt à venir les livrer.

— Drette là si tu veux, déclare-t-il à Rose.

Ce cadeau fait le bonheur de Louis, qui cherche depuis quelques semaines le moyen d'aménager une chambre d'accouchement spéciale pour sa femme. Pourquoi ne pas installer ce fameux mobilier dans le logement inoccupé qu'avait fait construire Georges deux années auparavant au-dessus des magasins à côté de leur maison ? Le but était alors d'y demeurer avec Emma, mais elle n'avait jamais voulu en entendre parler, souhaitant, disait-elle, mourir dans sa maison. Georges avait dû alors se résoudre à le louer aux demoiselles Mercier, deux vieilles filles très tranquilles dont il avait connu les parents avant qu'ils meurent coup sur coup tous les deux, les laissant orphelines. Récemment, l'une de leurs tantes étant devenue veuve, elles avaient décidé d'aller demeurer avec elle, libérant ainsi le logement. C'est ainsi que Louis avait eu l'idée d'y aménager la fameuse chambre d'accouchement, grande, spacieuse, aérée, au beau milieu du salon. Selon Rose, c'était certainement la folie des grandeurs qui s'était emparée de son mari. Mais il n'y avait rien eu à faire pour l'en dissuader. François Gauthier vient donc livrer sans délai les meubles de chambre et la pièce est aménagée avec soin pour que Rose puisse y accoucher dans les meilleures conditions.

Depuis ce temps, Rose et Louis vont chaque matin faire un tour dans ce drôle de décor de théâtre afin de se préparer au grand jour. Le lit est au centre de la pièce, entouré de deux jolies tables de nuit, tout de même placées à une certaine distance. Un meuble avec miroir biseauté et une commode à sept tiroirs sont placés en coin sur le côté, créant une certaine intimité. La tête de lit esseulée a simplement été appuyée au mur du fond.

— Une fois que j'vas avoir eu mon bébé, on va déménager les meubles dans notre chambre, hen Ti-Louis? demande Rose en s'assoyant ce matin-là sur le bord du lit.

— Oui, oui. Inquiète-toi pas! C'est juste pour que tu soyes à l'aise quand le grand moment va arriver que j'ai faite arranger c'te chambre-là.

— Ben c'est sûr qu'ici, j'vas être plus tranquille que de l'autre bord certain. Mais t'sais…

Elle place sa main sur son ventre :

— Des fois je me demande si j'vas être capable d'accoucher…

— Pauvre p'tite femme ! dit Louis en s'assoyant à côté d'elle sur le bord du lit. À cause que tu serais pas capable, hen ?

Il prend sa main et la serre dans la sienne.

— Toutes les femmes accouchent. Y a rien de plus naturel que d'accoucher, tu penses pas ?

— Oui mais… T'à coup que moi j'suis pas capable ?

— Ben voyons donc ! T'as juste à penser à l'Indienne que ton père a vue accoucher tu-seule su'l bord du bois… En quinze minutes ! ajoute Louis en la regardant, les yeux rieurs.

— Ouais…, répond Rose, qui se met à sourire à cette idée. Tu vois-tu ça, toi, si j'accouchais en quinze minutes ? lance-t-elle d'un ton moqueur. Y en a qui resterait bête, hen ! Je vois ça d'ici, la face de ton père, y en reviendrait pas certain ! Pis ta sœur Marie-Louise, a s'étoufferait ben dans son collet…

Elle se met à rire.

— Son collet monté prendrait le bord, j'cré ben ! ajoute Louis en éclatant de rire à son tour.

Ils rient un petit moment de bon cœur, assis côte à côte sur le lit.

— Ah ça fait du bien de rire de même ! s'exclame Rose en laissant tomber sa tête mollement sur l'épaule de son mari.

Louis demeure ainsi, près de sa femme, heureux à la pensée de ce qui les attend.

— Imagine, Rose! lance-t-il en étendant son bras devant lui, la main ouverte comme s'il peignait un tableau. Imagine notre petit bébé qui vient au monde. Imagine comment ça va être plaisant quand on va y voir la bette à ce p'tit bébé-là! Ah! J'ai tellement hâte…

— Oui… Moi aussi j'ai hâte, fait Rose en écho.

Louis prend une profonde respiration. Certes, il se sent prêt à faire tout en son pouvoir pour protéger sa femme, mais au fond de lui, quelques appréhensions demeurent, même s'il ne les exprime pas. Après ce qu'il lui est arrivé l'année passée, il conserve une certaine crainte, bien légitime au fond. Il sait que le pire peut survenir, sans préavis, et qu'on ne peut alors pas faire grand-chose. Malgré cela, ses mots se veulent rassurants :

— J'ai confiance, ma femme, j'ai confiance, déclare-t-il. Ça s'en vient, la délivrance. Pis tu vas voir… Toute va ben aller.

En réalité, bien de l'agitation survient encore chez les Bergeron avant ce grand jour. Le 7 septembre, Tetitte quitte la maison, son petit Jean emmailloté dans ses bras, en compagnie de son mari venu spécialement à Chicoutimi pour la chercher. Dès le surlendemain, Pit et sa petite famille doivent arriver. Ils ont séjourné dans la famille d'Éva à Québec pendant cinq jours et ont prévu demeurer une bonne semaine à Chicoutimi, à la maison bien sûr. Ce n'est donc pas le moment pour Emma d'avoir le cœur gros en voyant sa plus jeune repartir pour Montréal. Elle dispose de deux jours à peine pour faire un grand ménage avec la bonne et essayer de reprendre le contrôle de la maisonnée avant la nouvelle invasion.

Chapitre 24

Pit est heureux de pouvoir enfin venir passer du bon temps avec les siens. Alors qu'il quitte Québec pour la région de Charlevoix ce matin-là, en ce 9 septembre 1924, il ne peut pas deviner que la température va changer aussi subitement. Partis la capote ouverte, la tête au vent sous le soleil, lui et sa petite famille ont à peine le temps de dépasser Sainte-Anne-de-Beaupré que déjà les nuages commencent à s'amonceler de façon inquiétante au-dessus de leur tête. En catastrophe, Pit s'arrête sur le bord de la route pour remonter le toit de la voiture, afin que tous soient à l'abri si la pluie se met à tomber. *Ce qui ne manquera pas d'arriver*, se dit-il, s'il se fie à la voûte grise, lourde, presque noire, qu'il voit se dessiner au loin. À Baie-Saint-Paul toutefois, les choses semblent momentanément s'améliorer. Un rayon de soleil perce même pendant quelques secondes l'épaisse couche de nuages. Encouragé, Pit décide donc de poursuivre sa route jusqu'à Saint-Urbain.

Lorsqu'ils arrivent à l'entrée du petit parc de la Galette, une épaisse couche de nuages recouvre à nouveau le ciel. Quelques grosses gouttes de pluie s'écrasent sur le pare-brise. Pit pense alors un instant rebrousser chemin ou attendre au lendemain pour s'engager sur cette route isolée, sinueuse et rocailleuse, toute en pentes abruptes, la seule route terrestre qui mène à Chicoutimi, mais ils sont attendus avec impatience. Cela fait maintenant deux ans qu'ils ne sont pas venus. Pourquoi attendre ? En tant qu'ancien officier de guerre, n'a-t-il pas appris à être un peu téméraire? *Certes, il faut rester prudent,* se dit Pit, mais un peu de piquant dans cette longue randonnée n'a rien en soi pour lui déplaire.

— En avant toute! lance-t-il vaillamment au milieu des rires un peu nerveux de sa femme à ses côtés et l'excitation joyeuse des deux fillettes à l'arrière.

Au début, le chemin est très beau, mouillé par la pluie, beaucoup moins instable et poussiéreux qu'à l'habitude. Mais plus la voiture prend de l'altitude, plus la pluie devient dense et drue, au point par moments de lui brouiller presque entièrement la vue, lui laissant à peine le temps de se garer sur le bord de la route pour attendre une accalmie.

— Ça va passer! déclare-t-il d'une voix forte à sa femme et à ses deux filles, à travers le bruit assourdissant de la pluie qui frappe sur le toit de la voiture comme sur un tambour.

Pour lui, il n'est pas question de passer la nuit sur place. Pit se tient donc aux aguets et chaque fois que la pluie diminue, il fait avancer sa voiture sur quelques milles, un peu plus quand cela est possible, prêt à tout moment à s'arrêter de nouveau lorsque la pluie se remet à tomber comme des clous. Il roule pratiquement au milieu de la route, craignant l'effondrement des bordures à cause du puissant ruissellement de l'eau qui remplit maintenant les deux fossés sur les côtés. Cela fait déjà un bon moment que plus personne ne passe sur le chemin. Pit doit être l'un des derniers à avoir pris la route du petit parc avant que les autorités ne la ferment pour cause de très mauvais temps. Il avance lentement, par à-coups, se demandant à chaque instant ce qu'il fera si jamais sa voiture s'enlise, si le déluge se prolonge sur plusieurs jours. Il doit l'admettre, il a un peu peur, non pas tant pour lui que pour sa femme et ses deux filles qu'il a entraînées dans cette aventure plus dangereuse qu'il ne l'avait imaginé. Même à la guerre, dans les hôpitaux militaires qu'il dirigeait, alors que les soldats blessés, éclopés, estropiés, mutilés pouvaient arriver à toute heure du jour ou de la nuit, il avait toujours eu la sensation de contrôler la situation. Il menait son équipe médicale, ordonnait les opérations, gardait invariablement la maîtrise de son dispensaire. Ici, sous cette pluie torrentielle, dans cet endroit isolé, il a l'impression d'avoir perdu le contrôle. Et cette pluie qui n'arrête pas! Il lui faut rester fort et confiant malgré tout, savoir s'arrêter lorsqu'il le faut et avancer au bon moment. Garder son sang-froid, là se trouve selon lui la clé pour s'en sortir. Il se dit qu'il va les sortir de là, coûte que coûte, un mille à la fois s'il le faut, mais qu'il va réussir. Pour le moment, il doit surtout rester calme. Après, quand tout sera fini, il pourra en rire avec ses parents, ses frères, ses sœurs. Mais ce n'est pas pour tout de suite.

Après des heures et des heures d'attention soutenue, Pit voit enfin apparaître au loin le petit hameau du canton Boilleau, puis celui de Ferland quelques milles plus loin. Il a le cou tendu et les muscles des épaules durcis et endoloris à force de serrer le volant, mais un sourire éclaire son visage. Une heure plus tard, ils aperçoivent enfin tous les quatre le village de Grande-Baie, à leur grand soulagement. Il semble pleuvoir beaucoup moins fort au Saguenay et tout porte à croire qu'ils pourront maintenant se rendre sans encombre à leur destination.

***

Plus tard, en pleine obscurité, c'est avec des cris de joie qu'ils sont accueillis par Georges et Emma qui les attendent depuis au moins cinq heures, à bout de nerfs. Leur fils aîné, habituellement si ponctuel, qui arrivait aussi en retard, cela ne lui ressemblait pas. À la radio, ils ont parlé tout l'après-midi d'une tempête de pluie exceptionnelle touchant particulièrement La Malbaie, Petit-Saguenay et le parc de la Galette. En plein le trajet que Pit et sa famille devaient prendre.

— C'est sûr qu'y sont su'a route, avait affirmé Louis. Pit aurait téléphoné pour avertir si y'étaient pas partis à matin, avait-il ajouté plusieurs fois, croyant ainsi peut-être calmer les appréhensions de ses parents.

— Bon-yenne Ti-Louis, t'es pas obligé de nous répéter ça à tout bout de champ! s'était écrié Georges, excédé, en se versant un deuxième verre de whisky. On le sait ben qu'y sont dans le p'tit parc. Mais c'est que tu veux qu'on fasse à part attendre?

— Prier, avait répondu Emma, le chapelet entre les mains. Je vous salue Marie, marmonnait-elle d'ailleurs déjà les yeux pleins d'eau sans être capable de poursuivre.

S'approchant d'elle, Georges lui avait suggéré d'aller s'étendre un moment:

— T'es rendue ben que trop sensible depuis que t'as été malade, lui avait-il fait remarquer.

Rose avait accompagné sa belle-mère, bras dessus, bras dessous, jusqu'à son lit:

— On va laisser la porte ouverte, lui avait-elle dit en retournant dans la cuisine, comme ça vous pourrez rien manquer.

— Oublie pas d'arroser la dinde pour pas qu'a sèche, lui avait alors crié Emma, encore alerte malgré tout, prête à se relever pour aller le faire elle-même.

— Inquiétez-vous pas, madame Bergeron, j'sais ben que de la dinde séchée, c'est pas mangeable. Je m'occupe de toute, avait répondu Rose en entrant dans la cuisine.

Bien décidée à préparer le souper quoi qu'il arrive, elle s'était mise aussitôt à éplucher des pommes de terre :

— Je me meurs de faim, avait-elle expliqué à son mari, d'un ton qui n'admettait pas de réplique.

Ils avaient finalement mangé tous les quatre, silencieux, le cœur gros, et ce n'est qu'au moment où ils allaient sortir de table, accablés, pratiquement désespérés à force d'attendre, qu'ils avaient soudainement entendu des pas rapides escalader l'escalier d'en avant.

— Mon Dieu Seigneur! Faites que ça soit eux autres! avait imploré Emma en joignant ses mains devant elle, les yeux au ciel.

De les voir aussitôt apparaître tous les quatre dans le cadre de la porte, très excités, fourbus mais vivants, avait été comme un miracle. Jamais prière n'avait été si heureusement exaucée!

Chapitre 25

Ce jour-là, dimanche 14 septembre, Emma et Georges se lèvent tôt. Et pour cause ! Il va y avoir de l'activité aujourd'hui à la maison. Tous leurs enfants sont censés venir faire un tour au cours de la journée, certains comme Marie-Louise et Aimé, Pitou et Jeanne pour le dîner, d'autres en après-midi seulement. Tous tiennent à venir saluer une dernière fois leur frère Pit et sa petite famille qui repartent aux États-Unis tôt le lendemain matin.

Leur séjour a passé si vite ! songent Emma et Georges en se dirigeant vers la cuisine en silence. Ce matin, ils se sentent nostalgiques à l'avance, comme chaque fois qu'ils voient repartir leur plus vieux. Quand le reverront-ils ? Pas avant un an, peut-être deux. Seront-ils encore là pour l'accueillir ? *C'est pour cette raison que cette journée doit être parfaite*, se répète Emma, qui a préparé la veille avec Rose une grosse tourtière qu'elle a mise au four vers quatre heures du matin. Avec l'aide de Georges bien sûr. Elle n'aurait jamais pu transporter toute seule le gros plat de fonte rempli à ras bord de viandes, de pommes de terre et de pâte de la glacière jusqu'au four. Après qu'ils se soient recouchés tous les deux quelques heures, il est plus que temps maintenant de s'en occuper. Emma doit vite aller ajouter du bouillon et ajuster la température du four si elle veut que sa tourtière soit juteuse et cuite à point pour midi.

— Ce serait une vraie honte de la rater aujourd'hui alors que tout le monde va vouloir y goûter, lance-t-elle en ouvrant la porte du four.

— Ce sera parfait, la rassure Georges. Ça va être la meilleure tourtière qu'on n'aura jamais mangée de toute notre vie, ajoute-t-il en se penchant avec elle pour humer l'odeur incomparable qui se dégage déjà du plat.

En réalité, ce dimanche sera l'apothéose d'une belle semaine de rencontres familiales. Les Bergeron ont été en effet très occupés à se visiter et à échanger sur tout et sur rien au cours des derniers jours. Sans manquer à son devoir de mari attentionné, Louis s'est arrangé pour passer beaucoup de temps avec sa famille, surtout son frère aîné et son père, avec qui il s'assoyait chaque jour au salon pour parler affaires, prendre un petit verre, relire ou recopier en partie un rapport, commenter les nouvelles ou se rappeler quelques bons coups en élevant la voix et en riant très fort par moments. Rose a aimé d'emblée ce beau-frère américanisé, démonstratif, sûr de lui, imposant, qui s'est montré visiblement enchanté de faire sa connaissance. Elle a bien aimé aussi sa femme et ses deux filles qui, malgré leur grande distinction, ont dès le départ été charmantes avec elle. Devait-elle les appeler monsieur, madame, mesdemoiselles, eux aussi? Personne ne lui en a touché un mot, et comme ils n'étaient là que pour une semaine, elle s'est dit qu'elle n'aurait qu'à éviter de s'adresser à chacun d'eux directement pour ainsi régler le problème.

Rose s'est quand même sentie un peu oubliée dans ce grand brouhaha familial, mais cela ne l'a rendue finalement que plus à l'aise d'aller et venir à sa guise dans la maison, portant son ventre épanoui, énorme devant elle comme un trophée, se croyant ainsi dispensée de toutes autres considérations que celle d'attendre simplement la délivrance. Souvent allongée sur son lit pendant le jour pour lire et grignoter, elle a terminé la veille à regret la lecture du roman-feuilleton *Au bonheur des dames*. Elle va se souvenir longtemps de cette Denise qui finit par marier son patron. *Dans le fond*, s'est dit Rose en terminant le dernier chapitre, *plus une femme se refuse à un homme, plus elle prend de l'ascendant sur lui*. C'est un peu l'attitude qu'elle souhaite elle-même projeter, indépendante, fière, un peu froide, jamais vraiment conquise. Cela semble bien la servir puisque Louis s'empresse jour après jour de satisfaire ses moindres désirs. N'a-t-elle pas fait elle-même, tout comme cette Denise, un mariage en dehors de son milieu social? Ce n'est pas tous les jours facile de se faire accepter par des snobs comme le sont certains membres de la famille Bergeron, mais ça peut quand même marcher, elle en est la preuve.

Selon les calculs de son beau-frère, le Dr Duperré, qui est passé à la maison la veille au soir, Rose en est à sa toute dernière semaine de grossesse, dix jours tout au plus. «Rendue là, a-t-il déclaré d'un air sérieux avant de repartir, le bébé peut naître n'importe quand.» Était-ce une prophétie?

— Ti-Louis! Réveille-toi! Vite! Je pense que mon bébé s'en vient.

— Quoi? fait ce dernier aussitôt sur le qui-vive. C'est que tu dis là?

— Ben j'sais pas trop. J'ai eu une grosse crampe dans le ventre tantôt, pis je me sens bizarre. Pour moi, j'vas accoucher.

— J'vas aller chercher maman, OK! On va y demander si a pense que c'est ça.

— Laisse-moi le temps au moins d'aller faire pipi, je me meurs.

Rose s'assoit sur le bord du lit pour mettre ses pantoufles :

— Attends-moi avant d'aller déranger ta mère. T'à coup que c'est rien.

Elle se lève et fait quelques pas prudents :

— J'pense que j'vas être correcte pour me rendre aux *closets*.

Quelques minutes après, elle revient lentement dans la chambre. À quelques pas du lit, elle s'arrête.

— Ayoye ! fait-elle en mettant ses mains sur son ventre.

— C'est ça, voyons donc, c'est des contractions, tu vas accoucher ! s'exclame Louis, dont l'énervement vient de monter d'un cran. Batinse, c'est qu'on fait dans ce temps-là ?

— Ben, commence par m'aider à me recoucher, pis cours vite chercher ta mère. Elle, a va le savoir ce qu'y faut faire.

C'est finalement Pit qui revient avec Louis à la chambre. Réconfortant, il s'assoit près de Rose :

— Ça va ben aller ma petite belle-sœur, dit-il d'une voix grave et apaisante. Tu vas voir, toute va ben aller. Faut juste que tu t'énerves pas trop, tu comprends ? ajoute-t-il en lui tapotant doucement la main. Bon ben, tes contractions ? T'as-tu remarqué combien de temps y s'était passé entre chacune ?

— Non… J'ai pas pensé à ça.

— Bon ben, j'vas rester ici un peu avec toi pis Ti-Louis, pis c'est ça qu'on va faire. On va calculer.

Au bout d'un long moment, comme il ne se passe rien, Pit se fait rassurant :

— Tes contractions sont pas encore assez rapprochées. Je pense que tu peux descendre déjeuner. T'accoucheras pas tu-suite.

— Oui mais là, dit Rose en se palpant le ventre, maintenant là, ça fait mal.

— Ouais... Mais ç'a pas l'air d'une vraie contraction. Y faut qu'a soient fortes, pis rapprochées.

Pit lui touche le ventre doucement par-dessus sa chemise de nuit :

— Inquiète-toi pas ! On va surveiller ça de près. Oublie pas que j'suis docteur.

Rose hoche la tête en silence, l'air un peu intimidé :

— Ouais ben, si c'est comme ça d'abord, j'vas descendre, j'ai faim, déclare-t-elle en esquissant un sourire.

Dans la cuisine, Emma et Georges finissent de déjeuner en compagnie de leur belle-fille, Éva, quand Pit vient les rejoindre. Rose et Louis marchent lentement derrière, ce dernier soutenant sa femme avec précaution.

— Assis-toi, Rose, dit Louis en lui avançant une chaise. Veux-tu avoir un bon café pis des *toasts* ?

— Oui.

Louis revient au bout de quelques minutes avec le déjeuner.

— Tiens, ma belle !

— Ah Ti-Louis ! T'as oublié d'apporter les confitures, lui reproche-t-elle d'une voix un peu plaignarde. Va m'en chercher, OK ?

— *Of course*, répond Louis aussitôt.

Georges se lève, en bourrassant un peu. Il n'aime pas voir son fils se mettre au service de sa femme de cette façon. Une vraie princesse ! Une reine bientôt, s'il n'y prend pas garde. Reine mère oui. En tout cas, avec lui, ça n'aurait pas marché de même. On peut être gentil avec sa femme – il pense l'avoir été pour sa part –, mais de là à lui donner tout le pouvoir comme Ti-Louis a l'air parti pour le faire ! *Jamais,* se dit-il en jetant une bûche dans le poêle. *Le* boss, *c'est l'homme. Faut juste être un bon* boss. *Jamais un serviteur. Sinon…*

— Faut que j'aille en bas à l'épicerie. J'ai des affaires à aller *checker*, lance-t-il en se dirigeant vers le *backstore*.

— Oui, mais on est dimanche, plaide Emma.

— Inquiète-toi pas. Ça sera pas long. J'vas revenir tu-suite. J'oublierai pas la messe, inquiète-toi pas.

Au même moment, Yvonne et Lucille arrivent du salon en courant, une corde à danser dans les mains :

— Maman, est-ce qu'on peut aller dehors nous autres aussi avant d'aller à messe ?

— Non, non. Pas aujourd'hui. Vous allez vous salir.

— On va faire attention, supplient-elles.

— Non, non. Faites les bonnes filles là! C'est dimanche, il faut rester propre.

— Ah! C'est vraiment pas drôle, lancent-elles en retournant au salon.

* * *

Une heure plus tard, tout est tranquille dans la maison. Tout le monde est parti pour la messe depuis un bon moment, sauf Emma qui n'y va plus depuis sa maladie et Pit qui surveille Rose dont le travail semble avoir commencé, même si c'est en douceur pour le moment. Assise dans la chaise berçante de la cuisine, elle semble même s'être assoupie depuis quelques minutes.

— Ayoye! s'écrie-t-elle tout à coup en se prenant le ventre avec les deux mains.

Pit arrive aussitôt:

— Je pense que tu viens d'avoir une vraie contraction ma p'tite fille. Bon ben là, on va calculer quand est-ce que la prochaine va arriver.

Il s'assoit à côté d'elle, surveillant la grande aiguille sur l'horloge.

— Ayoye! s'écrie Rose encore plus fort au bout de quelques minutes seulement.

— Ouais ben… C'est assez rapproché, constate Pit. Je pense que tu vas accoucher dans pas grand temps.

Il se tourne vers sa mère :

— Téléphone à Thomas pour lui dire de s'en venir tu-suite.

— Oui, oui. Je l'appelle là.

Emma compose le numéro, échange quelques mots avec la bonne qui garde les enfants et raccroche :

— Y va revenir de la messe dans que'ques minutes, explique-t-elle à Pit. A va y dire de s'en venir tu-suite.

Au même moment, on entend des pas dans l'escalier. C'est Louis qui revient avant tout le monde.

— Bon ben, c'est le temps que t'arrives ! lui lance sa mère. Ta p'tite femme va accoucher betôt.

— Je le sentais aussi, je le sentais, fait-il en s'approchant de Rose. C'est pour ça que chus parti avant la fin de la messe.

— Ah ! Ça fait trop mal, pleurniche Rose en se lamentant très fort.

— C'est pas si pire, minimise Pit.

— Pauv'tite ! fait Louis sans s'occuper de son frère. Viens ! Donne-moi ton bras ! On va aller te coucher de l'autre bord.

Ils marchent avec prudence tous les deux.

— Maman, lance-t-il sans lâcher le bras de sa femme, téléphone à Thomas !

— C'est d'jà faite, le coupe Pit. Y va s'en venir sitôt qu'y va être revenu de la messe.

C'est en silence qu'ils entrent dans la salle de bain où se trouve la porte qui relie la maison au logement d'à côté. Ils montent prudemment les trois petites marches qui donnent accès au palier et se retrouvent très vite au beau milieu du salon où le grand lit trône avec une certaine indécence.

— Bon, on est arrivés enfin, déclare Louis d'une voix qui se veut rassurante.

— Aïe, aïe, aïe ! J'ai mal ! crie-t-elle, éplorée, en se jetant sur le lit. Vite Ti-Louis ! Vite ! Aide-moi à me coucher !

— Tiens ! Voilà, t'es ben installée, là. Tu veux-tu que je te remonte tes oreillers ? demande Louis, plein de sollicitude.

— Ah ! Laisse faire les oreillers ! le rabroue-t-elle, irritée. Ça fait trop mal !

Pit arrive rapidement dans la pièce :

— Bon ben, Ti-Louis, déclare-t-il d'un ton autoritaire, tu peux pas rester ici. Faut que je l'examine pour voir où est rendu le travail.

— Oui, mais là, riposte-t-il, je viens juste d'arriver…

— Non ! Tu peux pas rester, c'est sûr, sûr, sûr. Envoye ! Scrame ! Pis envoye-moi Thomas sitôt qu'y va arriver.

* * *

Restée seule dans la cuisine, Emma se demande si elle ne devrait pas tout annuler. Un accouchement, ce n'est quand même pas rien. On ne sait jamais comment les choses peuvent tourner. Elle entend du bruit dans l'escalier d'en avant. C'est Georges qui entre, tout énervé, suivi d'Éva et des fillettes.

— Comment ce qu't'es revenu en fin de compte ? lui demande-t-elle.

— J'ai pris un taxi, c't'affaire, répond Georges d'un ton bourru. Fallait ben ! Le beau Ti-Louis nous a sacrés là !

Au même moment, Thomas arrive, empressé, par le *back-store* en même temps que Louis entre dans la cuisine, l'air contrarié :

— Ah ! Thomas ! Pit fait dire d'aller le rejoindre de l'autre bord.

Il lève les bras en l'air :

— C'est que tu veux, moi, j'ai pas d'affaire là.

— C'est sûr, réplique Georges sèchement. Raisonne un peu, voyons, Ti-Louis ! Un accouchement, c't'une affaire de femmes, pis de docteurs. Pas pantoute la place des maris.

— J'sais ben, réplique Louis sur le même ton. Chus pas fou. Pas besoin d'être bête comme tes pieds pour me le dire.

— Oui, mais Ti-Louis… Laisse-la donc un peu tranquille ta femme ! Est pas pire qu'une autre. Accoucher, y a rien là. Ta mère, a en a eu quatorze, pis regarde-la, est pas morte.

— Bon, bon, bon, intervient Emma. C'est pas le temps de commencer toute une histoire. C'est ben assez énervant comme ça. Moi, ce que j'veux savoir, c'est si j'annule le dîner pis les visites pour c't'après-midi ou ben non.

— Comment ça annuler? s'offusque Georges. Non madame. On change rien pantoute. Ça fait longtemps que c'est décidé toute ça. Rose va accoucher de son bord, pis nous autres, icitte dans, on va faire comme si de rien n'était.

Il regarde son fils :

— Eille, tu y as-tu pensé, Ti-Louis, comment ce qu'est chanceuse ta femme? A va avoir deux docteurs pour l'accoucher. Pas un. Deux. Jamais je croirai qu'y seront pas capables de s'occuper comme du monde de c'te p'tit bébé-là.

— Pauvre Rose! plaide Emma. Y me semble que ça va faire ben du monde dans maison.

— Tu t'en fais ben que trop, toi aussi, avec ça. Laisse donc faire! A va rien qu'accoucher après toute. Faut quand même pas venir fou avec ça! Y a rien de compliqué là-dans.

* * *

Couchée dans son grand lit neuf depuis déjà deux bonnes heures, Rose ne partagerait certainement pas cette opinion, car elle n'en mène pas large. C'est bien simple, elle souffre le martyre. Depuis trop longtemps déjà, les contractions s'enchaînent l'une après l'autre, lui broyant les entrailles et lui laissant à peine le temps de respirer. *Comment les femmes peuvent-elles vivre un tel enfer depuis la nuit des temps?* se demande-t-elle, abasourdie par l'intensité de la douleur. «Endormez-moi!» a-t-elle déjà demandé plusieurs fois à ses beaux-frères médecins sans que ces derniers ne prennent sa supplication au sérieux.

— Faut que tu fasses avancer le travail encore un peu, lui explique Thomas calmement.

— Faut surtout que tu pousses, Rose, renchérit Pit. Regarde-moi là !

Il la fixe avec son index devant le visage comme s'il voulait l'hypnotiser :

— Quand la contraction arrive, faut que tu pousses, Rose !

— Chus pus capable, gémit Rose en tremblant de tous ses membres.

— Oui mais, t'as quasiment pas poussé, rétorque-t-il.

— Eille ! hurle-t-elle avec le peu d'énergie qu'il lui reste. Ça fait des heures que je pousse…

Sa voix s'étrangle dans sa gorge :

— J'en peux pus, endormez-moi, implore-t-elle encore une fois.

À travers le temps qui passe, vague et flou, ponctué de rudes contractions qui semblent ne jamais devoir finir, Rose voit un visage se pointer dans le cadre de la porte du logement. Elle reconnaît sa belle-sœur Héléna qui se met à l'examiner, elle à moitié nue, en souffrance, sans défense. « Elle a le ventre brun », l'entend-elle dire avec dédain à quelqu'un qu'elle n'arrive pas à voir à ses côtés. Cette phrase s'imprime dans la tête de Rose à jamais. Elle surprend encore les visages curieux de Marie-Louise et d'Alida qui viennent aux nouvelles afin d'informer la famille réunie de l'autre côté sans que cela ne les empêche de manger, boire et discuter pratiquement comme si de rien n'était.

Tant de remue-ménage a raison de la vaillance d'Emma. Heureusement, dès son arrivée, Marie-Louise a pris le contrôle du dîner avec l'aide de la bonne Gémina. Assise dans la chaise berceuse de la cuisine, Emma se sent plutôt à l'écart. Elle revoit dans sa tête l'accouchement de Tetitte, survenu il y a à peine un mois, conclu en une petite heure. Il semble que ce ne sera pas la même chose cette fois-ci. Elle regarde son Ti-Louis qui semble dans tous ses états et qui ne tient pas en place. Il marche de long en large dans la maison, incapable de cacher son inquiétude et c'est comme si elle était dans sa peau, comme si elle pensait à sa place. *Si fallait qu'y arrive quequ'chose à Rose ou au bébé!* se dit-elle en se croisant les mains machinalement. Ses autres enfants sont tous là, la tourtière est fameuse, quelques-uns jouent aux cartes, d'autres discutent dans un coin du salon. Il y a ses curieuses de filles qui ne cessent d'aller se pointer le nez de l'autre bord et qui reviennent sans savoir grand-chose. « C'est long », disent-elles simplement l'une après l'autre. *Mais si fallait que ça tourne mal!* ne peut s'empêcher de craindre Emma. Comme ce fameux jour à La Malbaie, alors que la vie a basculé pour son Ti-Louis. Tout ne tient qu'à si peu de choses… *Mon Dieu Seigneur! Faites qu'a l'accouche!* implore-t-elle, le cœur serré. *Faites que le p'tit bébé soit correct! Faites qu'elle aussi, a soit correcte! Je vous en supplie Seigneur.* Se ressaisissant, elle interpelle son fils:

— Viens, mon garçon! Viens t'asseoir un peu! Ça sert à rien de t'énerver de même! Viens! J'vas t'donner un bon verre de gin.

Celui qu'elle voit là devant elle, c'est son tout-petit, celui qu'elle a réussi à sauver pendant que la mort frappait deux autres de ses enfants. Elle se lève et sort la bouteille d'alcool de l'armoire. Son Ti-Louis! Si affectueux, si tendre, si débordant d'amour envers elle, c'était comme si le bon Dieu le lui avait envoyé exactement à ce moment-là pour l'aider à guérir de ses deuils. Elle verse un peu de gin dans un verre.

— Tiens! Bois ça! Ça va te calmer.

Emma demeure silencieuse un moment:

— Chus sûre que toute va ben aller, ajoute-t-elle en se rassoyant. C'est un peu long, mais y a des femmes pour qui c'est encore pire que ça, douze heures, des fois quinze heures.

Sentant la profonde empathie de sa mère envers lui, Louis se laisse choir lourdement sur une chaise à côté d'elle:

— Maman, soupire-t-il. T'es sûre que ça va ben aller? demande-t-il en s'appuyant contre le dossier, soudainement gagné par l'épuisement.

— Fais-toi z'en pas mon garçon! Ton frère est là, pis Thomas aussi. Y peut rien arriver de mal à Rose ni au bébé, lui promet-elle en se convainquant elle-même. J'vas t'servir un peu de tourtière, dit-elle en se levant. Tu vas voir. Est vraiment bonne. Ça va te renforcir.

— Rien qu'un peu d'abord. J'ai pas ben faim.

* * *

Vers trois heures, après cinq heures de travail intense, Rose commence à perdre le peu de forces qu'il lui reste.

— Endormez-moi! supplie-t-elle encore une fois sans y croire.

À côté d'elle, les deux médecins discutent à voix basse.

— A sera pas capable de sortir le bébé, déclare Thomas. Va falloir prendre les forceps.

— T'es sûr? questionne Pit.

Même s'il est encore un peu intimidé par son beau-frère, avec qui il a fait ses études et qui l'a toujours dominé par son intelligence et sa témérité, Thomas fait montre d'assurance:

— On n'a pas le choix. Est trop faible pour pousser. On va l'endormir pis on va prendre les fers. C'est décidé.

Rapidement, Thomas sort le chloroforme, au grand soulagement de Rose qui se laisse enfin aller sous les exhalaisons anesthésiantes qu'elle appelait de tous ses vœux depuis des heures.

— On commence à voir le dessus de la tête, y faut faire vite, déclare Pit.

Habitué à de telles manœuvres, Thomas empoigne les forceps qu'il traîne toujours dans sa valise pour un accouchement en espérant ne jamais avoir à s'en servir. Aujourd'hui, puisqu'il le faut… Avec précaution, il glisse l'une après l'autre à l'intérieur du vagin les deux cuillers métalliques qui vont servir de pinces pour agripper la tête du bébé. Il tire une première fois de toutes ses forces, Pit l'aidant de son mieux avec ses mains. Le bébé résiste. Il recommence une deuxième fois en déplaçant légèrement les cuillers pour mieux coincer le crâne.

— Envoye tire ! lance Pit qui tente de s'emparer de la tête sans réussir à la faire passer.

Thomas replace une troisième fois les forceps et tire de toutes ses forces. La tête est passée. Pit continue le travail avec ses mains en essayant de faire glisser les épaules, malgré un bras placé tout de travers. Il entrevoit le visage tuméfié du bébé et s'empresse de tirer encore un peu sur le petit corps qui sort ensuite pratiquement de lui-même.

— C'est une fille ! lance-t-il.

Marie-Louise, qui était postée dans la porte de communication entre les deux logements, revient en courant dans la cuisine pour annoncer la bonne nouvelle. Au même moment, on entend retentir les pleurs du nouveau-né.

— J'ai une fille ! s'exclame Louis d'une voix étranglée par l'émotion. Maman, papa ! J'ai une fille !

Bien qu'encore un peu ébranlé, Louis sort les cigares qu'il a achetés pour l'occasion et les distribue à son père, ses frères, ses beaux-frères. Les félicitations fusent de toutes parts. D'avoir ainsi toute sa famille autour de lui pour se réjouir en cette occasion unique est un drôle de hasard, mais un réel bonheur.

— Comment va Rose ? demande-t-il en voyant Pit revenir dans la cuisine à son tour. Est-ce que je peux aller la voir astheure ?

— On l'avait endormie, explique Pit en acceptant le cigare que son frère lui tend. A se réveille là. Va falloir que t'attendes encore un peu. Thomas va finir le travail, pis tu vas pouvoir aller voir ta femme pis ton bébé.

Georges se rengorge en tirant sur son cigare :

— Je te l'avais ben dit, mon garçon, qu'y avait rien là. Accoucher, ça peut pas être plus naturel.

Il remplit quelques verres de gin qu'il tend à ses fils et beaux-fils :

— Bon ben, on va boire à ta fille, Ti-Louis. Pour qu'a vive le plus longtemps possible !

Emma se met à rire, soulagée de la tension des dernières heures :

— Oui, on va lui souhaiter une longue vie à cette chère petite ! Qu'a nous enterre toute la gang tiens, tant qu'à y être !

— Si a vit mettons jusqu'à quatre-vingt-quinze ans, estime Jean Grenon, toujours prêt à faire des calculs, ça voudrait dire qu'a mourrait juste en 2019.

— 2019 ! s'exclame Georges. Viens-tu fou, le gendre ?

— Ben, c'est ça qui est ça le beau-père. Si nos enfants vivent vieux, y vont vivre jusque dans l'autre siècle. On va même dire dans un autre millénaire.

Tout le monde demeure silencieux un moment, étourdi en pensant à un avenir aussi lointain et irréel.

— Entouècas, en 2019 comme tu dis, ça va faire longtemps que les os nous feront pus mal, conclut Georges en vidant son verre d'un trait.

On entend alors Alida revenir du logement d'à côté :

— Ti-Louis ! Thomas fait dire que tu peux venir voir ton bébé, lance-t-elle, tout sourire. Les autres, vous viendrez tantôt, quand je vous le ferai savoir.

Louis s'élance de l'autre côté. Il aperçoit sa femme, encore à moitié endormie. Les couvertures ont été remises en place et il ne voit que son visage très pâle et ses cheveux tout ébouriffés sur l'oreiller. Machinalement, il les replace et lui caresse doucement la joue. Elle lui sourit tristement. Il s'assoit sur le lit près d'elle et lui chuchote quelques mots de réconfort :

— C'est fini là, c'est fini.

Elle le regarde, éplorée :

— Si tu savais, murmure-t-elle du bout des lèvres.

— Oui, mais là c'est fini, répète-t-il en lui tapotant le bras.

Il se tourne vers le bébé qui a encore un peu de sang dans le visage et semble avoir passé un mauvais quart d'heure.

— Sont-tu correctes ? demande-t-il à Thomas qui ramasse ses instruments à côté de lui.

— L'accouchement a été dur, répond ce dernier avec franchise. Le bébé a le bras droit un peu paralysé, mais c'est temporaire. J'ai déjà vu ça, pis tu vas voir dans deux semaines même pas, ses deux petits bras vont marcher ben comme y faut.

— Pis Rose ? A va-tu s'en remettre ?

— Est fatiguée. C'est juste ça. Tu comprends, ç'a pas été facile. Mais a va revenir comme avant tu vas voir. J'suis pas inquiet.

Héléna et Marie-Louise arrivent elles aussi dans la pièce avec une bassine d'eau, une débarbouillette et une serviette.

— On va laver ton bébé, explique Marie-Louise en démaillotant lentement le nouveau-né.

Elle soulève le petit bras qui ne réagit pas et regarde Thomas d'un drôle d'air.

— Toute va s'arranger, répète celui-ci avec assurance.

Héléna ne sait trop comment aider sa sœur. Elle a peur de salir sa belle robe choisie pour cette réunion de famille du dimanche. Comment aurait-elle pu deviner que sa petite belle-sœur accoucherait aujourd'hui ? Elle regarde le bébé dans son bain, le visage enflé et endolori et déclare pas très fort, mais assez pour être entendue :

— C'est pas vraiment un beau bébé.

Emma s'approche aussitôt :

— C'est que tu dis là Héléna ? Ben voyons donc ! Comment ça pas un beau bébé ?

— Bah ! J'ai dit ça de même, balbutie Héléna, mal à l'aise, la phrase lui ayant échappé. Pas besoin d'en faire un drame.

— J'vas t'en faire moi, pas un beau bébé ! continue Emma montée sur ses grands chevaux. C'est une vraie belle petite fille que t'as eue là, Ti-Louis. Une belle brune, comme Rose. Ah ! C'est vrai qu'est un peu poquée, mais ça, c'est rien ! Ça paraîtra pus pantoute d'icitte que'ques jours. Regarde! La forme de son visage est parfaite. A l'a ton grand front à part de ça, pis des yeux un peu bridés comme les miens, ajoute-t-elle en souriant. Je pense qu'a va avoir le bas du visage de Rose, pis regardes-y les belles p'tites oreilles un peu pointues!

Pitou et Jeanne approuvent les paroles d'Emma bruyamment derrière elle, alors que Pit et Éva s'approchent du nouveau-né à leur tour:

— Mais oui voyons donc! C'est une très jolie petite fille.

Pit pavoise un peu:

— Et dire que c'est moi qui l'a accouchée!

— T'étais pas tu-seul quand même! rétorque Thomas.

— Justement, lance Louis sans tenir compte de la dernière remarque de son beau-frère.

Il fixe son frère Pit:

— Je trouve que c'est tellement surprenant qu'a soit née justement la dernière journée que t'étais encore icitte, je me dis que ça devrait être toi pis Éva qui devraient être ses parrain et marraine.

— Ben oui c'est sûr! répond Pit sans hésitation. On accepte. Hen Éva? Comme j'suis déjà ton parrain, c'est normal que je sois le parrain d'ton premier enfant.

— Oui, mais vous partez demain. Faudrait donc la faire baptiser c't'après-midi.

Georges intervient:

— Ben oui, c'est sûr. C'est normal de faire baptiser le jour même de la naissance. Voyons donc, Ti-Louis! Tout le monde sait ça. J'vas aller appeler le curé, propose-t-il. Y est pas encore quatre heures. Chus sûr qu'y va vouloir la baptiser sans problème.

Il quitte la pièce aussitôt et revient à peine quelques minutes plus tard :

— Y vous attend dans la petite chapelle de la cathédrale, lance-t-il, tout fier.

Tout le monde se prépare à quitter la maison en même temps. Il se fait tard. Rose doit se reposer. Thomas lui conseille de faire ses quarante jours sans faute :

— Ménage-toi, lui dit-il. Pas de ménage, pas de forçage, rien pantoute.

Rose le lui promet, soulagée. Elle se sent tellement faible.

— J'vas revenir demain pour voir si tout va bien, affirme-t-il avant de quitter la pièce avec Alida et le reste de la famille.

Le bébé dans les bras, Louis s'apprête à partir pour la cathédrale avec Pit et Éva. La dernière fois qu'ils ont parlé d'un prénom de fille, c'était Lucille. C'est donc celui-là qu'il pense lui donner. Mais avant qu'il franchisse la porte, Rose réussit à soulever sa tête et à crier d'une voix un peu éraillée :

— Ti-Louis ! Ti-Louis !

— Quoi ? fait Louis en revenant un peu sur ses pas.

— Appelez-la Denise ! lui lance-t-elle avant de s'affaler de nouveau dans ses oreillers.

* * *

À la petite chapelle de la cathédrale, le curé les attend, l'air un peu fâché. C'est qu'il pensait bien avoir fini sa journée, lui, quand Georges Bergeron lui a téléphoné pour lui demander – en réalité, pour lui ordonner – qu'il baptise sa petite-fille immédiatement. Comment lui dire non? Un paroissien si généreux! Mais quelle arrogance, quand même, par moments! Il serait empereur que ce ne serait pas pire! De toute façon, il n'aurait jamais refusé de baptiser un nouveau-né. Juste à imaginer que, par malheur, ce bébé meure pendant la nuit et, qu'en raison de sa négligence, sa chère âme demeure prisonnière à errer dans les limbes pour l'éternité… Il frissonne à cette évocation. En tout cas, il n'aurait jamais pu se le pardonner.

— Bon, entrez! Venez! Approchez-vous! commande-t-il d'un ton un peu sec au petit groupe qui entre avec le bébé dans les bras.

Louis avance rapidement, portant sa fille en avant de lui tel un Roi mage venant présenter sa précieuse offrande à Jésus. Éva marche derrière lui suivie de Pit, qui n'a pas mis les pieds dans une église depuis des années et ne se sent pas vraiment à l'aise.

— Comment vous allez l'appeler? demande le prêtre au père.

— Marie, Lucille, Denise Bergeron.

— Bon alors. Allons-y!

Comme le veut la coutume, il s'adresse alors au parrain de l'enfant:

— Renoncez-vous à Satan et à ses œuvres ?

— Oui, j'y renonce, répond Pit avec un air sceptique et condescendant.

Faisant mine de ne pas l'avoir vu, le prêtre poursuit la petite cérémonie. Par trois fois, il verse un peu d'eau sur le front de l'enfant qui se met à pleurer.

— Marie, Lucille, Denise, je te baptise au nom du Père, du Fils et du Saint-Esprit, conclut-il.

Tout le monde est soulagé. L'enfant est consolée. Louis recule de quelques pas et reprend sa place aux côtés de Pit et d'Éva.

— C't'un nom nouveau, ça, Denise, déclare le prêtre. J'en ai pas vu souvent par ici en tout cas. Mais c't'un beau nom…

Il les regarde quelques secondes en silence.

— C'est le nom que Dieu lui donne aujourd'hui.

Il les observe encore quelques secondes sans parler.

— En tout cas, j'espère que vous allez vraiment l'appeler par son nom celle-là !

Il fixe Pit de ses yeux perçants.

— J'espère que vous allez pas lui donner un surnom là, t'sais là, comme Pitou, Ti-Pit, Ti-ci, Ti-ça, Tetitte et compagnie.

Piqué au vif, Pit le toise de toute sa grandeur :

— On l'appellera ben comme on voudra.

Louis ouvre la bouche pour s'en mêler, mais devant le regard furibond que lui jette son grand frère, il la referme aussitôt. Pit se tourne vers sa femme et son frère :

— Bon, c'est fini là ! Venez-vous-en ! On sacre notre camp d'icitte !

Le curé le regarde partir avec un air moqueur. *C'est ben !* songe-t-il en lui-même. *Le beau fendant à Pit Bergeron ! Un exilé en guerre contre l'Église ! Pas gêné de se montrer la face ! Ça lui apprendra.*

— Le maudit curé ! fait Pit une fois rendu sur le parvis. Venir me baver de même en pleine face ! Y m'a reconnu chus sûr.

— Tu penses ? demande Louis, qui cache de son mieux son envie de rire.

— Entouècas, tu peux être sûr que chus pas près de remettre les pieds dans une église, fait-il en ouvrant les portières de son automobile à sa femme et à son frère.

* * *

La nuit venue, Louis s'installe près du lit d'accouchement que Rose refuse de quitter, « trop brisée », déclare-t-elle, pour déménager dans leur chambre au deuxième étage. Accommodant, Louis place le petit moïse à côté d'un fauteuil dans lequel il passe finalement la nuit, une nuit ponctuée par les pleurs de la petite Denise et quelques séances d'allaitement auxquelles il assiste, ému au-delà de tout ce qu'il a jamais pu imaginer. *Chère petite ! Vivre une naissance si difficile ! Son petit bras immobile, son visage qui semble ne pas bouger d'un côté.* Maudits forceps, pense-t-il, tout en se ravisant aussitôt. *C'est mieux comme ça,* se dit-il encore une fois. *Au moins, est vivante !*

C'est maintenant l'aube, et la lumière entre déjà abondamment par la grande fenêtre sans rideaux de ce décor de chambre un peu emprunté. Rose place une serviette sur ses yeux pour prolonger l'obscurité et la nuit, après une dernière tétée.

— Rendors-toi, murmure Louis affectueusement en déposant sa fille repue dans son petit lit.

Il la contemple maintenant avec tendresse et lui promet de l'aimer et de la protéger toute sa vie, de lui offrir tout ce qu'elle désire et plus encore. N'est-elle pas son plus bel avenir ? *Des fois, le bon Dieu nous enlève quelque chose auquel on tient très fort,* songe-t-il en repensant à la série d'événements qui sont survenus dans sa vie au cours des deux dernières années. *Mais si on garde espoir, il peut nous redonner ensuite quelque chose d'encore plus merveilleux, que rien ne pourrait surpasser.* Il embrasse son petit bébé du bout des lèvres pour ne pas le réveiller et retourne s'asseoir dans son fauteuil. Peut-être qu'avec de la chance, il pourra s'assoupir un peu de nouveau.

Presque tout de suite, son esprit s'abandonne dans le grand tout et s'élève au-dessus de la chambre. Il se voit avec sa femme et sa fille au seuil d'une longue descendance et s'envole aussitôt encore plus haut au-dessus des murs, jetant au passage un regard aimant sur son père et sa mère endormis dans leur lit, ses chers parents qu'il souhaite voir vivre encore bien des années. Il plane encore un peu au-dessus des chambres et entrevoit son grand frère, Pit, si fort, si généreux, si téméraire, couché avec sa femme, et leurs deux filles blotties l'une contre l'autre dans la chambre d'à côté. Pit devra être patient demain sur le chemin du retour. Il a plu au moins trois jours sur Charlevoix et le Bas-Saguenay et la route du petit parc va exiger toute sa prudence et son attention s'il veut retourner sain et sauf à sa vie de médecin prospère, d'anticlérical convaincu et de fier retraité de l'armée dans ce pays qu'il a choisi. L'esprit de Louis prend son envol toujours plus haut au-dessus des maisons et des rues, planant près du nouveau barrage qui gronde et de la maison de sa sœur Alida qu'il aperçoit, déjà levée, aidant son mari à se préparer pour répondre à une urgence à la Pulperie. Son esprit file ensuite comme l'éclair au-dessus de la maison d'Edgar, son frère un peu plus vieux que lui qui vit en anglais dans la petite ville la plus francophone du pays et dont la femme est enceinte de son septième enfant. Encore plus loin, il flotte un moment au-dessus de la grosse maison qui borde la petite rivière aux Rats et qui abrite son frère Arthur et sa famille, de même que sa sœur Marie-Louise et son mari Aimé. Son esprit suit alors les courants du Saguenay et passe au-dessus de la maison de sa sœur Héléna et de son mari Jean Grenon, dont le succès semble vouloir s'étendre dans toute la région et plus loin encore. Il s'élève encore plus haut et entrevoit au loin, à Kénogami, la maison de son frère Pitou, de Jeanne et de leur fillette Marcelle; ces derniers dorment paisiblement.

Revenant à lui, l'esprit encore imprégné de mystère, Louis se sent tout à coup présent, ici et maintenant, en septembre 1924, dans cet espace-temps bien défini, dans ce petit coin de pays que les Indiens ont découvert un jour en canot d'écorce et qu'ils ont nommé Chicoutimi, «là jusqu'où c'est profond». Et il se sent comblé que Dieu l'ait fait naître et vivre sur cette terre bien-aimée.

Remerciements

À Dominique Tremblay et Laval Gagnon pour leur soutien et leurs généreux commentaires tout au long du processus d'écriture.

À Thomas Tremblay et Lucie Enel pour leurs fidèles encouragements.

À mon éditeur, Daniel Bertrand, pour sa confiance et à Anita Rathé pour le suivi à l'édition.

Un merci tout spécial à ma mère, Denise Bergeron, qui a recueilli et noté plusieurs anecdotes vécues par sa mère, Rose Gauthier, au cours des années précédant son décès, le 22 juillet 1998, à l'âge de 95 ans. Même alors, ma grand-mère possédait une mémoire infaillible, aimant particulièrement se rappeler son enfance dans le village de Sainte-Anne et sa vie de jeune épouse et de mère au sein de la grande famille des Bergeron de Chicoutimi. Certains passages de ce roman en sont librement inspirés, de nombreux autres ont jailli de mon imagination.